5.20

HEINRICH BALZ

Aragon – Malraux – Camus

Korrektur
am literarischen Engagement

VERLAG W. KOHLHAMMER
STUTTGART BERLIN KÖLN MAINZ

Für Ernst Balz
1904–1944

Berlin Köln Mainz. Verlagsort: Stuttgart. Gesamtherstellung: W. Kohlhammer
GmbH. Stuttgart. Printed in Germany. 87096

Inhalt

Vorwort

Eine der Aufgaben des Schriftstellers ist nach Sartre die »synthetische Erweiterung« von Begriffen, um sie der geschichtlichen Situation anzupassen. Dabei lassen die neuen Begriffe den, der sie gebraucht, zuweilen auch mehr sagen, als er sagen wollte; sie können sich, so Sartre, gar zu »trojanischen Pferden« entwickeln: keine Vokabel ist der Veranschaulichung dieses Vorgangs so dienlich wie das ›Engagement‹, sein gegenwärtiger Wortgebrauch, im Deutschen noch mehr als im Französischen. Längst ist sein Bedeutungsinhalt der Kontrolle des Urhebers Sartre entglitten, der Begriff folgt seinen eigenen synthetischen Erweiterungsgesetzen. Der Grundwert für die der Zeit gemäße Ethik scheint gefunden, ›engagiert‹ ist heute alles und jedermann, das Dichten, das Denken und der Glaube: die bloße Wort- und Sprachgeschichte ist in diesem Fall zugleich schon die Sprachkritik.

Nur wenig kann es darum verwundern, wenn in der französischen Literatur, von der es herkam, das ›Engagement‹ mittlerweile weitgehend als erledigt gilt. Doch nicht bei allen Autoren; unsere Untersuchung handelt – weniger um den Wortgebrauch an den Ursprüngen zu normieren, als um ihm neue Füllung zu geben – von drei Schriftstellern, für welche die so benannte Sache nicht erledigt, sondern eher der Korrektur bedürftig ist. Genauer, für die sie schon korrekturbedürftig war, ehe sie von Sartre 1947 systematisiert wurde. Aragon, Malraux und Camus werden befragt nach ihrem Literaturbegriff; Begriff hier unterschieden von abschließend-schauender ›Theorie‹, aber auch von krisengebundener, vorübergehender ›Problematik‹ der Literatur, als die immer neue Vermittlung von Sein und Sollen, als Wissen der Schriftsteller um das Veränderbare an ihrem Handwerk.

I

Mein Acker ist die Zeit

1. Aragon – Malraux – Camus: die deutsche Wirkungsgeschichte

In Deutschland sind, wenn über den Schriftsteller im Unterschied zum Dichter diskutiert wird, seit der Romantik französische Leitbilder mit großer Selbstverständlichkeit zur Hand. Die Nachkriegszeit hat dieser alten Traditionskette ein neues Glied hinzugefügt, indem sie auch Albert Camus, Louis Aragon und André Malraux diese ehrenvolle Beispielfunktion zuerkennt – in spürbarer Abstufung freilich, und um denkbar verschiedene Forderungen an den der Zeit gemäßen Schriftsteller mit dem Glanz des schon Realisierten beweiskräftig zu machen. In der Bundesrepublik würde es schwerfallen, unter Menschen, die sich für Literatur interessieren, solche ausfindig zu machen, denen der Name Camus unbekannt wäre, oder unter Studierenden der geisteswissenschaftlichen Fakultäten solche, die nicht dieses oder jenes von ihm gelesen hätten. Sein Siegeszug in Deutschland begann bald nach dem Krieg, nur wenig später als in Frankreich selber. Mittlerweile hat er die Schulbücher erreicht, die hohen Taschenbuchauflagen halten an, auch wenn sein Stern in literarischen Kreisen schon wieder zu sinken begonnen hat. Für ein überaus großes Publikum, größer wahrscheinlich als es das André Gides je war, ist Camus die Mitte des literarischen Frankreichbildes der Gegenwart: die halb unbewußte Norm, an welcher die Konkurrenten, Sartre und die Jüngeren, gemessen werden. Und dies nicht allein in ihren Romanen oder Theaterstücken, sondern auch in ihrem Bemühen, der Literatur sei es eine neue, sei es etwas weniger Funktion zu geben.

Aragon dagegen kam erst 1961 in die Bundesrepublik mit der Übersetzung der *Karwoche*. Das fachkundige Nachwort des Übersetzers wies die Leser darauf hin, daß dieser historische Roman eine Antwort auf den längst bekannten Sartre und auf sein Dictum »Die Hölle, das sind die anderen« sei.[1] Aragon kam damals nicht über den Rhein, sondern über die Elbe – aus dem anderen Deutschland, wo er schon bald nach dem Krieg gelesen und übersetzt wurde, in großem Umfang seit der Verfestigung der Zonengrenze[2], die sich mit der Zeit auch in einem zweigeteilten deutschen Frankreichbild einzeichnete. Erst nach dem Erfolg der *Karwoche* kamen auch die Übersetzungen seiner früheren Romane in bunter Folge herüber; die Chronologie dabei im Auge zu behalten, wurde dem westdeutschen Leser nicht leicht gemacht. Auch darüber, wer dieser neu entdeckte Romancier sei, ist auf Klappentexten und in sonst zuverlässigen Handbüchern Widersprüchliches zu erfahren.[3] Im Ost-Berliner Verlag erleben seine Bücher immer noch Neuauflagen, und von namhaften deutschen Autoren wie Stephan Hermlin hört man, Aragon sei der Größte unter denen, die heute in Frankreich schreiben.[4] Kurz, Aragon ist — oder war, da man mit der Übersetzung seiner neuesten Romane sehr zögert — für lange Zeit so etwas wie der Camus der Deutschen Demokratischen Republik.[5] Freilich unterschlägt man dabei, daß ihm dort die eigentliche Konkurrenz fehlt; Aragons Sonderstellung in der DDR hat keinen rein literarischen Grund, die knappen Urteile des Leipziger Konversationslexikons über die ausgeschalteten, nicht publizierten französischen Kollegen bestätigen dies.[6] Aragon kann nur Kommunist sein — was der durchschnittliche westdeutsche Leser aus *Aurélien* etwa zu erraten die größte Mühe hätte. Diesen Liebesroman unpolitisch, »zeitlos« zu lesen, ist viel leichter.

Vielleicht ist Aragon in der Tat zeitloser als Camus. Der Umstand, daß die westdeutschen Verleger von Kriegsende bis 1961 Aragons Romane entweder nicht kannten oder aber für das Publikum, das übersetzten Camus oder Sartre in Mengen kaufte, als zu riskant empfanden — waren Aragons Romane zu politisch, nicht hoch genug oder etwa zu hoch für Camus-Leser? —, gibt zu denken. *Die Reisenden der Oberklasse* sind Sartres *Ekel* an literarischer Qualität, die *Karwoche* ist der *Pest* an Gehalt kaum unterlegen, um zwei nicht ganz zufällige Paare aufzustellen. E. R. Curtius, der Aragon einmal, als dieser Surrealist und noch nicht Kommunist war, zum »Begabtesten unter den Jungen« erklärt hatte[7], hätte das westdeutsche Desinteresse vielleicht ändern können, aber er wollte nicht. Schließlich weiß man, daß der Kommunismus die Begabung verdirbt; solchem Wissen blieb Aragon auf lange Zeit geopfert. Dies alles kann den Betrachter beim zweiten Hinsehen aber auch so schließen lassen: Camus ist oder war der Aragon der Bundesrepublik. Also jemand, der nicht nur ein verbreitetes Lebens- und Zeitgefühl ausdrückt, sondern nebenbei indirekt bestimmte Ansichten von Geschichte und Politik bestätigt, eine Haltung vor allem der Ideologie gegenüber, die jenseits der Grenze regiert. Daß Camus in dieser Haltung so fraglos ist, oder vielmehr alle »falschen Fragen« verwirft, gibt ihm bei einem Teil der deutschen Leser seinen Vorsprung vor Sartre, der zuviel fragt. Ein solcher Schluß bedarf der Überprüfung. Um den Zusammenhang eines Literaturbegriffs mit der Zeitlage zu erfahren, kann ein Vergleich Camus' und Aragons nicht schaden; ein Vergleich, wie ihn die Verhältnisse in der anderen deutschen Republik, die sich stolz die »Demokratische« nennt, wohl nicht zulassen würden. Es reizt der Versuch, für eine zeitgemäße gesamtdeutsche romanistische Literaturwissenschaft eine Basis von gleicher Wissenschaftlichkeit zu suchen, wie sie für die Erforschung früherer

Jahrhunderte, vom 18. Jahrhundert an rückwärts, in der französischen, spanischen oder italienischen Literatur schon gefunden und von beiden Seiten anerkannt ist.

André Malraux indessen wird weder im einen noch im anderen Deutschland gelesen. Seine fast vollzählig übersetzten Bücher erleben in der Bundesrepublik kaum Neuauflagen. Das ist nicht weiter verwunderlich, er hat es auch weder wie Aragon zum Lenin-, noch wie Camus zum Nobelpreis gebracht, sondern bloß zum Prix Goncourt, und das zu einer Zeit, in welcher er in Deutschland ohnehin unerwünscht wurde, im Jahre 1933. Die wenigen literarischen Kreise, besonders in Berlin, in denen er vorher schon bekannt war und auch übersetzt wurde[8], lösten sich schnell auf. Malraux' Bücher spielen im Fernen Osten, in Spanien und im Elsaß; eines von ihnen, ein weniger bekanntes aus dem Jahre 1935, handelt in Deutschland, das zeitgemäß aus einer finsteren Gefängniszelle betrachtet wird, wo die Gestapo einen deutschen Kommunisten verprügelt. Auf Grund einer Verwechslung wird dieser schließlich entlassen und fliegt nach Prag in die Freiheit; vom Flugzeug aus sieht er in der deutschen Landschaft Konzentrationslager.

Dies Deutschlandbild von unten und oben, vervollständigt durch die Begegnung mit der deutschen Wehrmacht von 1940 bis 1944 auf französischem Boden, ist nicht Malraux' einziges. Sollte er, Camus und Aragon analog, einem Deutschland zugeordnet werden, dann wäre es das der Weimarer Republik mit ihren Gelehrten, Kunsthistorikern, Ethnologen und Kulturphilosophen, die ihm vertraut sind. Als Minister de Gaulles kennt er auch die Bonner Republik auf höchster politischer Ebene; in politischen Magazinen und zeitgeschichtlichen Publikationen erfährt man Neues über sein abenteuerliches Leben, wenn auch nicht in den Zeitschriften, die das deutsche Bild von Camus prägen. Zwischen 1946 und 1950 fand Malraux wegen seiner Kunstmeditation und des deutschen Historismus, der in den *Nußbäumen der Altenburg* (1943) wiedererkannt wurde, noch einmal Interesse, aber ein weiterer Dialog fand nicht statt, zum Teil wohl deshalb, weil Malraux' Einsichten in das geschichtliche Wesen der Künste zu deutsch, zu allgemein bekannt waren. Sonst war ihm nur noch das Glück beschieden, in einigen Dissertationen wegen seiner *Conditio humana* als einer der Vorläufer der großen Existentialisten in der Literatur erkannt zu werden. Wer sich weiter mit ihm befaßt, wird als Gaullist oder Antigaullist eingeordnet; auch das Interesse an seinen *Anti-Memoiren* (1967) scheint nicht spezifisch literarisch zu sein.

Doch das deutsche Schweigen über Malraux hat noch einfachere Gründe. Diejenigen, die ihn von der Zeit des Spanienkrieges her am besten verstehen und heimlich auch noch bewundern, wollen oder dürfen ihn nicht mehr kennen – dort, wo Aragon das Feld beherrscht.

Das besagte, in Deutschland spielende Buch, *Die Zeit der Verachtung*, hatte 1936 A. Kurella übersetzt, zugleich mit Aragons erstem realistischem Roman, *Die Glocken von Basel* (1934).[9] Kurella hat mittlerweile ein hohes kulturpolitisches Amt in der SED; Aragons Roman konnte 1948 in Ost-Berlin nach der ersten, im Exil gedruckten, eine zweite deutsche Auflage erleben, Malraux' Novelle nicht: er war kein Kommunist mehr, ergo auch nie einer gewesen. Westdeutschland begann nach dem Kriege, das während der Hitlerherrschaft im Exil entstandene Werk deutscher Autoren zu entdecken: Musil, Thomas Mann, Hesse, dazu die Amerikaner. Aber so weit gingen doch die Erkundungen nicht, daß man auf die dreißiger Jahre der französischen Literatur einen neuen, gründlichen Blick geworfen hätte. Auf die schon bekannten großen Alten – Gide, Valéry, Proust, Claudel, Giraudoux – folgen scheinbar lückenlos die Neuen: Sartre, Camus, Anouilh. Malraux' Romanwerk der Jahre 1927 bis 1937 fällt zwischen die Stühle. Und überdies erfordert es durch die politischen Implikationen seiner »existentiellen« Themen ein zeitgeschichtliches Wissen, das für die jüngere deutsche Lesergeneration nicht ohne weiteres mehr verfügbar ist.

Der Blick auf die eigenartigen Schicksale dreier französischer Schriftsteller im geteilten Deutschland kann nicht den Zweck haben, den Dialog mit ihnen weiter zu politisieren. Vielmehr sind die politischen Konstellationen eben darum bewußt in Rechnung zu stellen, um Urteilen wie »Aragon ist der Größte«, oder »Camus hat Sartre, Brecht und Gide überwunden«, mit der nötigen Vorsicht zu begegnen. Von Malraux ist eigentlich nur soviel schon entschieden, daß er der Assimilation von Deutschland aus größere Widerstände entgegensetzt als Camus und Aragon, und daß er als Kenner und williger Aufnehmer deutschen Geistes ein besonders unbequemer Mahner an den deutschen Ungeist, die Zeit der Verachtung, sein könnte. Camus wird als Bewußtsein und Gewissen seiner Zeit, damit der Jahre seit dem Zweiten Weltkrieg und der Résistance, angenommen. Malraux, in dessen Rolle er damit zunächst vor dem linken französischen Publikum eintritt, war dies in anderer und gewiß nicht geringerer Weise in dem Jahrzehnt von 1930 bis 1939. Durch die Quantität seines Engagements und durch die Bewußtheit, mit welcher er zur gleichen Zeit in Romanen und anderen, heute weithin vergessenen Texten davon Rechenschaft gegeben hat, bestimmte er damals ein Bild von der Rolle *des* Schriftstellers, einen Begriff von Literatur, an welchem gemessen Camus' und Aragons gelebte Funktion, aber auch die Sartres, fast als bescheiden, wo nicht gar als resigniert erscheinen könnten. Der Schriftsteller ist nicht weniger, sondern mehr als der Poet, Maler oder Bildhauer; auf ihm liegt, außer der Kunst, durch die Sprache auch die Last der »Ideen« und der Geschichte; nichts kommentiert diese Ambition und die Schwere der Last besser, als daß Malraux sie eines Tages abwarf, um in der Meditation der Künste, der Form und Farbe, durch die zeitloseren

»Stimmen der Stille« Lärm und Widerspruch der Zeit eine Weile lang transponierend zu dämpfen.

Die bunten, wenigstens teilweise verzerrten Widerspiegelungen des Werkes französischer Schriftsteller beim deutschen Publikum der unmittelbaren Zeitgenossen – und man könnte bei Camus mit ebenso großem Recht statt des westdeutschen das angelsächsische, nicht ganz rein literarische Echo herbeizitieren – werfen ihrerseits Licht auf bestimmte Züge der französischen Literatur, von welcher sie ausgehen. Keine Wirkung ist so abwegig, daß sie mit der Ursache in keinem Zusammenhang stünde; im konkreten Fall verbindet beide die triviale Feststellung, daß die beiden Dinge, welche die Wirkungsgeschichte Aragons, Malraux' und Camus' in Deutschland bestimmen, identisch sind mit denen, die das Werk und die theoretische Reflexion der Genannten entscheidend bestimmen: der Zweite Weltkrieg und der Kommunismus, welcher als Folge des Krieges im einen Teil Deutschlands zur Herrschaft kam. Das Schwergewicht der Einleitung in die Problematik ihres Literaturbegriffs wird darauf liegen, diesen außerliterarischen Kontext greifbar zu machen.

Innerhalb der Literaturgeschichte ist das, was die drei Autoren zusammenhält, weniger leicht zu demonstrieren. Hier hat sich die Zusammenstellung oder Auswahl manchen skeptischen Fragen des wissenschaftlichen Lesers zu stellen, auf welche die Wirkungsgeschichte, wie eindrücklich auch immer, noch keine Antwort gibt. Hier läßt sich anschaulich nur die Gegenprobe führen: ohne Aragon, Malraux und Camus hätte die französische Literatur des 20. Jahrhunderts eine Lücke, einen großen weißen Fleck auf ihrer Landkarte, einen großen, und nicht etwa drei kleine weiße Flecken. Die greifbaren direkten Beziehungen zwischen den dreien erfassen jeweils nicht das Ganze des Problems. Sie sind persönlich miteinander bekannt; als Theoretiker der Literatur korrigiert Malraux Aragon und Camus Malraux, während Aragon alle beide widerlegt. Von Malraux ging ein starker Einfluß auf Camus aus, der zeit seines Lebens nachwirkte. Beide würden auch notwendig zusammengehören, wenn einmal die Wirkung von Dostojewski und Nietzsche auf die französische Literatur behandelt würde. Aragon und Malraux standen 1934 bis 1938 in enger Verbindung, sie leiteten zusammen die »Internationale Schriftstellervereinigung zur Verteidigung der Kultur«; in der literarischen Theorie führten sie von der gleichen revolutionären Basis aus eine prinzipielle Kontroverse, in der keiner von beiden unrecht hatte. Alle drei hatten ein persönliches Verhältnis zu André Gide (1869–1951) und sind bestrebt, ihn sowohl fortzusetzen als auch zu überwinden – im besonderen bezüglich der Rolle, welche Gide dem französischen Schriftsteller seinem Publikum gegenüber gegeben hatte. Gide selber gab das Signal zu seiner Überwindung mit der grundsätzlichen Frage nach dem Publikum: »Für wen schreiben

Sie?« – jener von Aragon zu Sartre weitervererbten Frage, von der heute die wenigsten mehr wissen, daß es ausgerechnet der Individualist und reine Künstler Gide war, der sie anstelle der anderen: »Warum schreiben Sie?«, gestellt wissen wollte.

Von der schmalen Basis nur dreier Schriftsteller vordringen zu wollen zum Ganzen des französischen Literaturbegriffs einer Epoche, die sich literaturgeschichtlich zwischen der posthumen Veröffentlichung von Prousts *Wiedergefundener Zeit* (1928) und dem Tod Albert Camus', politisch von der Weltwirtschaftskrise bis zur Beendigung des vorläufig letzten Kolonialkrieges in Algerien zu Beginn des zweiten Regimes de Gaulle erstreckt, ist ein anfechtbares Unterfangen. Rechtfertigen können es nur das Ergebnis und der Gang der Untersuchung, nicht die Grundsätze zur Auswahl der Autoren und zur Begrenzung der Epoche, die ihrerseits auch keine mathematische Präzision beansprucht. Malraux und Aragon schreiben immer noch und reagieren wach auf die Zeitgeschichte – ganz sicher werden die Streiks vom Mai 1968 als Erschütterung des Gaullismus in der Fortsetzung der *Anti-Memoiren* und die russischen Panzer in Prag vom August 1968 in Aragons nächstem Buch zu finden sein. Aber die Problematik des Engagements und seiner Korrektur bestimmt nicht mehr das Bild der französischen Literatur; eine neue Generation von Romanciers mit neuen Fragen und Gewißheiten füllt die Bühne. Ähnlich war *vor* 1930 das Problem schon da, aber nicht als Mitte und Schlüssel; das wurde es erst mit der folgenlosen Zuwendung der großen Alten Gide und Rolland zum Kommunismus und mit der Entschlossenheit der damals Jungen, Malraux und Aragon, ihren überkommenen Begriff von der Literatur kommunistisch aufs Spiel zu setzen. Sartre, welcher nach seinen Worten die »physische Wirklichkeit eines Konflikts« für das Engagement brauchte, setzt dennoch den großen Einschnitt, den Ausbruch des Problems in der französischen Literatur nicht etwa erst 1940, sondern 1930 an: damals schon sei die jüngere Autorengeneration aus der Schein-Ewigkeit in die »Geschichtlichkeit« heruntergekommen.[10] – Die französische Kritik und Wissenschaft der Literatur ging ihre eigenen radikalen oder maßvollen Wege; was hier interessiert, sind ausschließlich die Gestalten, bei denen die Theorie der Literatur im lebendigen Wechselverhältnis zu ihrer Praxis steht, die Schriftsteller also, und bei ihnen wieder nur die, bei welchen eine zusammenhängende Reflexion über ihr Schreiben stattfand – die es also nicht der hauptberuflichen Kritik überlassen haben, den Sinn ihres Schreibens und die Verteidigung gegen die Zweifel am eigenen Existenzrecht zu formulieren.[11]

Alle besagten Kriterien steuern nun freilich darauf zu, daß einer in der Erörterung des französischen Literaturbegriffs nicht fehlen dürfte, wenn anders sie ihren Gegenstand überhaupt erreichen will: Jean-Paul

Sartre. Sein Essay *Was ist Literatur?* (1947) bildet unbestritten den Wendepunkt im französischen Streit um das Engagement. Nicht ob, sondern nur noch wie Sartre in einer Studie über Aragons, Malraux' und Camus' Literaturbegriff herangezogen werden muß, kann die Frage sein. Die Themenstellung »korrigiertes« – und nicht erledigtes – Engagement will zugleich die gemeinsame Voraussetzung und die Weichenstellung bezeichnen. Einige weitere Bemerkungen zu Sartres nur mittelbarer Anwesenheit mögen dienlich sein. Sartres Literaturtheorie läßt sich rein als Theorie ohne Hinzunahme des ausgeführten Werkes darstellen, systematischer als dies mit den Gedanken Aragons, Malraux' und Camus' möglich ist; eine solche Darstellung wurde auch von deutscher Seite unternommen; es genügt, den wissenschaftlichen Leser auf die klare und objektive Dissertation von K. Kohut (Marburg 1965) zu verweisen.[12] Ihr verdankt der Verfasser vorliegender Studie wesentliche Durchblicke auf die Grundstruktur von Sartres Essay und auf das in viel Dialektik eingewickelte Bündel von Fragen rund um die engagierte Literatur, welche durch ihre Anwendung auf die anderen französischen Autoren erst die Basis zu einer Korrektur des Engagements – man könnte sie als Verlängerung und als Umbau von Sartres Frageliste vorstellen – ermöglichen.

Korrektur solcher Art ist dann aber nicht nur möglich, sondern auch notwendig. Wer sich mit Sartres Fragestellungen vollgesogen hat, und dann zu den anderen übergeht, deren »Situation«, wenn auch nicht deren »Lösungen«, Sartre mitbeschrieben zu haben beansprucht[13], der kommt nicht umhin, mit Sartre, dem Literaturhistoriker, entschlossen die Konkurrenz aufzunehmen: dort, wo er für die Schriftstellerkollegen Möglichkeiten behauptet, die sie nicht haben, und andere, die sie haben, nicht sieht. Dabei zeichnet sich eine deutliche Schranke oder verbindende Front gegen Sartre ab. In ausweglosen Lagen, wo Camus und Malraux Dostojewskis Theodizee-Frage einfällt, spricht Sartre Heidegger-Sprache; in der gleichen Grenzsituation, wenn ein politisches Engagement plötzlich durch veränderte Beleuchtung rückwirkend als Verrat erscheint, in welcher Aragon sich 1956/57 durch lyrische Klage und ein böses Napoleon-Wort seiner Haut wehrt, da verteidigt sich Sartre 1952 im Streit mit Camus mit spontaner Dialektik und hegelscher Begrifflichkeit. Das Geheimnis von Sartres tiefer Wirkung ist zugleich die Klippe, an der seine Solidarität mit der Spezies ›Schriftsteller‹ in seinem Land, so wie sie vor ihm war und nach ihm sein wird, teilweise scheitert: auch wenn er es nicht will, bleibt er doch dieser Seite der Unbehaustheit der Literaten fremd, seine vitale Engagiertheit im Gebäude der abendländischen Philosophie hindert ihn, ganz solidarisch zu werden. Ein neuer Plato, würde er heute seinen utopischen Staat realisieren, würde Sartre wohl nicht mit den anderen verderblichen ›Poetai‹ verjagen – und deren dumpfe, einmütige Reaktion auf das Joch, von dem sie glauben, Sartre wolle es der

Literatur aufladen, ist entsprechend: es sei anstelle von »Schöpfung« vielmehr »endloser Kommentar«[14], sei »unliterarisch, langweilig«[15] und ein »Begriffsbazar«[16]. Im Streit um die Literatur des französischen 18. und 19. Jahrhunderts und Sartres persönliche Gründe, letzteres so heftig abzulehnen, hat diese Front ihre Verlängerung; aber natürlich kann sie kein Alibi werden, an seinen Analysen der »Situation« des französischen Schriftstellers vorüberzugehen. Im Gegenteil: die geschichtlichen Faktoren – Krieg, Kommunismus, Kirche –, die Sartre im letzten Teil seines theoretischen Essays, nach den systematischen Fragen ›Warum‹ und ›Für wen schreiben?‹ behandelt[17], gehören für Aragon, Malraux und Camus an den Anfang, sind die eigentliche Vorbereitung auf ihren Literaturbegriff.

2. Kommunismus, Zweiter Weltkrieg und Nachchristlichkeit: Elemente der gemeinsamen Biographie

Der Kommunismus ist für die französischen Schriftsteller bis heute ein ausländisches politisches Ereignis und als Denkmöglichkeit ungefähr in solcher Distanz geblieben, wie er es für ihre deutschen Kollegen zwischen der folgenlosen Revolution 1918 und 1933 war. Es gibt kein geteiltes Frankreich, dessen einer Teil sozialistisch wäre, der andere dagegen so sehr atlantisch, daß er die kommunistische Partei verbietet. Es gibt kein französisches Berlin und keine Grenze, an der geschossen wird. Frankreich gehört als Ganzes der freien Welt oder dem Kapitalismus zu. Außer den Episoden der Volksfront (1936–1938) und unter de Gaulle (1945/46) haben die Kommunisten dort nie mitregiert, sondern waren immer Opposition; 1940 wurde wenige Wochen vor der französischen Niederlage der Prozeß gegen die Abgeordneten der Partei geführt wegen des Hitler-Stalin-Pakts vom August 1939; Aragon baut um diesen Prozeß herum seinen Romanzyklus *Die Kommunisten* (1949–1951) auf. Im Unterschied zu den östlichen Autoren, mit denen er sich solidarisch fühlt, lebt Aragon im ökonomisch-ideologischen Ausland; er steht in den Evidenzen des westlichen Wirtschaftssystems nach 1945, auf das manche marxistische Prognosen nicht mehr so einleuchtend passen wie etwa für die Weltwirtschaftskrise 1929/30. Endgültig seit 1931 ist er Mitglied der Kommunistischen Partei; Camus war es ebenfalls von 1934 bis 1937; Malraux hatte, wie Bert Brecht, nie eine Parteikarte, wurde aber doch seit seiner Teilnahme am sowjetischen Schriftstellerkongreß 1934 in Moskau von den Kommunisten zu den ihrigen gerechnet und rechnete sich bis zum Spanienkrieg selber zu ihnen – jeweils im Disput mit deren bürgerlichen und faschistischen Gegnern. Auch er war also im Umgang mit der Partei unvorsichtiger als Sartre.

Aragon ist noch Mitglied und wird es bleiben, Camus und Malraux haben sich von der Partei getrennt, der eine etappenweise 1935 bis 1937, dem anderen gab der Hitler-Stalin-Pakt, der den proklamierten Antifaschismus der westlichen Kommunisten ad absurdum führte, den entscheidenden Anstoß zum Bruch. Der Praxis seines Lebens, 1923 bis 1927 in Ostasien, 1936 in Spanien, und dem Stoff seiner Romane nach war Malraux kommunistischer als Aragon – zur Frage, wie konstitutiv oder wie unbedeutend die kommunistische Hoffnung für diesen wichtigsten Teil seines Werkes war, gibt es gegensätzliche Theorien; er selber schweigt sich darüber noch aus. – Camus will »Kommunist«, aber niemals »Marxist« gewesen sein[18]; in seiner Biographie ist die Parteizugehörigkeit tatsächlich nur eine Jugendepisode zwischen dem 21. und 24. Lebensjahr, alle seine bedeutenden Bücher schrieb er erst danach. Und doch ist in ihnen ein ›nachkommunistisches‹ Ingredienz enthalten. Nicht nur in der politischen Kritik des *Menschen in der Revolte* (1951), auch in seiner frühen Konzeption des Absurden und in seinem Pathos für die menschenlose Natur in ihrer heilenden Kraft: zur Galeere der Gesellschaft, die er auf beiden Wegen hinter sich läßt, gehört wesentlich auch seine, des algerischen Arbeiterkindes, enttäuschende Begegnung mit der revolutionären Partei.

In denselben Jahren wie Aragon, Malraux und Camus hatten sich auch ältere und bekanntere Autoren, wie Romain Rolland und Gide, mit dem Kommunismus eingelassen, in welchem sie ihre Gesellschaftskritik bestätigt sahen. Aber weder die Hoffnung noch die baldige Enttäuschung hatte, wie sich im einzelnen zeigen ließe, eine entscheidende Wirkung auf ihr Werk. Es kam zu keiner schöpferischen Krise mehr, ihr Begriff von der Kunst, von der Politik und vom Individuum, das sich auch von ihr zurückziehen kann, blieb unerschüttert. Anders war damals, 1930–1939, die Lage der Jüngeren; ihr Begriff von Literatur konnte noch verflüssigt, in seinem Kern verändert werden. Das, was sich im fernen Rußland seit 1917 ereignete, und was an Ideen darüber nach Westeuropa kam, war mehr als nur ein neuer Inhalt für ›Politik‹ im alten begrenzten Wortsinn; eine neue Kultur, *civilisation,* war im Entstehen. Revolution und Revolte – das Erbe Rimbauds –, Tat und Wort, alles sollte neu zueinander finden. Politik, nach Aragon das neue Zauberwort im Munde Orpheus', bannt die Erinnyen.[19] Indem er sich vorsetzt, statt für ein begrenztes bürgerliches Publikum für französische Arbeiter, für das Proletariat als den fortschrittlichsten Teil der Menschheit zu schreiben, oder wie Camus seit 1935, Theater zu inszenieren, antizipiert der Schriftsteller die zukünftige Gesellschaft. Mit den Jahren kam freilich bei allen die Dissoziierung der beiden traditionellen ›Ebenen‹ des Politischen und des Künstlerischen wieder, doch nie mehr in der alten Fraglosigkeit wie bei Gide. Das Individuum und die Kunst, in welche Camus, Malraux und Aragon sich zurückziehen, bedürfen der Rechtfertigung vor dem eigenen geschärften Geschichtsbewußtsein der Zurückkehrenden. Aragon hat sich vom Kommunismus nicht losgesagt. Aber die Entwicklung seines Werkes in den letzten zehn Jahren zeigt, wie letzten Endes auch sein Schriftstellerleben, genau wie das Malraux' und Camus', nicht ein Weg zum und im Kommunismus, sondern eher ein Dialog, eine ›Auseinandersetzung mit‹ ihm geworden ist.

Der Kommunismus ist die Gegebenheit der Zeit, die alle drei Autoren am dauerhaftesten genötigt hat, ihren Begriff von der Literatur zu klären, auszubauen und mit neuen Fundamenten zu versehen. Er hat katalysierende Wirkung, er bringt gewollt oder ungewollt für sie an den Tag, wie sie sich als Schriftsteller verstehen. Auch die Metamorphosen Camus' und Malraux' versteht man nur unzureichend, wenn man ihr Verhältnis zum Kommunismus nicht versteht. Malraux ist revolutionärer Abenteurer, Condottiere oder wie immer man will, aber er ist weder Byron noch T. E. Lawrence; der politische Kampf, in welchen *er* sich eingelassen hat, geht von der Oktoberrevolution aus und gehört für die Gegenwart noch nicht zu den lange schon erledigten, abgeschlossenen Kapiteln der Geschichte. Camus als Moralist, wie er gerne gedeutet wird, ist nicht zeitlos; seine moralische Kritik konstituiert sich wesentlich erst dem Stalinismus als politischem Ereignis gegenüber; von La Rochefoucauld, La Bruyère und anderen Klassikern dieser französischen Tradition trennt ihn, daß er, wie die Marxisten, die Menschen nicht mehr nur je einzeln psychologisch, sondern auch sozial für die Weise ihres politischen Zusammenlebens zur Verantwortung zieht: die bestehende Gesellschaft ist weniger gegeben als gemacht.

In den französischen Literaturgeschichten findet dieser Wandel der Akzente zwar Erwähnung, geht aber dort meistens unter der erdrückenden Fülle nationaler Kontinuitäten wieder unter. Die angelsächsischen Monographien über Camus und Malraux neigen dazu, das Kommunistische in ihren Biographien individualpsychologisch auszudeuten und zu entschuldigen.[20] Der Horizont, in welchen alle drei Autoren hineingestellt werden müssen, ist aber der Weltkommunismus, das sich wandelnde Verhältnis der internationalen kommunistischen Bewegung zu Fragen der Kultur, in der Sowjetunion, in den nach 1945 kommunistisch gewordenen Ländern Europas und in den westlich gebliebenen, sowie in allen übrigen Teilen der Welt. Einen solchen Überblick, dem auch die vorliegende Studie den Hinweis auf grundlegende Zusammenhänge verdankt, gibt aus nichtkommunistischer linker Sicht Jürgen Rühles Werk *Literatur und Revolution* – Die Schriftsteller und der Kommunismus (1960). Unsere Ausführungen können als Vergrößerung eines Details in Rühles großem Panorama gesehen werden: in der Beschränkung auf drei Schriftsteller eines westlichen Landes soll dasselbe Ziel festgehalten werden, den einheitlichen »geschichtlichen Prozeß« zu verstehen, der die verschiedenen Autoren zusammenhält; der Prozeß im Unterschied zum bloßen Nebeneinander, zur Gegenüberstellung. – Fehlen mußte dabei allerdings das, was bei Rühle als negativer Held den Zusammenhang des Ganzen erleichtert: Parteilichkeit und Kulturpolitik, welche beide den Schriftstellern von außen aufgestülpt werden; für den Ostblock zweifellos ein Grundfaktor und wesentliches Darstellungsprinzip des besagten Prozesses. Aber in Frankreich trifft es nur Aragon, und auch ihn nur während des Kalten Krieges, 1945–1956, da freilich dann in ganzer Härte. Freiheit der Literatur ist die Befreiung der Praxis von den kunstfremden Theorien; aber, so lehrt der Weg der französischen Autoren, äußere Freiheit ist noch kein Unterpfand für gute und ihres Daseinsrechts gewisse Literatur. Dort, wo die äußere Bedrohung als Episode vorüberging und Freiheit wieder herrscht, sind andere Fragen lebendig und dem geschichtlichen Prozeß näher; etwa, warum die Literatur sich dennoch problematisch bleibt, und wie diejenigen Theorien von der Parteilichkeit – im weitesten Sinne – beschaffen sind, denen sich westliche Schriftsteller, offenbar von einem unsichtbaren inneren Druck dazu bestimmt, freiwillig unterwerfen.

Im Horizont des Weltkommunismus sind die Reaktionen der französischen Schriftsteller nicht mehr als ein Detail, aber doch ein solches, in dem der große Entwicklungsprozeß sich konkret erweisen muß. Rühle führt die französische Résistance neben der Allianz der Großmächte im Krieg, dem Machtzuwachs der Sowjetunion nach 1945 und der östlichen Weltfriedensbewegung als einen jener Faktoren ein, welche den Abfall der Schriftsteller vom Kommunismus nur verzögern, aber nicht aufhalten konnten.[21] Dies mag für andere westliche Länder stimmen, aber für keinen der namhaften französischen Schriftsteller oder Künstler trifft es zu. Es wirft gerade die Frage auf, warum es in Frankreich anders war. Gide, Malraux, Nizan, Guilloux und andere waren spätestens 1939 anläßlich des Hitler-Stalin-Pakts abgefallen; wer diesen Engpaß überstanden hatte, der blieb definitiv in der Partei – wie Aragon – oder trat sogar nach dem Kriege neu in sie ein, wie Éluard, T. Tzara, Picasso. Auch das Krisenjahr 1956 veränderte die Lage aufs ganze gesehen wenig; selbst die Männer der kritischen Gefolgschaft rund um Sartre und die »Temps modernes« stimmten weiterhin, trotz Ungarn, für kommunistische Abgeordnete in der Nationalversammlung, wie Camus grimmig bemerkt.[22] Die Würfel sind also schon 1939 gefallen, danach wurde anderes aktueller als der Kommunismus: der Zweite Weltkrieg als die andere Grundbestimmung in der kollektiven Biographie der französischen Schriftsteller. Die Niederlage von 1940 war folgenschwerer für die französischen Autoren als der Niedergang der kommunistischen Hoffnung im Stalinismus.

Um die drei Schriftsteller zu verstehen, muß man ihre Auseinandersetzung mit dem Kommunismus verstehen; aber ebenso notwendig gilt: versteht man ihr Verhalten im Zweiten Weltkrieg, während er stattfand, wie sie in ihn hineingegangen sind – Malraux und Aragon mehrfach vorbereitet, Camus in Algier durchaus überrascht –[23], und wie sie ihn nachträglich in ihren Werken verarbeiteten, dann hat man den Schlüssel zu den wichtigsten Verwandlungen ihres Literaturbegriffs durch die Zeit ihres einzelnen und begrenzten Lebens hindurch. Als gemeinsames biographisches Faktum ist der Krieg von anderer Art als der Kommunismus dadurch, daß er ins eigene Land kommt, ohne Möglichkeit der Distanznahme. Er wirkt isolierend gegenüber den Autoritäten, an die man sich bisher hielt. Keinen der drei, auch Camus nicht, hat die alltäglich-farblose Evidenz des Klassenkampfs je so getroffen wie im Juni 1940 der deutsche Einmarsch in Paris. Marx hat umgekehrt keinen Krieg und keine Okkupationsherrschaft mitgemacht, die sich dieser vergleichen ließen; im übrigen auch nicht Dostojewski und nicht Nietzsche, der 1870 als Sanitäter mit nach Frankreich zog. Auch positiv hat der Krieg die Bedeutung einer Wende; Malraux hat er den Rückweg zu den nationalen Werten in der Politik und in der Kunst – der modernen französischen Malerei – eröffnet und erleichtert; Aragon sieht in den großartigen geschichtlichen Umständen, den »circonstances«, die Notwendigkeit des künstlerischen Realismus ein für allemal erwiesen;[24] Camus bekennt, daß die Bedeutung der Schriftsteller für die Résistance bei weitem geringer gewesen sei als umgekehrt diejenige der nationalen Solidarität im Widerstandskampf für die Schriftsteller, als Zugang zu neuen Stoffen, zum Publikum und zum Sinn des Schreibens. Nichtsdestoweniger war dieser Krieg für die Individuen eine Katastrophe, ein innerer Bruch. Indiz dafür sind neben anderem auch die nachträglichen Urteile über den Feind, über die Deutschen: am harmlosesten in Malraux' bald wieder vergessener Verachtung für die deutsche Kunst und Kunstwissenschaft, am härtesten in Aragons Haß und Vergeltungsforderungen an das »verbrecherische Volk«; auf Jahre kehrt er notgedrungen zum eigenen Nationalismus zurück, weil es ihm – anders etwa als Brecht – nicht möglich ist, den nationalsozialistischen Terror, Folterungen, Geiselerschießungen und Antisemitismus klassenkämpferisch, und damit in das, was er bisher geglaubt hat, einzuordnen. Der untergründige antideutsche Affekt in Camus' Suche nach den Verantwortlichen für den modernen europäischen Nihilismus – Marx und der »böse Genius« Hegel – im *Menschen in der Revolte* von 1951 harrt noch der Darstellung.

Die Wirkungen des Weltkrieges auf die französischen Schriftsteller sind intensiv aber vieldeutig, zumindest was die Anschauungen von der Geschichte angeht. Sartre sieht durch den Krieg Marx' und Hegels Dialektik bestätigt, Camus dagegen Dostojewski und Nietzsche. Einigen weitet sich der Horizont, bei anderen dagegen verfällt das Interesse am Allgemeinen gegenüber dem Konkreten der gelebten Situation. Der Agnostizismus der Geschichte gegenüber ist im Steigen; das Irrationale und Tragische gewinnt, wie bei Malraux, neuen Glanz. Die Unvernunft der Geschichte und das Geheimnis des Bösen geben ihre Rätsel auf; die weitverbreitete, auch von Sartre geteilte Meinung, daß der Krieg die Geschichtsbewußtheit der Literatur notwendig fördert, ist ergänzungsbedürftig. Die Erschütterung des Krieges kann auch die Geschichte in Obsession und Alptraum verwandeln statt in bewußte Erkenntnis. – Gerade diese Seite mußte sich dann auswirken auf die Frage, die nun auf die Schriftsteller zukam: wie soll der Krieg, das Neue an ihm, das Massenhafte an Unmenschlichkeit, das er brachte, Gegenstand der Literatur und des Romans werden? Wie soll sich das künstlerische Subjekt diesem Objekt gegenüber behaupten oder vermitteln, wovon soll es schweigen, wie weit stilisieren? Die »Konfrontierung des Menschen und des Weltalls durch die Fakten hindurch« ist nach Malraux die Aufgabe, eine »Infragestellung«, die Poesie und Tragik in sich schlösse[25], aber er selbst schreibt nach 1945 keine ›Kriegsliteratur‹ mehr, die doch vorher seine eigentliche Inspiration war, und wofür die *Anti-Memoiren* mittelbar die Gründe namhaft machen. – Man muß, um die Zeitgeschichte zu verstehen, die ›Ungeheuer‹ zeigen, die sie gemacht haben; um den Auschwitz-Kommandanten Höß schildern zu können, muß man sich zu den negativen Helden bei Shakespeare und den Elisabethanern zurückwenden, erklärt Aragon im Kampf mit der unzeitgemäßen Forderung nach positiven Helden, und später setzt er hinzu: auch Stalin und die Verbrechen der Sowjetgeschichte sind nur noch durch Shakespearesche Kunst in Formen zu bringen. – Camus reflektiert zur gleichen Zeit über Kunst und »pudeur«, Scham oder Zurückhaltung, als deren Abstand vom wirklichen Leiden; wie er ihn versteht, demonstriert die Allegorie der *Pest* als einer »Chronik des europäischen Widerstands«, bei der nicht alle europäischen Leser in einer friedlichen Sanitätstruppe die bewaffneten Widerstandskämpfer erkannten.

Bei ihnen allen erscheinen irgendwo die Konzentrations- und Vernichtungslager als zeitgemäßer Prüfstein für die Wahrheit und Beständigkeit der Kunst.[26] Malraux umfaßt, als er 1945 mit den Siegern in Franken einzieht, mit einem Blick das »sehr alte Lachen« der Fetische des Nürnberger Germanischen Museums, die Stadt in Trümmern und die eben erloschenen Verbrennungsöfen. Eine Kunst der Konzentrationslager würde, wenn es sie gäbe, »nicht die Henker, sondern die Märtyrer zeigen«, ein zweischneidiger Satz, der, um nicht vorschnell verstanden zu werden, das Verständnis des ganzen Malraux in der Entwicklung seiner Kunstmeditation voraussetzt. Aber es gibt diese Kunst in Wahrheit nicht, und Malraux' Blickrichtung ist eine andere. Die Fetische, die vor und außer aller Geschichte erschaffene barbarische Kunst, ist die einzige, die als Spiegel und als Entgiftung zur Zeit der Massenvernichtungslager paßt; ein Urteil, das dem in Deutschland vielzitierten Satz: »Nach Auschwitz ein Gedicht zu schreiben, ist barbarisch«[27], mit dem man gemeinhin die Reflexionen über das Gedicht, über die Literatur zu beginnen pflegt, einen neuen Sinn gibt: nicht die Askese der Kunst ist an der Zeit, sondern die Reflexion über die Barbarei, über ihr Wesen und das Böse – über das, was Jahrtausende der Kultur oder der Scheinkultur nur verdeckt, nicht überwunden haben.

Ein dritter Faktor der gemeinsamen Schriftstellerbiographie Aragons, Malraux' und Camus' ist neben Kommunismus und Zweitem Weltkrieg ihr negatives Verhältnis zum Christentum. Eine bestimmte theologische Richtung würde dies in der Dialektik von ›Säkularisation‹ und ›Säkularismus‹ einfangen[28], aber ›Nachchristlichkeit‹ als bewußte Bezugnahme des Schriftstellers auf das Erbe der Kultur, in der er lebt, scheint den Sachverhalt dennoch besser zu bezeichnen. ›Nach‹ besagt, daß die Entscheidung der Wahrheitsfrage der Zeit selber überantwortet wurde; keiner von den dreien mußte sich den Unglauben einsam erkämpfen gegen seine Umwelt; ›nach‹ heißt auch, daß für die Vergangenheit das Christentum die Wahrheit war; ob Aragon, Malraux und Camus, wenn sie Jahrhunderte früher gelebt hätten, große Häretiker geworden wären, ist keineswegs ausgemacht. Ihr Unglaube versteht sich selber nicht ewig und absolut, sondern geschichtlich; Antiklerikales, Antichristlichkeit und Satanismus sind, wo sie auftauchen, nur noch periphere Züge. Sie alle fangen ungefähr dort an, wo Gide aufgehört hat; wo in ihren Romanen Christen erscheinen, sind es andere, weniger Stimmen im Autor selber – und hier geht die Verständigung über die Vergangenheit in den Dialog mit dem von keinem der drei geleugneten, immer noch christkatholischen Teil des gegenwärtigen französischen Geisteslebens über. Speziell der Dialog mit den katholischen Schriftstellern geht weiter, wenn auch mit einer fühlbaren Verschiebung gegenüber vergangenen Generationen. Aragons – im übrigen erwiderte – Bewunderung für Claudels Verse[29] hat kaum Ähnlichkeit mit der umfangreichen Korrespondenz zwischen Gide und Claudel. Camus und Mauriac, der sich mit an der Résistance beteiligt hatte, diskutierten 1945 öffentlich über den Sinn der Todesstrafe für Kollaborateure.

Wichtigster und in gewissem Sinn allein ernst genommener katholischer Dialogpartner aber ist Georges Bernanos (1886–1948). Malraux läßt im Roman einen alten spanischen Weisen sagen, für viele moderne Intellektuelle sei die Revolution das, was für frühere Menschen das ewige Leben war: Bernanos steht für die Menschen, die beides wollen, keines allein und keines als Ersatz für das andere. Er will den Glauben und die Hoffnung, die Seele und das Reich – ohne doch sagen zu können, wie es aussehen wird. Seine geschworene Feindschaft gegen die stalinistischen Kommunisten nach 1945, das Bild der Revolution, in welcher die Gläubigen nur noch zu Märtyrern der Wut der neuen und alten Dummen, der »imbéciles«, werden können, wie die Karmeliterinnen 1792 durch die Guillotine, ist nur seine halbe Wahrheit; die positiv-christliche Deutung der Französischen Revolution durch das Gottesreich war vorausgegangen, und 1936 die herausfordernde Sympathie seiner berühmtesten Romangestalt, des Landpfarrers von Ambricourt, für die neue Gesellschaft, die aus der russischen Revolution hervorging.[30] Bernanos stellte radikaler noch als die Zeitgenossen die Frage, ob nach dem Zweiten Weltkrieg und seinen Verheerungen, den äußeren wie den moralischen, noch Zeit für »schöne Bücher« sei, und beantwortete sie negativ. Die seßhaft gutsituierten Leser seiner theologischen Romane reizten ihn zum Zorn; auch er wurde, was wenigen seiner Verehrer bewußt ist, wie Malraux, Aragon und Sartre von der Frage »Für wen schreibe ich?« umgetrieben, ihm fehlte die diesbezügliche Unerschütterlichkeit eines Mauriac und Claudel.

Von Bernanos und seiner Solidarität mit der Zeit aus bekommt das spezifisch Nachchristliche im Literaturbegriff Aragons, Camus' und Malraux' Relief, das andere Pathos und die andere Ruhe des Unglaubens. In dieser Perspektive ließe sich somit sagen: wer über Krieg und Kommunismus hinaus den Sinn des Schreibens der drei Autoren bestimmen will, der lasse sich mit Bernanos' Büchern und dem abenteuerlichen Hintergrund seines Schriftstellerlebens ein, um ihn sodann in einen Dialog mit ihnen über ihre eigenen Themen zu verwickeln. Es gibt bestimmte historische Anstöße dazu, der Dialog ist nicht rein imaginär. Aragon wird 1938 Bernanos' »Zeugentum« vom Spanienkrieg gewahr und assoziiert ihn später geheimnisvoll mit dem Verhältnis von politischem und privatem »Drama« in jedem Krieg.[31] Camus bewundert gleichermaßen schon vor dem Krieg die Leidenschaft des politischen Moralisten und beansprucht 1948, nach dessen Tod, die Weiterführung seines Erbes, wobei er freilich seine einzige direkte und kontroverse Begegnung mit Bernanos' unerbittlichem, pessimistischem Urteil im Jahre 1945 verschweigen muß.[32] Malraux und Bernanos schließlich standen zwei Jahrzehnte lang in gegenseitiger Bewunderung und in einem Gespräch, das im Jahre 1938 seinen Höhe- und Wendepunkt hatte, als Bernanos, vom Unterschied ihrer beider Bücher über den Spanienkrieg, der *Hoffnung* und den *Großen Friedhöfen unter dem Mond,* ausgehend, als Nicht-mehr-Franquist Malraux, dem Gerade-noch-Kommunisten, die Frage nach Parteilichkeit, Engagement und Zeugentum stellte.[33]

Malraux' und Camus' Verhältnis zur Religion ist Gegenstand mehrerer Erörterungen geworden. Daß Camus von Deutschlands evangelischen Theologen entdeckt wurde, ist zu begrüßen; freilich ist die Begegnung in vielen Fällen etwas zu ›existentiell‹ verlaufen, zu sehr seinen Glauben und Unglauben isolierend, ohne die Bereitschaft, bestimmte notwendige Umwege, wie eben: Camus und der Kommunismus, seine soziale Theorie; Camus und der Krieg, sein Verhältnis zur politischen Zeitgeschichte, mitzugehen.

Sartre glaubt, im Rückblick der *Wörter*, sein ganzes engagiertes Schriftstellerleben lang dem nicht gründlich genug säkularisierten persönlichen Heil nachgejagt zu sein. Ähnliche Bekenntnisse der drei Autoren fehlen, und man darf annehmen, daß sie tatsächlich ›sozialer‹ sind als er. Jedenfalls steht der persönliche Unglaube des Schriftstellers, anders als bei Gide, nur noch mittelbar in Frage; Camus, Malraux und Aragon erheben von ihrem Eigenen nur die Fragen zum Stoff ihrer Bücher, die auch bei den Zeitgenossen schon da sind und erhalten bleiben sollen. Der Dialog betrifft die religiösen Institutionen der Seelsorge und Lehre im speziellen und fächert sich bei den einzelnen verschieden auf. Aragon versucht durch die Figur des (islamischen) anarchistischen Mystikers das zu erreichen, was dem »Seeleningenieur« in der neuen nachreligiösen Theokratie mißlang; Malraux erwägt, ob der Romancier ein neuer Bernhard von Clairvaux, ein Volksprediger werden könne, und Camus insinuiert, daß »sich der Verlorenen annehmen« (s'occuper des damnés), derer, die nicht mehr christlich glauben können, die eigentliche Aufgabe des Schriftstellers geworden sei. In den späteren Phasen ihres jeweiligen Werkes findet sich eine nicht mehr nur kritische, sondern metamorphosierende Hinwendung zur Religion; am Anfang kann sie nicht stehen – dort ist eher die Antichristlichkeit –, weil sie voraussetzt, daß das anfänglich für absolut Genommene, die revolutionäre Aktion, nur relativ war und nicht alle Fragen beantwortet hat. Erst 1958, in der *Karwoche*, findet Aragon in der Passion ein Gleichnis für die Weltgeschichte. Den Schriftstellern fällt es, nach ihrer eigenen Vermutung, anheim, für die Gesellschaft, die sozialistische und die westliche, Orientierungen wiederzufinden, die nach dem Heraufkommen der technischen Dingwelt, nach dem verkündeten ›Tod Gottes‹ den Tod des Menschen[34] als seine Folge aufzuhalten vermögen.

Kommunismus, Zweiter Weltkrieg und Nachchristlichkeit bezeichnen gemeinsame Faktoren im Leben der drei Schriftsteller, Dinge, durch welche hindurch, und nicht an denen vorbei, die Kunst ihre Freiheit gewinnt. Es ist ihre kollektive Biographie oder auch, einfacher und allgemeiner: ihr Verhältnis zur Zeit. »Der Künstler und seine Zeit« hat Camus einen grundlegenden Vortrag seiner späteren Jahre überschrieben, in welchem er herleitet, daß die Kunst Vermittlung zwischen Gegenwartswirklichkeit (actualité) und dem »ewigen Antlitz des Menschen« sei.[35] Zu solcher Vermittlung ist Camus erst spät und auf Umwegen gekommen; das Konstante daran, das seit den Anfängen zu ihm gehört, ist das Sich-Klammern an das Irdische und Vergängliche – leidenschaftliche Hingabe an die Zeit, um sie sich anzueignen, zum Besitz zu machen. Bei Aragon findet sich in anderer Begrifflichkeit dasselbe: die Zeit als »wirkliche Welt«; Verwandeln von geschichtlicher Erfahrung in Bewußtsein als das Beste, was ein Mann mit seinem Leben anfangen kann, bei Malraux.[36] Die Zeit ist das, was mir, dem

Künstler, gehört und was keine Ewigkeit und keine übermächtige Tradition mir streitig machen kann: auch Sartre findet pathetische Worte dafür[37], mißtraut aber schließlich dem besitzenden »Haben«, weil es dem Machen und der Praxis abträglich sein könnte. Der Künstler und *seine* Zeit, der Akzent liegt aber, gegen Sartre, genau auf dem Possessivum. »Mon champ, dit Goethe, c'est le temps« zitiert Camus im *Sisyphus*[38], worin sich der Zweizeiler aus dem *West-Östlichen Divan* verbirgt: »Mein Erbteil, wie herrlich weit und breit! / Die Zeit ist mein Besitz, mein Acker die Zeit.«[39] So spricht, Camus zufolge, der absurde Mensch, der gelernt hat, der Ewigkeit den Rükken zuzukehren; so spricht aber auch der sich seiner Zeit bemächtigende Künstler.

Die historisch-objektive Zeit, die mehr umfaßt als eine je vereinzelte ›Situation‹, aber weniger als das Ganze der ›Geschichte‹, sind für Aragon, Malraux und Camus vereinfacht gesprochen eben die drei Jahrzehnte zwischen Marcel Proust und der Blüte des Nouveau Roman; zwischen 1930 und 1960, literaturgeschichtlich jenen beiden Polen der unterbrochenen und wiedergefundenen Überzeugung, daß eigentlich nur die subjektive, innere Zeit das Feld und die Würde des Romans sei. Nicht daß sie bei Aragon, Malraux und Camus einfach fehlte; sie ist da als Unterbrechung und Infragestellung der objektiven Zeit, bei Aragon vielleicht sogar als Epilog, aber dennoch nicht als der letzte Horizont ihres Romanwerkes, als das, woran sie ihre Künstlerlebensläufe individualisieren. Dazu bedürfen sie vielmehr der objektiven Zeit, der geschichtlichen Epoche, welche sie in die Kunst einbringen. Schriftsteller der Vergangenheit nennt man, um sie zu entschuldigen, »Kinder ihrer Zeit«, aber sie sind nie nur Kinder, sondern immer auch Väter und Erzeuger ihrer Zeit. Wer schreibt und gelesen wird, entscheidet mit darüber, was aktuell und was von nun an tote, totgesagte Vergangenheit sein soll; alle drei Autoren haben Bewußtsein von diesem Mechanismus der Epochenbildung. Zeitkritik, prophetische Unangepaßtheit, Unzeitgemäßheit im Sinne Nietzsches ist möglich, weil eine Epoche nicht *nur* Käfig und Aquarium ist. Künstlerisch wird aber erst die besondere Form der Distanznahme: um sie sich anzueignen, nehmen die Schriftsteller ihre Zeit zum Stoff ihres Schreibens, sie geben ihr in ihren Büchern die Form, die ihr in der bloß gelebten chaotischen Wirklichkeit fehlt.[40] Aber sind die Formen zeitlos, endet und vollendet sich die Welt wirklich in den schönen Büchern? Sind die vom Menschen erschaffenen Objekte ihm gegenüber autonom, oder ist es vielmehr nur die Verwandlung des Wirklichen, welche dabei ihre eigenen, unverwechselbaren Gesetze hat? Die Zeit selber geht weiter und die Geschichte; nur die Dialektik des Weiterfragens kann angehalten werden: so, daß sie die eine Bewegungsrichtung isoliert, um bei den Autoren ihren Begriff von der Literatur zu gewinnen[41], die Bewegung vom Stoff der Zeit hin zum Schriftsteller, der ihr Form gibt.

Aus der Art der Fragestellung ergibt sich dabei auch die Methode der Untersuchung. Eben damit ein konkretes Allgemeines das Resultat sein kann, muß das Individuelle, Greifbare, die Verschiedenheit der drei Autoren die Ausgangsbasis sein. Dies Greifbare hat sprachliche Gestalt, es sind Texte: Bücher, Artikel, Reden, Interviews. Alle drei haben als Schriftsteller ein trotz aller internen Wandlungen in ihrer künstlerischen Persönlichkeit konstantes Verhältnis zum Vokabular, zur französischen Sprache. Vor allem Vergleich mit den anderen wird darum die Interpretation die Äußerungen je eines einzigen sich gegenseitig erklären lassen, die Eigenart seiner Schlüsselbegriffe, seiner Umschreibungen und sprachlichen Allergien. Den Schwerpunkt solcher Interpretation auf der Suche nach dem Literaturbegriff bilden natürlicherweise die am Rande des eigentlichen ›Werkes‹ zerstreuten Texte: Aufsätze, Reden, Kritiken, Interviews; alles, was im näheren und weiteren Sinn zur Theorie gehört. Ebenso selbstverständlich ist aber, daß auch die Praxis, das Werk, welches von der verbreiteten strukturalistisch-ontologischen Literaturinterpretation exklusiv ernst genommen wird, hinzugezogen werden muß – wie wollte man etwa die Künstlerromane ohne den Bezug auf die Theorie sachgemäß deuten. Camus ist in allen seinen theoretischen Äußerungen, in den philosophischen Ansätzen nach dem *Sisyphus*, der Mann der unendlichen Nuance und des assoziationenreichen, aber ungenauen Denkstils der Analogie geworden, der an die Geduld des Interpreten hohe Anforderungen stellt; Malraux entwickelt umgekehrt in gedankenblitzenden Formulierungen und in elliptischer Kürze seinen Tiefsinn und seine Sprachkunst; gerade als Essayist, Programmatiker und ›Ideologe‹ im alten französischen Sinn gibt er seiner Sprache die Kraft, welche ihr, nach allgemeinem Einvernehmen, im ›Erzählerischen‹ seiner Romane häufig fehlt. Bei Aragon ist das von ihm selber auf »einige tausend Seiten« bezifferte theoretische und kritische Werk auf weite Strecken Epiphänomen der aller Systematisierung abholden Praxis; die allumfassende »Konterbande« gibt ihre Dechiffrier-Probleme auf, und kondensiert man seine umfangreichsten Essays auf ihr Wesentlichstes, dann bleibt häufig anstelle eines Gedankens eine Metapher übrig, ein das anerkannte, auf dem »Sockel des Wohlbegründeten« Stehende mit einem Satz erledigendes monumentales oder groteskes Bild.

Die Interpretation müßte gerechterweise bei jedem einzelnen Autor genetisch vorgehen; zu jedem Satz und jedem Text die in ihm anwesende geistige und politische Situation, die ausgedrückte oder beantwortete objektive Zeit rekonstruieren, um von dieser Grundlage aus dann nachträglich zu systematisieren. Gewöhnlich sind es dabei die Krisen und Verwandlungen, in welchen sich der individuelle Begriff eines Autors von seinem Handwerk am meisten enthüllt. Der Verfasser vorliegender Studie hat sich der Mühe und den Überraschungen einer solchen strikt genetisch-chronologischen Behandlung der drei

Autoren unterzogen, aber sein Ergebnis entspricht nicht den Bedürfnissen einer weiteren Leserschaft und den Möglichkeiten der Publikation: jeder einzelne der drei beansprucht darin über 200 Seiten, Camus sogar 350.[41a] Was darunter ist, gibt von der Genese ihres jeweiligen Literaturbegriffs kein farbiges und perspektivisches Bild mehr. Eine kurze Neufassung verschiebt darum am besten die Chronologie in die Einleitung und in eine mit einem Blick zu übersehende Zeittafel — was sie nicht enthält, kann der Interessierte in Handbüchern und Monographien nachlesen — und verfährt in den einzelnen Kapiteln, um jedes Mißverständnis zu vermeiden, systematisch. Alle drei Kapitel beginnen mit dem Blick auf die jeweils letzte und jüngste Etappe des Werkes und versuchen dann über die Periodisierung der Fragestellung im Gesamtwerk zur Mitte, zum Persönlichsten im Literaturbegriff des Autors vorzustoßen, durch welches hindurch das konkrete Allgemeine sich konstituiert, an dem Sartres Engagement seine Korrektur erfährt.

3. Revolution und Literatur im Erbe: das 19. Jahrhundert im Urteil der Autoren

Aragon, Malraux und Camus haben als Schriftsteller nicht nur eine gemeinsame Biographie in der politischen Geschichte des 20. Jahrhunderts, sie haben auch einen gemeinsamen Traditionsbezug. Die unersetzbare eigene Zeit ist ein Acker, aber doch keine tabula rasa: sie hat die Literatur nicht erfunden, wie tief sie sie auch immer umfunktionieren mag. Die gewollte Verwerfung aller Tradition ist bei Aragon und Camus, hier im Absurden, dort im Surrealismus, nur episodisch; Malraux, den das Problem des kulturellen Erbes und seiner Verwandlung lebenslang bewegt, hat sich des Beistandes literarischer Vorgänger bei der Bestimmung seiner eigenen wechselnden Schriftsteller-Standpunkte nie entschlagen. In Deutschland bahnt sich Einigkeit darüber an, daß man, um eines modernen deutschen Autors Verhältnis zu seiner Zeit zu verstehen, auch über das Verhältnis seiner deutschen Vorgänger zu ihrer jeweiligen Zeit, über die aus dem 18. und 19. Jahrhundert geerbte oder nicht geerbte kulturelle, soziale und politische Rolle des Schriftstellers informiert sein muß. Mit den französischen Schriftstellern der Gegenwart verhält es sich nicht anders, auch wenn diese Folgerung in der erhitzten Diskussion um das Engagement häufig unbeachtet bleibt. Gegenüberstellung über die nationalen Grenzen hinweg wird dann am sinnvollsten, wenn sie den nationalen Kontext und Traditionsbezug im Auge behält. Deshalb setzt sich vorliegende Studie zum Ziel, bestimmte Züge des *französischen* Literaturbegriffs einer begrenzten Zeitspanne herauszuarbeiten.

Es ist nicht getan damit, daß man im Fremden, gar Exotischen, wie in Camus' »pensée de midi«, die untrügliche Antwort für die eigenen deutschen Aporien in Händen zu halten glaubt, zu ungestüm und zu sehnsüchtig, als daß auch nur der Gedanke aufkommen könnte, dies Mittagsdenken müsse in seinem französischen Zusammenhang, mit seiner vielfältigen, zweideutigen Vorgeschichte beurteilt werden.[42] Auch, daß man sich im Fremden konstant nur an das – gewiß vorhandene – Eigene im fremden Gewand hält, kann auf die Dauer nicht befriedigen: Malraux ein romaneschreibender Jaspers, Camus ein mit griechischem Rechtsdenken überhöhter Heidegger; jedes Detail, das sich irgendwie auf Philosophie der Existenz oder deren Überwindung bezieht, ist tief gedeutet, jede Absage an Rationalismus, Aufklärung und Kommunismus ist herausgehoben, zuweilen auch entsprechend simplifiziert. Nicht, was in der Solidarität, in Menschennatur und Naturrecht Camus mit Rousseau verbindet, sondern was ihn trennt, soll gelten; und ist nicht der Jakobiner Malraux am Ende seiner »merkwürdigen Entwicklung« unwiderstehlich vom Lebensgefühl und der geistigen Anschauungsform des deutschen Historismus überwältigt worden? Womit Frankreichs Literatur aufgehört hätte, europäischer Umschlagsplatz der Ideen zu sein und nur noch passive Empfangsstation wäre. Offenkundig macht die eingangs beobachtete Spaltung des deutschen Frankreichbildes auch bei der Erwählung Camus' und der Verwerfung Aragons noch keinen Halt; auch im Erwählten scheidet sie weiter zwischen dem, was gesehen werden soll und was nicht. In wenigen Fällen ist die Parteinahme gegen das aufklärerische Frankreich des 18. Jahrhunderts und für das alte, wahre so bewußt wie in E. R. Curtius' Ausführungen über Malraux[43], doch latent ist sie überall. Die Literaturwissenschaft des anderen Deutschland könnte hier einspringen, um Fortleben und Kontinuität der Aufklärung, Diderots und Voltaires, in Camus und Malraux fühlbar zu machen; aber auch dort können sie nicht zu Ehren kommen, eben weil sich in ihrem Literaturbegriff, wie in dem Aragons und Sartres, eine seltsame Dialektik von 18. und 19. Jahrhundert findet, die zum spezifisch Französischen in der Fragestellung zu gehören scheint.

Sie alle sind als Schriftsteller der Tradition des 18. Jahrhunderts verpflichtet; noch farbiger, nuancenreicher und aufschlußreicher in seinen Divergenzen wird der Traditionsbezug zur französischen und außerfranzösischen Literatur des 19. Jahrhunderts. Hier bekommen die persönlichen Weichenstellungen gegenüber dem leidenschaftlichen und problemgeladenen historischen Teil in Sartres Literatur-Essay[44] Kontur. Wie für ihn ist dabei auch für Aragon, Malraux und Camus klar, daß die Literaturgeschichte im Zusammenhang der politischen Geschichte und zumal im Schatten des weltgeschichtlichen Ereignisses der Französischen Revolution gesehen werden muß. Beides zusammen, Literatur und politische Geschichte, steht im übergreifenden Kontext der europäischen Kultur; auffallende Einigkeit besteht bei den französischen Schriftstellern über deren geographische Aufgliederung: die epochemachende Literatur des 19. Jahrhunderts kommt aus Frankreich und aus

Rußland, aber die Ideen, die ihre Zeit in Gedanken fassende Philosophie kommt aus Deutschland, wo es umgekehrt keine Literatur von Weltbedeutung gegeben zu haben scheint. Die große Wende, die geistige Revolution des Jahrhunderts, zu formulieren, so wie sie auch für die europäische Gegenwart noch bestimmend ist, obliegt Marx und Nietzsche, oder mit Camus zu sprechen, dem Dreigestirn Hegel – Marx – Nietzsche.[45]

Die idealistische und nachidealistische deutsche Philosophie steht als Verheißung und als Last vor den französischen Schriftstellern, ebenso wie vor den deutschen, wenn auch nicht in so übergroßer, erdrückender Nähe. Keine Literaturtheorie allgemeinen Anspruchs kann der Stellungnahme ihr gegenüber mehr entraten. Sartre und sein Engagement hält sich dabei am meisten an die Verheißungen des dialektischen Denkens, Camus an die in ihm liegende Bedrohung, den Nexus von Dialektik und totalitärer Politik. Eben darin trifft er sich mit dem Großteil seiner deutschen Leser, doch auch seine Frontstellung läßt sich nur im gewordenen französischen Horizont, nicht im westdeutschen, angemessen und unverzerrt begreifen. – Marx steht für Camus, Malraux und Aragon auf einem anderen Blatt als die Gegenwart kommunistischer Politik, in keinem Fall ist ihr Verhältnis zu ihm der Anfang, sondern jeweils die Folge; erst die Praxis der Zeitgeschichte hat zur Theorie, also zumindest zu den Thesen über Feuerbach und zum *Kommunistischen Manifest* hingeführt. Sie haben ihn gelesen, aber gleich ist hinzuzufügen, um sie gegen ihn oder um ihn gegen sie zu verteidigen, sie haben ihn alle, und zum Teil sehr schöpferisch, mißverstanden: Camus moralisch, Malraux humanistisch-anthropologisch, Aragon fatalistisch und institutionell. Keiner von ihnen ist in die Geheimnisse der ökonomischen Analyse so tief eingedrungen wie Bertolt Brecht. Aber vieles, was sie, durch eigene Antibürgerlichkeit disponiert, aus Marx herausgelesen haben, steht doch wirklich bei ihm: die 11. Feuerbachthese, die Welt verändern und nicht mehr nur interpretieren, »agir pour transformer«, zu welcher kämpferischen Veränderung für Aragon auch die Romane als »Waffen« dienen. Bürgerlich falsches Bewußtsein und Ideologie haben für die französischen Schriftsteller den Sinn, den sie vor Marx noch nicht hatten, desgleichen der Klassenkampf, an den als Schlüssel der Weltgeschichte aber nur Aragon geglaubt hat. Im aufgelösten Rätsel der Geschichte, das Aragon zeitenweise nahe glaubte, steckt Marx, nicht Comte oder sonstiger gedämpfter Fortschrittsglaube. Über den Marxschen Anteil in Malraux' aktivem, schöpferischem Humanismus kann man im Zweifel sein, nicht aber über die Herkunft seiner Begriffe ›objet‹ und ›chose‹ in ihrer Bedeutung für das bürgerliche Weltverhältnis, als Verdinglichung, die überwunden werden muß durch den Umsturz der sozialen Verhältnisse – oder, nach Malraux' Version, durch Kunst als »Ausdruck« des Subjekts.

Malraux' und Aragons Marx-Lektüre hat gegen Ende der zwanziger Jahre begonnen, Camus hat ihn erst während der deutschen Besatzungszeit eingehender gelesen, also Jahre, nachdem er aus der KP ausgetreten war.[46] Bei allen dreien ging nachweislich die Begegnung mit einem anderen deutschen Philosophen, Friedrich Nietzsche, voraus, der mit Dostojewski das Schicksal teilt, auf Sartre nie nennenswerten Einfluß gewonnen zu haben. Aragon hat ihn 1917 als Zwanzigjähriger an der Front im Elsaß gelesen;[47] Malraux stellt in seinen frühen Essays von 1926 die Kritik der abendländischen ›nihilistischen‹ Kultur und das Epochengefühl der neuen europäischen Jugend in den Schatten Nietzsches; Camus' aus gutem Grund unveröffentlicht gebliebener erster *Caligula* von 1936 – der Held, der jenseits von Gut und Böse Macht, Verbrechen und Kunst in einer Person vereint – war von Nietzsches Verehrung der großen Renaissance-Individuen wie Cesare Borgia inspiriert.[48] Aragon schrieb 1934 seinem einstigen Freund, dem späteren Kollaborateur Pierre Drieu la Rochelle, zwischen Nietzsche und Marx müsse man wählen;[49] beide haben es getan und politische Konsequenzen daraus gezogen. Malraux dagegen hat sich einer solchen Wahl entzogen, er und Camus haben Marx oder die Revolution immer auch wie eine Art realisierten Nietzsche, als schöpferische Neugeburt einer Kultur verstanden; realisiert gerade an der Stelle, wo der wirkliche Nietzsche sie im Stich ließ: in seiner These, daß der Kampf für das große Individuum, den Übermenschen, auch gegen das im Sozialismus, in Menschenrechten und in der Demokratie nur versteckte säkularisierte Christentum weiterzuführen sei – was sie ihm beide auf die Dauer nicht abgenommen haben. Dennoch hat Nietzsche tiefer und kontinuierlicher auf Malraux und Camus gewirkt als alle Existenzphilosophie, mit der sie gewöhnlich assoziiert werden – Malraux ist mit ihr ohnehin nur ›wahlverwandt‹, und Camus zitiert nach dem *Sisyphus* weder Heidegger noch Jaspers mehr.[50] Der Akzent der Wirkung verschiebt sich sukzessiv vom *Zarathustra* zum *Willen zur Macht;* Malraux nimmt positiv den Gedanken der »Umwertung« in seiner Romantheorie und die Idee einer »Psychologie der Kunst« von Nietzsche auf; fast noch stärker ist Camus' Abhängigkeit im Wunsch einer Renaissance der Kultur durch die Künstler, die »Schaffenden«, in eigener Vollmacht – am kunstfeindlichen, mittleren Nietzsche hat er wenig Interesse. Die nationalsozialistische Annexion Nietzsches zwingt beide aus der Nachfolge heraus zur Auseinandersetzung: Malraux deutet seit 1935 den Faschismus negativ als die von Nietzsche als positiv verkündete »Zeit der Verachtung«[51], Camus berichtigt das deutsche Unmaß mit französischem Maß; freilich auch gelegentlich den Glauben an die blonde Rasse schlicht mit dem Vertrauen auf seine eigene, die mittelmeerische. – Doch das ist Peripherie; wesentlich ist für Camus Nietzsche als Künder des europäischen Nihilismus, der die Konsequenzen aus dem Tod Gottes im Bewußtsein der nachchristlichen Zeit gezogen hat. Nach dem Tod Gottes soll das Bild und die Natur des Menschen bewahrt werden gegen den bürgerlichen Verfall, gegen den Faschismus, aber auch und noch mehr gegen jenes »deutsche Denken«, mit welchem die stalinistische Politik gerechtfertigt wird – gegen Hegel.

Aragon weiß von Hegel, daß er ein Idealist war und daß seine auf dem Kopf stehende Dialektik durch Marx auf die Füße gestellt wurde; besonders der bildhafte Ausdruck ist ihm daran teuer. Malraux, der selber ebenfalls kaum Hegel direkt gelesen hat, sieht dennoch den geistigen Prozeß differenzierter. Durch seine Gewährsmänner B. Groethuysen, W. Benjamin, R. Caillois und R. Aron hat er an der ersten französischen Hegel-Entdeckung zwischen den Kriegen teil; von Hegel kommen außer Marx auch die geschichtliche Interpretation der bildenden Kunst und Spengler her; auf diesem Weg bleibt Hegel Dialogpartner in den *Nußbäumen der Altenburg* (1943) und darüber hinaus. – Camus' feindseliges Hegel-Interesse ist einzig im Kontext der zweiten französischen Hegel-Welle nach 1945 verstehbar[52], die Malraux und Aragon nicht mehr berührte. Sartre und Merleau-Ponty waren es, die, auf A. Kojève fußend, die Folgerungen der Hegelschen Dialektik auf die Beurteilung der stalinistischen Politik, auf den Zusammenhang von Humanismus und Terror anwandten. F. Jeanson vollendete ihre Intuition, indem er 1952 Camus' moralische Kritik am Stalinismus mit Hegelscher Invektive als das Aufbegehren der »schönen Seele« erledigte.[53] Camus' leidenschaftliche Anklage, der auf einer anfechtbaren Interpretation bauende negative Höhepunkt im historischen Teil des *Menschen in der Revolte* besagt eben dies, daß Hegel durch seine alles umfassende Geschichtsdialektik den Rückgang versperrt habe zu einer übergeschichtlichen, in der Natur aller Menschen begründeten und in Prinzipien formulierbaren Moral, den Rückweg zu Rousseau und Kant. Tragisch und aktuell ist dieser Vorgang für Camus deshalb, weil er erkennt, daß es ihm, ebenso wie den Existentialisten, unmöglich ist, eine solche Prinzipienmoral gegen die Geschichte neu zu begründen. Daher seine Bemühung, den Sündenfall des Denkens in Hegel zu isolieren und wenigstens das, was vor ihm war, seiner zynischen Dialektik zu entreißen; zu retten vor allem das, wessen er als linker französischer Schriftsteller so wenig entraten kann wie Sartre oder Aragon, das gesunde Erbe der Französischen Revolution.

Mit der Revolution beginnen für Camus die »geschichtlichen Zeiten« und endet die europäische Christenheit. Rousseau und Saint-Just, die Überordnung der Gerechtigkeit über die Gnade, deutet er theologisch; mit dem Gottesgnadentum hat sich Gott aus der Geschichte zurückgezogen in den fernen »Himmel der Prinzipien«.[54] Malraux erneuert in seinem Ethos der Brüderlichkeit, fraternité, ausdrücklich einen der drei Kardinalwerte der Jakobiner.[55] Die Jahre der Großen Revolution sind für ihn die »Zeit der Hoffnung«;[56] eines der Themen seines Spanienromans 1937 war die Frage, ob und unter welchem Stern die revolutionäre und die christliche Hoffnung, wie espoir und espérance wieder zusammenkommen können.[57] Aragon zeigt in den *Reisenden der Oberklasse,* wie weit in einem Jahrhundert – nämlich bis 1889 – das französische Bürgertum von seiner revolutionär-menschheitlichen Forderung abgefallen ist und in der *Karwoche,* die Leiden, Tod und Auferstehen als Symbole des allgemeinen Prozesses der Weltgeschichte umdeutet, wie die Bewegung der bourbonischen Restauration im Jahre 1815, auch wo sie stark scheint, nur noch Oberflächenbewegung und ohne Zukunft ist: das mit 1789 in die Geschichte hineingekommene Neue vermag sie nicht aufzuhalten. – Für alle drei Schriftsteller ist die Große Revolution das eine bleibende politische Ereignis, das neben der gelebten Gegenwart des eigenen Jahrhunderts nicht verblaßt, auch nicht neben dem praktizierten nationalen Widerstandskampf gegen den Nationalsozialismus. Camus kann sich Luther und die Reformation nur als die »Revolution der Deutschen« denken;[58] wegen ihres universalen, menschheitlichen Charakters ist die Französische Revolution, wenn nicht Schlüssel zur Geschichte überhaupt, so doch der Zugang zur weltgeschichtlichen Sendung der französischen Nation.

Auch das Engagement des französischen Schriftstellers heute ist darum nicht ohne den Bezug auf die revolutionäre Tradition zu verstehen. Aragon, Malraux und Camus denken dabei mehr von der Härte und Größe des die gesellschaftlichen Verhältnisse umstürzenden Faktums aus; Sartre, der in seinem Literatur-Essay wie Hegel die Revolution als ein Zusichkommen des Geistes aus der Entfremdung des Jenseitigen deutet, denkt mehr von der gelungenen politischen Realisierung dessen aus, was die Literatur der Aufklärung vorbereitet hatte.[59] Einig sind sie aber alle darin, daß die Revolution nicht Verlust, sondern im Gegenteil Gewinn der Mitte der Humanität und darum des bleibenden objektiven Inhalts für das Engagement war. Sartres »Freiheit«, die er engagiert, und an die er bei den Zeitgenossen appelliert, ist Existentialismus – aber eben nicht *nur* das, sondern mit gleicher Intensität, ebenso wie Malraux' fraternité, jakobinisch. Es macht einen Unterschied im Verhältnis auch zur politischen Gegenwart aus, wenn bei den französischen Autoren, im Gegensatz zu einem großen Teil ihrer deutschen Leser, ›Revolution‹ nicht nur Bolschewismus, Lenin und Ulbricht assoziiert, sondern auch Saint-Just; nicht nur Totalitarismus und Terror, sondern auch die Menschenrechte und den Ursprung der modernen Demokratie. Selbst das korrigierte Engagement der französischen Schriftsteller kann darum nie der Verzicht, sondern nur eine andere Deutung derselben revolutionären Tradition sein.

Bei dieser Deutung ergeben sich allerdings sinnfällige Widersprüche zu dem optimistischen geschichtlichen Zusammenhang, den Sartre 1947 zwischen kämpfender Literatur und Französischer Revolution hergestellt hatte. Die gelebte Gegenwart färbt auf Vergangenes ab; die Anschauung der proletarischen prägt das Urteil über die bürgerliche Revolution und entdeckt deren große Schatten.

Man entscheidet sich, so bemerkt Camus 1951, zu dem Glauben, daß ein Schriftsteller, um groß zu sein, revolutionär sein müsse. Aber wenn er es ist, dann beweist die Geschichte, daß er es ausschließlich nur bis zur Revolution ist.[60]

Im Streit mit Sartre darüber, wie weit der Stalinismus zu kritisieren sei, wirft dieser Camus unter vielem anderen auch vor, er habe »seinen Thermidor gemacht«[61] – er habe also, wie das gemäßigte Bürgertum des Direktoriums 1795, die Revolution auf halbem Wege abgebogen. Der historische Vergleich der verschiedenen Situationen ist treffend: er regt dazu an, die Parallelen der Problemstellung des *Menschen in der Revolte* bei den Schriftstellern aufzusuchen, die damals, nach der Revolution, alsbald aufhörten, revolutionär zu sein; bei Friedrich Schiller etwa, den das nicht realisierte Kunstwerk des Vernunftstaats seit 1795 über die Möglichkeit ästhetischer Erziehung des Menschen reflektieren ließ.[62] – Auf die Zeit des revolutionären Kampfes folgt hier wie dort beim Schriftsteller eine Zeit der Rechenschaft und der Chronik der Verluste; bei Aragon kommt es darüber zu einer späteren Begegnung nicht mit Schiller, wohl aber mit Hölderlin und seiner im *Hyperion* niedergelegten Krise seiner jakobinischen Ideale angesichts des revolutionären Terrors.[63] Malraux, dessen beendetes kommunistisches Engagement eigentlich in Sartres Literatur-Essay von 1947 hätte diskutiert werden müssen, aber nicht vorkommt, evoziert 1949 in einem Essay den Übergang von der Zeit der Aufklärungshoffnung zur irrationalen Nacht der Romantik und der Gegenwart am Werke Goyas (1746–1826) unter der mythologischen Gestalt Saturns, des Gottes, der seine eigenen Kinder verschlingt. Goyas Zyklus über die »Schrecken des Krieges« ist nach Malraux zu vergleichen mit dem »Werk eines getäuschten Freundes, dem Album eines Kommunisten nach der Besetzung seines Landes durch russische Truppen«.[64]

Im Feld der Literatur ist für den Großteil der Betrachter in aller Welt nicht der unterirdische Dialog mit den sich wiederholenden Revolutionen – 1830, 1848 und 1871 –, sondern das Prinzip l'art pour l'art, die entdeckte Autonomie der Kunst das Hauptereignis des französischen 19. Jahrhunderts, verbunden mit der Entstehung der modernen Lyrik. Engagement erscheint demgegenüber rundweg als das Gegenteil, die Aufhebung der früheren Forderung. Aber selbst Sartre ließe sich in diese Alternative nicht ganz einspannen, und für die übrigen Autoren liegen die Fronten noch um einiges verschlungener. Camus und Aragon verteidigen Baudelaire gegen Sartre; für sie und Malraux ist die moderne Lyrik, d.h. alles, was von Rimbaud herkommt, der Anfang der unmittelbaren Gegenwart der Kunst, die nicht mit den gleichen Kriterien gemessen werden darf wie das Frühere, Davorliegende. Malraux denkt vom zentralen Datum der Jahre um 1860 aus, an welchem gleichzeitig die Lyrik und die Malerei revolutioniert wurden; in beidem hat die Bewegung von Frankreich aus ganz Europa ergriffen. Nur auf diesem Hintergrund sei l'art pour l'art zu verstehen: die Absage der Maler und Schriftsteller an eine kunstfeindliche Bourgeoisie, der Rückzug von der »Ecclesia militans« des revolutionären Fortschritts in die »Thebais«, die Einöde der Zeitlosen, Wenigen. – Auch Aragon zieht die Maler in die Entwicklung der sozialen Problematik des Künstlers mit herein, er entdeckt eine revolutionär-realistische Bewegung von Géricault und Courbet über die Impressionisten zu Matisse und Picasso, seinem kommunistischen Parteigenossen. – Das Thema, das Camus aus dieser Zeit am meisten am Herzen liegt, ist der Typus des Dandy, von Vigny, Musset und den Engländern bis hin zu Baudelaire: die immer noch nicht wirklich überwundene tragisch-einsame Gestalt des modernen Künstlers, der vom »Scheinen« und von der Provokation seines Publikums lebt, das ihn seinerseits, ob er will oder nicht, zum moralischen Modell, zum neuen »directeur de conscience« erhebt. Eben dies ist für Camus Romantik; er kennt nicht daneben den früheren, progressiv-sozialen »romantisme«, den Malraux in den sowjetischen Schriftstellern neu aufleben sah, und dem Aragon weiterhin die Treue hält. Wie Gide findet Camus in Victor Hugo keine Größe[65], aber Malraux und Aragon bewundern ihn; zu seinem 150. Geburtstag 1952 veröffentlicht Aragon mehrere Reden und Bücher, um seine eigene Idee von der »Funktion des Dichters« Schritt für Schritt an Hugos politischer Entwicklung zu veranschaulichen.

Sodann aber ist das 19. Jahrhundert die Zeit der Romanciers, Stendhals, Balzacs und Flauberts. Das »Licht Stendhals« ist nach Aragon die politische Geschichte, nicht die Psychologie; von ihm lernt der politische Romancier, wie man noch heute aktuelles Tagesgeschehen in große Literatur umsetzt. Camus und Malraux beschäftigt an Stendhal mehr der Moralist. Auch Balzac wird von allen dreien viel zitiert; Malraux stützt mit ihm seine folgenschwere Grundentscheidung, daß »inventarisierender« Realismus zwar den Schriftstellern der jungen Sowjetgesellschaft ebenso möglich und angemessen sei wie Balzac, nicht aber dem westlichen französischen Autor, darum, weil die von Balzac ein für allemal romanhaft inventarisierte bürgerliche Welt in Frankreich im wesentlichen fortbesteht. – G. Flaubert weckt die Leidenschaften zunächst wegen seines Zusammenhanges mit l'art pour l'art; er weckt sie mehr als Gautier und der ganze Dichter-Parnaß, weil er, scheinbar erfolgreich, die Teilnahmslosigkeit (impassibilité) und die absolute Reinheit der Kunst in die Prosa des Romans hineingetragen hat. Flaubert ließ Welt und Dinge unter seinem Künstlerblick »realistisch« erstarren und versteinern, außerdem haßte er die Kommune von 1871, darum muß sich das kämpfende Engagement des Schriftstellers heute auch von der Sackgasse des Realismus losreißen, lehrt Sartre.[66] Malraux dagegen zeigt hinter Flauberts angeblicher Teilnahmslosigkeit, wie dieser *gegen* seine bürgerlichen Romanfiguren und für die – niemals im Roman selber thematisierte – Kunst als höchste Würde des Menschen Partei ergreift, heroisch und leidenschaftlich: nichts anderes als diese Legitimität der Leidenschaft innerhalb der Kunst selber will Malraux 1935 mit seinem Programm einer Literatur der menschlichen Größe. – Camus nimmt statt dessen den Theoretiker Flaubert ganz ernst, wie Sartre, aber um die entgegengesetzte Position zu verteidigen: »reiner« Roman und »ironische Hinnahme des Lebens durch völlige Umschmelzung in der Kunst« sei auch heute noch genuiner Ausdruck menschlicher Revolte; womit es Camus nicht ganz ernst ist, er will eigentlich nur Übertreibungen von der Art Sartres damit bremsen. – Aragon schließlich läßt Flauberts Theorie und Kunstgläubigkeit auf sich beruhen, erweckt aber in *Aurélien* (1944) bewußt dessen *Éducation sentimentale* zu neuem Leben, den Roman der unglücklichen Liebe auf zeitgeschichtlichem Hintergrund. Elegie und Pessimismus sind die tiefere Kontinuität von Flaubert zu Aragon; sie weisen den Streit um die Reinheit der Kunst in Schranken. Flaubert ist nicht nur ›der Künstler‹, nicht nur, nach seinem berühmten Dictum, Mme Bovary, er ist auch, wie Aragon in *Blanche ou l'Oubli* (1967) einfühlsam deutet[67], Frédéric Moreau, die lähmende Enttäuschung an der Politik und am Leben, die noch dem kommunistischen Schriftsteller unserer Tage am Ende seines Weges wieder auflauern kann.

Für Sartre repräsentiert Flaubert nicht allein die Literatur Frankreichs, er ist überhaupt der Sammelpunkt aller Elemente, die den pessimistischen, kontemplativen und konservativen Begriff von Literatur ausmachen, den das 19. Jahrhundert hatte und durch welchen es heute verderblich nachwirkt. Wer Flaubert in sich überwunden hat, der ist der untätigen Grübelei ledig geworden und seine Feder ist für den engagierten Kampf gewonnen – wenn er nicht, so muß die Korrektur hinzufügen, unglücklicherweise wie Malraux und Camus, den genauen Zeitgenossen Flauberts, F.M. Dostojewski (1821–1881) gelesen hat und ihn für die Verwandlung des Literaturbegriffs im 19. Jahrhundert als viel wichtiger ansieht. Sartre bleibt von ihm ebenso unberührt wie von Nietzsche. Dostojewski ist *die* Autorität, um deren monumentales Werk Malraux und Camus sich in ihren sukzessiven Fragestellungen in Etappen herumentwickeln; die Themen aller ihrer Romane sind diejenigen Dostojewskis – allgemein die conditio humana –, nur an neue Schauplätze, wie Krieg, Revolution und allegorische Pest verpflanzt. Malraux verteidigt sich gegen die Willkür von Dostojewskis psychologischer und religiöser »Predigt«, aber in der Kunstmeditation sind es dann doch wieder gerade seine Romane, die ihn zögern lassen, die reinen Formen der Kunst, den Kunstbegriff überhaupt, zu rigoros abzutrennen vom »Humanismus«, d. h. von seiner, Malraux' eigener Predigt. Camus geht in der *Pest* und im *Menschen in der Revolte* daran, Dostojewski positiv nachchristlich zu beantworten; nachdem ihm aber seine Antwort wieder problematisch wird – spätestens im *Fall* und in der Bearbeitung der *Dämonen* –, geht er wieder dazu über, Dostojewskis Frage, wie er sie versteht, nämlich nach dem Zusammenhang von Politischem und Metaphysischem, von Sozialismus und Religion, als Frage bei den Zeitgenossen wach zu erhalten. Dostojewskis Kritik der westlichen Aufklärungsideen ist moderner, mit der Gegenwart Camus' und Malraux' solidarischer als etwa die des französischen »renouveau catholique«; seine letztendliche Ablehnung der Revolution – die sie nicht übernehmen – ist anders begründet als Flauberts Verachtung der Kommune und des Pöbels.

Die entscheidende Korrektur, die Malraux und Camus im Literaturbegriff vom 19. Jahrhundert aus an der aufgeklärt-revolutionären Tradition des 18. Jahrhunderts vornehmen, hängt an Dostojewski. Iwan Karamasoff verurteilt in seiner Revolte zugleich den überkommenen Gott, der zur Ausführung seines Welten- und Heilsplans das Leiden unschuldiger Kinder nötig hat, und die neuen nachchristlich-sozialistischen Großinquisitoren. Beiden, Malraux und Camus, ist Dostojewski Garant ihrer eigenen Tiefe und ihres Künstlertums; kein »Realismus«, der für sie beide mit Irrtum und Verfall synonym ist, versteht ihn: tatsächlich findet Aragon Dostojewski auch nur »bizarr«.[68] Camus und Malraux sehen sich in Iwan hinein. Aber schriebe Dostojewski heute, dann suchte er nach unerkanntem Tiefsinn möglicherweise nicht bei ihnen, sondern dort, wo sie mehr oder weniger nur Flachheit finden. Das Modell, der Ausgangspunkt für Iwan war nachweislich der Kritiker Wissarion Bjelinski (1810–1848), der Dostojewski entdeckt, gefördert und durch seinen Unglauben, seinen Materialismus zur vertieften Auseinandersetzung genötigt hat. Ihn, Bjelinski, kennt und lobt Aragon als einen der Vorkämpfer in der realistischen Theorie.[69] Iwan Karamasoff lehrte – horribile dictu – sozialistischen Realismus: Camus und Malraux sind als Romanciers begrenzter als Dostojewski, weniger fähig, ihren eigenen Schatten zu überspringen. Eben darum erscheint es geraten, zuerst sich auf das einzulassen, was sie, scheinbar auf Dostojewski sich berufend, hartnäckig verachten – auf die Theoretiker des Realismus.

II

Louis Aragon: Literatur und Wirkliche Welt

1. 1956–1967: Chagrinleder Wirklichkeit

Nach dem Erfolg der *Karwoche*, die 1961 in deutscher Übersetzung erschien, ist es um Aragon in Deutschland still geworden. Man hält den Autor des historischen Romans in Verehrung fest, folgt ihm aber nicht auf seine späteren Wege.[1] Die Begegnung des deutschen Lesers mit Aragon geht rückwärts: in München erschienen seitdem die vier vorhergehenden von 1932 bis 1944 geschriebenen Romane; in Ost-Berlin waren zur Rundung des Bildes einzig noch die Schlußbände der *Kommunisten* von 1951 mit einem Jahrzehnt Verspätung zu übersetzen. Auch Aragon nimmt sich 1967 diesen seinen auf der Höhe des Kalten Krieges entstandenen Roman, für den in Westdeutschland kein Interesse besteht, wieder vor, um ihn dem französischen Publikum in einer zweiten, gründlich veränderten, entstalinisierten Fassung erneut vorzulegen ...[2] Die Hauptrichtung seines Werkes des siebenten Lebensjahrzehnts, nach der *Karwoche*, ist aber eine andere. Dieser Roman, der als Rückblick und Summe gelesen wurde, nimmt durch das, was ihm folgt, eher die Gestalt eines Brückenkopfes, des Eingangs in einen neuen Zyklus an, der schon mehr als 2000 Seiten umfaßt. *Le Fou d'Elsa* (1963), »Elsas Narr«, der Beinahe-Roman im esoterischen Poem, *La Mise à Mort* (1965), »Die Exekution« und *Blanche ou l'Oubli* (1967), »Blanche oder das Vergessen«, die beiden Romane, sind untereinander durch die Kontinuität des autobiographischen Stoffes verbunden, aber noch auffälliger zugleich auch mit der *Karwoche* dadurch, daß alle vier Bücher einen Künstler oder ein bestimmtes Fragment des Schriftstellers zum zentralen Helden haben: den Maler Géricault, den islamischen mystischen Dichter Medjnoun in Granada vor der spanischen Invasion, den »realistischen Schriftsteller« Anthoine Célèbre und den Linguisten Geoffrey Gaiffier, der sein Leben damit zubringt, über Wesen und Erkenntniswert des Romans zu reflektieren. Die letzteren beiden leben in Paris als Aragons imaginäre Zeit- und Altersgenossen.

Viermal nacheinander ist die Stellung des Künstlers und der Werke der Literatur in der Gesellschaft, im Strom der Geschichte und im Blick auf die Erkenntnis des Menschen thematisiert, während in den fünf voraufgehenden Romanen des Zyklus der »Wirklichen Welt« die Künstler nie anders als in Nebenrollen erschienen waren. Géricault wandelt sich in der Karwoche 1815, während der Flucht Ludwigs XVIII. vor dem wiederkehrenden Napoleon vom bourbonischen Parteigänger nicht zum Kämpfer, sondern zum künstlerischen Zeugen für den revolutionären Fortschritt im umwegereichen Strom der Geschichte. Gegen den greisen Medjnoun wird in einer dem Untergang nahen Theokratie ein Ketzerprozeß geführt, weil er zu einer zukünftigen Elsa statt zu Allah betet; in der nationalen Katastrophe weigert er sich, weiter Dichter des Freiheitskampfes des Volkes zu sein; für die Vorgänger seiner eigenen politischen Gegenwart verliert er Sinn und Verstand, weil er in seiner Höhle in den Bergen fern über der Stadt von Zukunftsvisionen einer in der Liebe von Mann und Frau gegründeten Kultur heimgesucht wird. Der realistische Schriftsteller Célèbre, der, wie Peter Schlemihl seinen Schatten, so sein Abbild im Spiegel infolge einer inneren Krise seiner Überzeugungen um 1938 verloren hat, wird von seinem schlechteren, aber wahreren Ich als »positiver Held« und darum der Irrealität überführt und in einem Handgemenge, von dem ein zerschlagener Wandspiegel Zeugnis gibt, zu Tode gebracht. Gaiffier, der Linguist, experimentiert mit Romanfiguren wie mit Hypothesen, um nachträglich »den Fluß aufwärts zu steigen«, gegen das Vergessen, um Blanche, seine Frau, zu verstehen, die ihn gegen 1950 verlassen hat und schon um 1930, für Gaiffier damals unverständlich, selber an einem Buch schrieb und zu Hölderlins *Hyperion,* zu dem Satz: »Es ist aus, Diotima. *Unsere* Leute haben geplündert, gemordet ohne Unterschied!« in geheimnisvoller Beziehung stand.[3]

Aragons Bücher sind absichtlich so angelegt, daß man endlos an ihnen zu interpretieren hat und immer neuen Doppel- und Hintersinn findet. Alles, was sich historisch-exotisch gibt, ist »Maske« des Individuell-Autobiographischen[4], alles, was sich privat, autobiographisch gibt, ist verschlüsselte politische Zeitgeschichte. Früher kannte nur Aragons Lyrik, nicht die Prosa der Romane, ein Ich; nun, da es in die Prosa einzieht, erhebt es den doppelten Anspruch, sowohl Poesie als auch Dokumentation zu sein. In der Fülle des Details zeigen zu können, wie in allem, was als *sein* Irrtum, *sein* Fehler erschien, in Wahrheit die politische Zeit selber agierte, und er ihr die einzig mögliche Antwort gab, wie alles sich in überpersönlich-objektive Konstellation auflöst – das ist Aragons sieghaftes Glück, die Grundgeste aller seiner späten Bücher. Das Ich des realistischen Schriftstellers hat Nachholbedarf im Sich-Aussprechen, aber es kann, als realistisches, nie von sich reden, ohne zugleich von vielem anderen zu sprechen. In der *Mise à Mort* zieht die menschliche Person aus, um durch ihre »Fragmente« und »Reflexe« in der gelebten Zeitgeschichte ihre Identität, ihr Gesicht im moralischen Sinn, wiederzufinden. Das Bemühen der übrigen Bücher ist das gleiche. Die *Karwoche* gibt dadurch, wie sie die Restaurationsaristokratie und Napoleons ehemalige Generale zwischen den Fronten deutet, dem Publikum zu verstehen, daß Aragon künftig angesichts der Komplexheit historischer Situationen nicht mehr alle seine politischen Gegner, die Schriftsteller im besonderen, als Verräter denunzieren will.[5] Noch bis Anfang 1957, anläßlich der Spaltung, welche die sowjetische Intervention in Ungarn bei der französischen Linken, auch innerhalb der KP, bewirkte, hatte er dies getan durch napoleonische Verachtung der »Gewissens«-Menschen im Namen der »Ehre«.[6] Aber die in Moskau gehaltene Replik, in welcher Aragon 1958 in Camus' bekanntem Nobelpreis-Vortrag den »Verrat an der Physik des Fortschritts« entlarvte[7], war nur noch letzter Routine-Reflex, kein Bekenntnis mehr.

Das spätislamische Kolorit im *Fou d'Elsa* hat zur Funktion, religiöse Mystik als Poesie atheistisch auf die Füße zu stellen; die anarchische, durchaus pessimistische Haltung des Medjnoun der Theokratie gegenüber verbildlicht einen allgemeinen Mechanismus auch der modernen Geschichte und des nachreligiösen sowjetischen Dogmengebäudes; die Verhandlung gegen den Dichter hat gezielte Anklänge an Moskauer Prozesse.[8] In den fünf Jahren zwischen dem historischen Roman und dem historischen Poem liegt in Aragons Schaffen ein anderes, durch Auftrag von außen vermitteltes Werk, eine zweibändige Geschichte der Sowjetunion von 1917–1960.[9] Aragon brachte sie gut und in den erlaubten Grenzen entstalinisiert zu Ende, aber die hier und da nur angedeutete Erschütterung, welche diese wissenschaftlich-dokumentarische Begegnung mit der Sowjetrealität in ihm auslöste, muß tief gewesen sein. Die gedämpften Hoffnungen der *Karwoche* halten nicht stand; nach der *Histoire parallèle* kann der Realismus in der Literatur nicht mehr sein, was er vorher war, er wird nächtig-shakespearehaft.[10] Weiteren Schluß zieht daraus die *Mise à Mort* über das »zerrissene Buch der Geschichte« und über die Unordnung des ganzen Zeitalters, die »verirrten Kinder des übergroßen Zerwürfnisses«; die angedeutete innere Krise 1938 geht aus von Aragons sowjetischen Freunden M. Koltzow und L. Luppol, die im Zuge der Schauprozesse plötzlich verschwanden. Aber damit nicht genug; Aragon situiert die Hinrichtung seines positiven Schriftsteller-Helden in den Oktober 1964, also ohne es zu sagen, genau auf den Zeitpunkt, da Nikita Chruschtschow seiner Ämter enthoben und aus der Sowjetgeschichte hinwegretuschiert wurde.[11] Chruschtschow aber war, zum letzten Male in Aragons gutem Glauben, der Lichtblick, der politisch positive Held seiner *Histoire parallèle* von 1962 gewesen. *Blanche ou l'Oubli* setzt 1967 in der Gegenwart in Indonesien ein – auf Vietnam wird nur angespielt –, bei den Massakern von 1965/66, um den Hunderttausenden dabei zu Tode gebrachten Kommunisten ein Denkmal zu setzen, assoziiert aber von da aus zurück in die Zeit um 1930 in ein anderes Land, als, frei nach *Hyperion*, »unsere« Leute gleichen Terror übten:[12] man sagt, daß der kommunistische Glaube von Aragons Frau, der russisch gebürtigen Schriftstellerin Elsa Triolet, schon damals, als Wl. Majakowski in Moskau in den Selbstmord getrieben wurde, in die Krise geriet. Blanche im Roman ist aber über Elsa hinaus auch die kommunistische Hoffnung, die den Schriftsteller verlassen hat, und sie ist der Horizont des immer unerreichbaren Absoluten, die Instanz, vor welcher er die Schuld seines Lebens, private wie politische, erkennt und annimmt, um dadurch seine Identität, sein Gesicht zu haben.

All dies schreibt Aragon weiterhin im Namen des Realismus. Man versteht die Hemmungen in Moskau und Ost-Berlin, die jüngsten Bücher des sonst anerkannten Parteiautors in Übersetzung zu publizieren. Sein sozialistischer Realismus nimmt eigenwillige, französische Züge an, das ist das mindeste, was man sagen muß. Aber auch die von Aragon hochgeschätzte und viel interpretierte nationale Tradition des realistischen Romans im 19. Jahrhundert hilft zur verstehenden Einordnung jetzt nur noch am Rande: man denkt an Flauberts exotische, an Balzacs mystische Romane; an Stendhal, der durch Sklavensprache und Konterbande die Zensur der Herrschenden täuschte.[13] Man denkt noch weiter zurück ins 18. Jahrhundert, zu Voltaires und Diderots philosophischen Romanen, die Aragon ebenso dem Realismus zuschlägt wie die Tierfabeln von Äsop über den *Roman de Renart* bis zur Aufklärung. — Aragons jüngste Romane sind verkleidete Autobiographie und Essay; sie begnügen sich aber nicht damit, formlos zu sein, sondern suchen vielmehr bewußt den Zerbruch, die Aufsprengung der vorgegebenen, herkömmlich-realistischen Romanform, um den Leser in die Reflexion über einen neuen, vertieften Begriff des Romans hineinzuziehen. Der Autor ist nicht etwa zu den Verächtern der Fiktion übergegangen, im Gegenteil: angesichts der Herausforderung des anbrechenden technischen Zeitalters sind die Romane aller Zeiten, wie er zuletzt an Flaubert und Hölderlin exemplifiziert, ein Archiv dessen, was das Humanum konstituiert; ein sprachliches und darum dem Subjekt besonders nahes imaginäres Museum des Menschen, wie der einst von Aragon bewunderte Malraux sagen würde. — Der späte Realismus Aragons ist symbolisch, aber der frühere der »Wirklichen Welt« war es auch: weder der Sinn *Auréliens* noch der der *Reisenden der Oberklasse* war so vordergründig, daß er vom unbefangenen Leser restlos und ohne Verweilen eingestrichen werden konnte. Nicht darin liegt die Differenz, sondern in dem, daß die Symbolik damals am Ganzen einer ›Welt‹ haftete, jetzt sich aber in eine Fülle von Teilrealitäten und Teilsymbolen auflöst. Es war die bürgerlich-kapitalistische Welt Frankreichs eines halben Jahrhunderts, genau von 1889 bis 1940, die Aragon im politischen oder Gesellschaftsroman sich zum Gegenstand genommen hatte: die gesellschaftlichen Veränderungen nach 1940 in Frankreich sind in den späteren Romanen nur noch Dekor und Detail, nicht mehr eigentlich Gegenstand; andere Themen — Liebe, Tod und Kunst — die vordem nur Darstellungsmittel waren, verfestigen sich, werden selber horizont- und perspektivebildend. Keiner der späteren Romane geht über die in den *Kommunisten* gesetzte zeitliche Grenze der nationalen Katastrophe 1940 hinaus; was später in der Verschlüsselung erscheint, ist weniger französische als sowjetische Politik; für Frankreich fällt das Ende der »Wirklichen Welt« auf geheimnisvolle Weise mit dem Ende der Dritten Republik zusammen.

Aragon hat seine literarische Laufbahn nicht mit realistischen Romanen begonnen, sondern mit Dada und dem Surrealismus. Sollte man, die parteioffizielle Monographie des Philosophen R. Garaudy ergänzend, Aragons Lebensreise unter der Überschrift »Vom Surrealismus zur wirklichen Welt — und zurück« lesen? Manches könnte dazu reizen, den Realismus bei Aragon solcherart zum Zwischenspiel zu relativieren, etwa die doppelte Zeitlehre des *Fou d'Elsa,* nach der die Gesetze, Tendenzen und Perspektiven der Geschichte im Bewußtsein, nicht im stumm-verschlossenen und nach wie vor chaotischen Sein liegen. Aber anderes innerhalb des Spätwerks widerspricht dem, die Geschichte bleibt wirklich. Weiter reicht aber die erneuerte, konsequent nominalistische Sprachkritik, wie sie Aragon — gegen Breton — schon als Surrealist praktiziert hatte:[14] Wörter sind perfektionierbare Werkzeuge gesellschaftlichen Ursprungs und wandelbaren Inhalts; Vergessen, Oubli, ist positiv die Macht des Sprachwandels. Wie vordem religiöse Begriffe in nachreligiöser Sprache statt aufgegeben vielmehr um des reicheren Zugangs zur Wirklichkeit willen mit neuem Inhalt gefüllt wurden, genauso sind heute die vom ideologischen Dogma entleerten Begriffe wie »Geschichte« oder »Zukunft« (avenir) durch die geheime Wissenschaft der Dichterlinguisten neu zu füllen, dazu schreiben sie Romane. Wörter sind, mit *Blanche* zu reden, Muschelschalen und Schneckenhäuser, der geschichtliche Sinn ist ein Einsiedlerkrebs. Die Ideologie zerstört die Zukunft, indem sie behauptet, sie schon zu haben, so wie Breton das Surreale in den Wörtern zerstörte, indem er es nicht unerreichten »Horizont« sein ließ.

Die Sprachkritik und -reform, die Aragon bewirken will, ist anspruchsvoll, aber sie ist nur ein Teilaspekt in Aragons im ganzen skeptischeren Alterswerk, sie ist ebensosehr Reminiszenz wie Programm, jedenfalls ist sie keine wesenhafte, durchs Gesamtwerk tragende Kontinuität. Mitte des Werkes bleiben weiterhin die sehr unterschiedlichen fünf Romane der »Wirklichen Welt«, dazu noch die *Karwoche* — die Bücher, in welchen die geschlossene, große Form der Fiktion noch nicht in Konfession und allegorisches Vielerlei zerfällt. Des Autors eigenem Urteil ist zuzustimmen, wenn er bemerkt, daß zwar bei allen Romanciers irgendwo in ihrer Entwicklung das Bekenntnis seinen notwendigen Platz hat: bei Rousseau vor den Romanen, bei Stendhal in den Lücken zwischen ihnen, bei Sartre, wie offenkundig auch bei ihm selber, danach; daß es aber in keinem Fall höher zu schätzen sei als das Romanwerk, die objektive »création«.[15] Aragons späte Bücher verarbeiten wichtige Reste und Ränder des Wirklichen – so vom Thema der Liebe aus den früher verdeckteren Sinn für das Absolute, le goût de l'absolu; von der Moral und von der Sterblichkeit des einzelnen aus die Identität des Individuums, den vordem zu schnell erledigten bürgerlichen Individualismus – sie sind aber dennoch nur Verlängerungen, Anhänge an die »Wirkliche Welt«, die sie voraussetzen. 1960 schreibt Aragon, in der Notsituation schrumpfe dem politisch gebundenen künstlerischen Realismus die Wirklichkeit dahin wie das Chagrin-Leder in Balzacs Märchen: vom eigentlich »Aktuellen« darf er nicht geradeheraus schreiben, ohne der Partei zu schaden, und so, wie sie es wünscht, kann er nicht mehr schreiben, ohne der Kunst und der Wahrheit zu schaden.[16] Durchaus verfehlt wäre es darum, die verschlungenen allegorischen Pfade und Formen des Spätwerkes etwa nur immanent, aus der freien Eigengesetzlichkeit der Themen verstehen zu wollen. Was Aragon seither zu den Problemen des Realismus schreibt, ist ohnehin mehr Ablenkung und Provokation als Aufschluß. Die Verhältnisse schreiben mit, wenn auch nicht mehr in der fatalen Weise wie in den *Kommunisten,* so doch immer noch wirksam. Freilich ist das andere ebenso offenkundig: er kann im Spätwerk nicht mehr alles, was er darf, die Geheimsprache, das »große Kreuzworträtsel«[17] ist zur Sache selber geworden. Seine Seele hat ein Stück weit selber die Verkrümmungen und Ecken der geheimen Wege angenommen, die zu gehen er gezwungen wurde; jetzt braucht er auch von innen her die Verstellung, die bunten Masken, um weiter schreiben zu können.

Die Lage des realistischen Künstlers ist prekär, die späten autobiographischen Enthüllungen sagen, daß sie es schon von Anfang an war, daß es also auch mit der ruhigen epischen Ausgeglichenheit von Subjekt und Objekt schon in der Wirklichen Welt nicht ganz stimmte. Das Spätwerk verbietet, die *Karwoche*, die *Reisenden der Oberklasse* oder gar die *Kommunisten* als übertragbares Paradigma für gesunden Realismus zu verstehen. Weil das Subjekt in ihnen zuviel verschwiegen hatte, deshalb müssen jetzt umgekehrt lauter Künstler die Bühne füllen. Was nichts ändert daran, daß das Politische – in dem besonderen, noch zu erörternden Sinn, den das Wort bei Aragon hat – dennoch wirklich bleibt und, durch die Verschlüsselung hindurch, unabweisbares, notwendiges Thema des Romans. Die disparaten Anlässe des Tagesgeschehens in der Welt führen zurück zu den alten Wunden und Enttäuschungen der Stalinzeit. Der Realismus wird shakespeareisch; im Dialog läßt sich die veränderte übergreifende Perspektive, die sich bei Aragon aus den geschilderten Fakten merklich herausbildet, noch präziser bezeichnen: nach Garaudys jüngster, von Aragon gutgeheißener Programmschrift von 1963 sollte der Realismus »prometheisch« sein; aber derjenige Aragons ist, nach einer anderen griechischen Sagengestalt, die ihr scheinbar freies Tun im Rückblick ganz anders erfährt

– »niemand weiß mehr, wer ermordet wurde, von wem und warum« –, ödipeischer Realismus als adäquater Ausdruck der Zeitgenossen und früheren Anhänger Stalins.[18] Alle sind mitschuldig, auch die, die nichts gewußt haben; nicht nur die Partei kann irren, selbst das Proletariat in seiner geschichtlichen Sendung ist fehlbar, handelt blind wie Ödipus. Die Revolution hat keinen neuen Menschen geschaffen, weder das Verbrechen noch das Unglück der Liebe ist durch die Neuverteilung der Güter beseitigt worden. Es fehlt bei Aragon nicht an Aussagen, die eindeutig ins Dossier des Abfalls vom roten Gott gehören. Anders ist es ihm offenbar nicht möglich, zu den moralischen Fragen der vorrevolutionären Menschen, seiner Zeitgenossen, an die kommunistische Politik zurückzukehren und seinem eigenen früheren Zynismus, seinen Verdammungsurteilen gegen Verräter jeder Art, die nur Worte waren, weil kein vereinzelbares Subjekt dahinter stand, den Abschied zu geben. Aber Aragons Pessimismus kommt keinem anderen etablierten politischen Lager zugute: er ist weniger Renegat als Reformer und Revisionist. Seine Schwarzseherei bedeutet anderes als was sie bei einem Nichtkünstler bedeuten würde; weil sein Realismus durchgehend, seit den Anfängen, statt vom Bild des Positiven vielmehr von seinem kritisch-dialektischen Verhältnis zum negativen Wirklichen lebte – eine persönliche Eigenheit, die nicht umhin konnte, Aragons Relationen zur sowjetischen Literaturdoktrin zeitlebens besonders dramatisch zu gestalten.

Aragons Verhältnis zum Negativen ist differenziert: damit hängt zusammen, daß auch seine Solidarität mit der Zeit in den Krisen seines Schriftstellerlebens eindrücklicher ist als in den dazwischenliegenden positiven Gewißheiten. Nicht alle seine Metamorphosen sind Krisen; ein Chamäleonhaftes, ein Zug zum Pastiche und zum Epigonischen in der Art, wie manche seiner Romane der Tradition verhaftet sind – *Aurélien* als neue *Éducation sentimentale* –, gehören immer zu ihm. Manche Wandlungen sind nur darum ernst oder überhaupt sichtbar, weil Aragons Kunst in der Sprache geschieht; sie regen an, darüber nachzudenken, in welche Schwierigkeiten der Zusammenordnung von Kunst und Politik etwa sein berühmter, nicht minder wandlungsfähiger Parteifreund Picasso geriete, wenn er statt malen schreiben würde.[19] Die Krise ist auch nicht Aragons Einlassung mit der Politik überhaupt, er ist kein neuer Barrès, der sich einer beliebigen »Ordnung« in die Arme wirft, im Grunde aber nur an die Sprache und den »Kult des Ich« glaubt.[20] Aragon verdankt der Politik als Künstler mehr als Barrès, und hätte er dieselbe politische Abstinenz geübt wie sein Freund Breton nach dem Auseinanderfallen der surrealistischen Gruppe, dann ist nicht zu sehen, wie er zur Vielfalt des Realen in seinem Werk hätte kommen sollen; die eigene Parteinahme ist Voraussetzung zu jener »Quadratur des Kreises«, die, nach Aragon, der gute politische Roman in unserer Zeit darstellt. – Eindeutig ist umgekehrt vielmehr nur, daß es keine Krise bei Aragon gibt, in der nicht die tragisch genommene Politik als Mitspieler vorkommt. Genannt wurden sein Eintritt in und sein Ausgang aus der »Wirklichen Welt«, aber das negative Gerüst seines umfangreichen, über 50 Jahre hin sich erstreckenden Werkes läßt sich in vier Bruchstellen noch genauer erfassen: 1. der Übergang vom Surrealismus zur KP und zum Realismus, von 1927–1930; 2. der noch genauer auszuführende Bruch innerhalb der Wirklichen Welt zwischen *Aurélien* (1944) und den *Kommunisten* (1949–1951); 3. das Krisenjahr 1956, XX. Parteitag der KPdSU und Ungarnaufstand; und 4. die eigene Beschäftigung mit der Sowjetgeschichte in der *Histoire parallèle* (1960–1962), die neuerlich die Grundfesten des Realismus erschüttert.

Ehe Aragon begonnen hat, die problematische Existenz des realistischen Künstlers in einer Folge von Büchern zu schildern, hat er also zuvor reichlichen eigenen Erfahrungsstoff dafür angesammelt. Ein Mitspieler war darin immer auch das Publikum, und zwar gerade das, welches seine linken französischen Schriftstellerkollegen so nicht haben: die Parteileser in Frankreich und die Leser in den östlich-sozialistischen Ländern. Sie sind ihm noch im Spätwerk unentbehrlicher Adressat, der durch kritische Fragen die Themen seiner Bücher mitformuliert und schon dadurch dem Autor den einfachen Rückfall ins Bürgerliche verwehrt. Obwohl Aragon im westlich-kapitalistischen Land lebt, ist seine späte Konfession, sein Individualismus dem Majakowskis, Pasternaks und Gorkis verwandter als dem Gides. Nicht zufällig hat Anthoine Célèbres Suche nach den fragmentarischen »Reflexen« seiner Person ihr – ungenanntes – nächstes Vorbild in Gorkis unvollendetem späten Roman *Klim Samgin*, und Aragons Interesse an Gorkis letzten Jahren als gefeierter und zugleich beargwöhnter Nationalautor der neuen sozialistischen Gesellschaft ist gewiß nicht nur distanziert-historisch:

> Ich kann es irgendwie verstehen, wie das alles sich für ihn dargestellt haben muß. Eine Art Verantwortungsgefühl. Und dann, wenn man doch ja gesagt hat (quand on a accepté) ... Ob er den kritischen Sinn verloren hatte? Sicher nicht. Aber die Frage ist, wie man ihn anwendet, und wenn so etwas von ihm kommt, also von jemand, der mehr oder weniger zu Recht ins volle Licht der Weltöffentlichkeit gestellt wurde, vor alle — wie sollte ein Gorki nicht zuallererst die Sorge haben, daß ein Wort von ihm, selbst wenn es dem, was er denkt, entspräche, schaden, verwirren und entmutigen (démoraliser) könnte?

Aragons Wissen um die dunklen Stellen sowjetischer Politik ist größer als das Gorkis, der, so Aragon, das »Glück« hatte, nicht zu erfahren, daß sein Sohn ermordet worden war, und daß vielleicht auch seinem eigenen Tode 1936 durch ärztliche Kunst nachgeholfen wurde, um ihn nicht mehr zum Häretiker werden zu lassen.[21] Aragons eigene Verantwortung, die kritisch sein, aber nicht demoralisieren will, ist begrenzter als die Gorkis, aber dennoch vorhanden.

Das Bewußtsein einer Vermittlerrolle zwischen Ost und West, allgemein der Bezug auf das unterschiedliche Publikum, für das er schreibt, gehört zu den konstanten Zügen Aragons; er verbindet das Spätwerk mit dem Vorherigen, läßt aber zugleich seine Schwerverständlichkeit und Esoterik unter neuem Blickwinkel erscheinen. Um weder verboten zu werden noch zu entmutigen, schreibt Aragon Geheimbotschaften für Eingeweihte, nicht für den Massenleser. Es gibt zwei Literaturen, sagt er dazu: den »Boulevard«, das was für alle da ist, für große Auflagen ab 100 000, und die »experimentelle« Literatur für einige wenige, zu welcher die Bücher des Nouveau Roman gehören und sein eigenes Spätwerk.[22] Aber noch 1955/56 hatte Aragon als *die* Zukunftsperspektive, als den Wendepunkt im Wesen der Literatur bezeichnet, daß im sozialistischen Land nur das als Literatur gilt, was allen Einwohnern der Sowjetunion, die in die 300 000 Kolchosbibliotheken des Landes kommen, verständlich ist, Wort für Wort; die Größe der Kommunikationsmöglichkeit sollte den Verlust an Geheimem und Experimentellem aufwiegen, so argumentierte er noch 1958 gegen Camus' Widerlegung des sozialistischen Realismus.[23] Spätestens seit 1960 denkt er anders darüber. Es genügt ihm nicht mehr, nur das zu schreiben, was allen zugänglich ist, und das übrige zu verschweigen. Er kann nicht mehr warten, bis alle dorthin kommen, wo er ist. Aber er weiß, daß die Schuld nicht bei den anderen, vielen, liegt, wenn sie ihn nicht verstehen: »Euch anzusehen zerreißt mir die Seele ...« — die anspruchslosen Menschen auf der Straße, denen Krieg oder Erdbeben gleich rätselhaftes Unglück ist.

So gerne hätte ich euch geholfen / Ihr, die ihr mein anderes Selbst seid / Aber die Worte, die ich im schwarzen Wind aussäe / Wer weiß, ob ihr sie versteht / Alles verliert sich, nichts berührt euch / Weder meine Worte noch meine Hände.[24]

Aragon kann sich nicht abfinden damit, von den Massenlesern gänzlich abgetrennt zu sein, die symbolische Verbundenheit muß bleiben, ihre »Hölle«, die sie leben, sei auch die seine. Doch er weiß wohl, welche Resignation darin liegt, und daß er ihnen zur Zeit der Hoffnung anders hatte helfen wollen:

... so gerne hätte ich für euch gewonnen, für mich verloren / so gerne wäre ich nützlich gewesen / Das ist ein bescheidener und närrischer Traum / Ihn zu verschweigen wäre besser gewesen / Begrabt mich mit ihm in der Erde / Wie einen Stern in einem tiefen Loch.

Der Traum, alle jetzt gleich zu erreichen, ist Vergangenheit. Aragon will gerade mit ihm begraben werden, weil er aus seinem Schriftstellerleben noch weniger wegzudenken ist als sein Gegenpol, die Esoterik. Er, Aragon, war es gewesen, der diesen Stern-Traum, anstatt ihn weise zu verschweigen, 1933/34 mit der Frage »Für wen schreiben?« als den verfänglichen Kern des anfänglichen »Warum schreiben?« der französischen Literaturdiskussion aufgezwungen hatte. Alle seine Bemühungen um den Realismus zusammen hatten in Frankreich weniger Wirkung als dieser »bescheiden-närrische« Traum, das Herz des Engagements: vom Publikum aus zu bestimmen, was revolutionäre Literatur ist und was sie soll.

2. »Für wen schreiben?« und die Wendemarken in der Wirklichen Welt (1933–1951)[25]

Die Umfrage »Warum schreiben?« war vom November 1919 bis Februar 1920 in der von A. Breton, Ph. Soupault und Aragon gegründeten Zeitschrift »Littérature« veröffentlicht worden.[26] Die Frage war an diesem ihrem geschichtlichen Anfang nicht todernst gemeint, sondern als ein guter Witz. Dies fällt als erstes auf, wenn man alle die tiefsinnigen Erörterungen im Sinn hat, die seither aus der Verbindung des ›Schreibens‹ mit ›Warum‹ hervorgegangen sind. Tristan Tzara gab im voraus den Ton an durch seine Erklärung, man schreibe, weil Nichtstun zu anstrengend sei. In drei Durchgängen wurden 70 Antworten veröffentlicht, wobei das Urteil der Herausgeber aus der Anordnung zu ersehen war: die unsympathischsten jeweils am Anfang, nämlich die Einsender, welche die Frage zu ernst genommen hatten und sich auf Inspiration, Berufung und inneren Trieb berufen oder gar, wie H. Ghéon – der als einziger auf den zurückliegenden Krieg Bezug nimmt – Gott, der Kirche und Frankreich dienen wollen; das Mittelfeld füllen die harmloseren geistreichen Antworten (»Ich schreibe nicht, ich brülle.« »Ich schreibe nicht, sondern diktiere.« »Ich schreibe, um die nicht zu sehen, denen ich etwas sage.«). Jeweils im letzten Drittel, bei den Siegern, ist ebenfalls die Schlagfertigkeit kennzeichnend, aber nun doch mit einem Umschlagen in Doppelsinn und tiefere Bedeutung verbunden. Knut Hamsun schreibt, »um die Zeit abzukürzen«, P. Valéry »aus Schwäche«. Andere stellen teils besinnlich, teils fröhlich die Unbeantwortbarkeit der Frage fest: »Aus zweiundzwanzig Gründen.« »Ich hoffe es nie zu erfahren.« » . . . bin ich Gott, um Warum-Fragen zu lösen? Ich nehme mich zur Kenntnis, das genügt mir.« Dazu gesellt sich die Gruppe skeptisch-entlarvender Antworten, die aus der Frage einen tadelnd-polizeimäßigen Unterton heraushört; so J. Paulhan: »Ich schreibe wenig, Ihr Vorwurf trifft mich kaum.« G. Ungaretti und andere breiten ihr scheinbar schlechtes Gewissen aus: man schreibt aus Machtwillen; um der Wahrheit zu entgehen; aus Feigheit; die Warum-Frage muß notwendig den Aufrichtigen die Karriere verderben. – Für alle die verschiedenen Arten gut benoteter Antworten gilt gemeinsam, daß der wahre Held des Schreibens das Schweigen ist und das Schweigenkönnen: Rimbaud, der in die Wüste ausgezogen ist und der imaginäre *Herr Teste,* dem die eben beendeten zwanzig stummen Jahre seines wirklichen Autors Valéry entsprechen. Es blüht die »Apologie des Schweigens«; die Versuche, das Schreiben sozial oder metaphysisch zu rechtfertigen, vertagen sich noch bis zu gelegenerer Zeit.

Aragon hat selber die Frage nicht beantwortet. Er hat sie später je nach der geschichtlichen Situation ausgelegt und zur Zeit des *Fou d'Elsa* die Antwort wieder ausdrücklich verweigert.[27] Es gibt indessen gewisse, mit Vorsicht zu deutende Hinweise, was für Aragon um 1919 die ernste Seite der Frage war. Der Held war das Schweigen; Breton, Soupault und Aragon schwiegen in allem, was sie schrieben, bewußt und herausfordernd von dem Krieg, an dem sie alle drei als Zwanzigjährige noch teilgenommen hatten, bevor sie literarische Avantgarde wurden. Wiederholt hat Aragon später erzählt, wie er im August 1916 in einem verlassenen deutschen Schützengraben an der elsässischen Front ein Bändchen Lyrik gefunden hatte: Liliencron, Dehmel, Werfel – Poesie und Wirklichkeit stehen im Widerspruch, gegen Kugeln sind Wörter machtlos.[28] In der *Mise à Mort* ist eine autobiographische Novelle eingefügt, welche, zum Teil von der Anfrage eines deutschen Lesers angeregt, das ›Warum schreiben?‹ mit Hölderlins »Wozu Dichter in dürftiger Zeit?« paraphrasiert und den selben Kontrast mit neuer persönlicher Erfahrung belegt.[29] Zur »dürftigen Zeit« des Fragens gehört 1918 auch, daß Aragon, während er seine ersten Gedichte vom Elsaß aus an literarische Revuen nach Zürich und Paris verschickt, in seiner Funktion als militärischer Hilfsarzt feststellt, daß die Mehrheit der marokkanischen Truppe, die er zu betreuen hat, aus Tuberkulosekranken besteht. Seine militärischen Vorgesetzten finden das ganz in Ordnung, und seine Gedichte sagen nichts davon, noch ändern sie etwas daran.

Im französischen »Pourquoi écrire?« liegt sowohl ein kausales Warum als auch ein finales Wozu. André Gide hatte es schon 1919 bemerkt, und seine Antwort auf die Umfrage bestand eigentlich nur aus einigen weiterführenden Fragen, welche die Brücke zum »Für wen schreiben Sie?« von 1933/34 bilden. Die einen schreiben »weil«, die anderen »damit«, den einen ist die Literatur vorwiegend Zweck, den anderen vorwiegend Mittel. »Was mich angeht, ich schreibe, weil ich mich aufs Schreiben verstehe, und um von Ihnen gelesen zu werden.« Gide sagte damals zu Aragon gesprächsweise noch mehr, was er aber 1919/1920 noch nicht gedruckt sehen wollte; nämlich daß, trotz seiner eigenen Unentschiedenheit über die Literatur als Zweck oder als Mittel »die eigentlich zu stellende Frage vielmehr sei: *Für wen* schreiben Sie?«.[30] Das heißt, Gides Schreiben war schon damals nicht in sich ruhender Zweck, sondern hatte seine Leser, die junge Generation allgemein und die revoltierenden Poeten im besonderen im Blick. Gide war fleißiger Montaigne-Leser, es ist möglich, daß er von ihm den Anstoß aufgenommen hatte, in dieser Form die Für-wen-Frage dem Warum vorzuordnen.[31] – Bis aber Aragon allein, gegen seine Freunde von einst, diese Umfrage in der kommunistischen Zeitschrift »Commune« in Umlauf brachte, war vieles geschehen: Dada war in den Surrealismus übergegangen, Aragon hatte das »Wunderbare« der modernen Welt und den Schauder der Liebe besungen, je und je beunruhigt durch gezieltere gesellschaftskritische Ansätze und durch die Einsicht in die Folgenlosigkeit der surrealistischen Revolte, die sich vor der »Entmannung« durch die etablierten Kulturmächte nicht schützen kann. Der bürgerliche Individualismus liegt in der »Agonie«, Aragon geht durch eine tiefe Krise; die Begegnung mit Wl. Majakowski und Elsa Triolet 1928 bestärkt ihn auf neuen Wegen. Eine Reise in die Sowjetunion 1930 zu einem Schriftstellerkongreß in Charkow besiegelt seine Wendung zum Kommunismus – und stellt ihn unvermittelt wieder vor Gides antizipierte Frage: die »proletarische« Literatur Frankreichs hat der Avantgarde nichts zu sagen, und die Proletarier können mit Surrealismus wenig anfangen.[32] Eine Vermittlung beider Extreme kann Aragon auf die Dauer nicht gelingen, er gibt den Surrealismus auf – und behält mit dem ›Für wen?‹ fürs erste nichts als eine Reihe negativer und kritischer Gewißheiten in der Hand.

Aragon setzt damit ein, daß er – über Gide hinaus – die Warum-Frage von 1919 und ihren Erfolg gesellschaftlich einordnet als Symptom der idealistisch-individualistischen Widersprüche in der damaligen bürgerlichen Literatur.

»Commune« will die Distanz bezeichnen zwischen den Intellektuellen von 1919 und denen von 1933. Das Wachstum der revolutionären Bewegung in der Welt, der Triumph des sozialen Aufbaus in der UdSSR und der geschichtliche Aufstieg (montée) des internationalen Proletariats auf der einen Seite; auf der anderen die täglich voranschreitende Demaskierung der Imperialismen durch Wirtschaftskrisen, Faschismus, Kriege und Massaker in den Kolonien haben die Bedingungen des Schreibens verschoben und tiefgreifend modifiziert.

Welche von den rund 60 veröffentlichten Antworten – die Aragon in drei Grundtypen einordnet: ich schreibe für mich; ich schreibe (der Intention nach) für alle, praktisch für wenige; ich schreibe für meine, bzw. für die Arbeiterklasse – von ihm als die richtigen herausgestellt werden, ist damit von vornherein klar. Die Umfrage ist rhetorisch-pädagogisch abgezweckt, in brüderlicher Hilfe sollen den schreibenden französischen Zeitgenossen, darunter an bedeutenderen auch L. F. Céline und R. Martin du Gard, die Augen geöffnet werden über die gesellschaftliche Basis der Literatur und ihren Zusammenhang mit der weltgeschichtlichen Sendung der Arbeiterklasse. Der allumfassende Klassenkampf macht vor der Literatur nicht halt; die scheinbar unpolitischen Stücke kämpfen in Wahrheit für die Erhaltung der bestehenden Verhältnisse. *Tartuffe*, der *Barbier von Sevilla*, selbst *Polyeucte* waren zu ihrer Zeit Thesenstücke, erst als sie situationsungebundene »Museumsobjekte« wurden, verloren sie ihren Stachel. Das unbestimmte Bild des Lesers als eines blassen Vernunftwesens

ersetzen wir für unseren Gebrauch durch wirkliche Leser aus Fleisch und Blut, mit ihrem Beruf, ihren Renten und ihrem Lohn, lauter Klassenwirklichkeiten, die sich aus unserer Sprache in keiner Weise wieder hinausverflüchtigen lassen.

Der Kampf ist alles; Aragons Auffassung des ›Für wen?‹ ist weniger dialektisch als radikal, wie seine Kommentierung der Antworten anschaulich an den Streitpunkten zeigt, zu denen er schon wenige Jahre darauf eine andere Meinung vertritt. Er lehnt vorerst diejenigen ab, die »zwei Teile aus ihrer Aktivität machen« und versuchen, den alten »Humanismus« und »Individualismus« mit dem revolutionären Ziel zu versöhnen; genau das hatten die Vertreter der Zeitschrift »Esprit« gefordert;[33] das Votum des Altkommunisten J.-R. Bloch kam gegen Aragon auf das gleiche heraus: nicht der direkte Kampf sei der Wesenskern der Literatur, sondern die Übermittlung der persönlichen »Überzeugungen« des revolutionären Schriftstellers, wobei dieser bei seinen katholischen Gegenspielern, wie Claudel, noch einiges zu lernen habe.[34] Schon 1935 konzediert Aragon, daß der Schriftsteller am direkten Kampf zwar teilhaben muß, daß aber seine Bücher auf andere, »unvorhersehbare« Weise an der Veränderung der Gesellschaft teilhaben.[35] Es gibt also, will man die direkte Waffe des politischen Pamphlets überhaupt so bezeichnen, zwei Literaturen. – Ein zweiter, wesentlich umstrittener Punkt war die Frage, ob die Nachwelt als Publikum neben den lebenden Zeitgenossen und die Kontinuität des Wesens der Literatur nur bürgerliche Mystifikation seien. Aragon versucht es so darzustellen. Romain Rolland wagt es dennoch, in seiner Antwort die Nachwelt als sein Hauptpublikum zu benennen, grenzt sie freilich auf eine revolutionäre, sozialistische Nachwelt ein. Gide, der Initiator der Frage, sandte seine Antwort »für die Kommenden« nicht ein, eben weil er wußte, wie Aragon sie kommentieren würde[36], der sich selber erst zehn Jahre später unter besonderen Umständen darauf besann, wie sehr gerade seine eigenen schwerverständlichen, weder proletarischen noch sozial-konservativ gemeinten Romane zu ihrer Rechtfertigung einer Nachwelt bedürfen. – Vorerst, 1933, will Aragon nur für die Lebenden, für die eigene Zeit schreiben. Aber daraus ergibt sich, gerade im Kontext von Kampf und Revolution, ein weiteres Problem, an das Malraux schon 1933 in einem Interview zur *Conditio humana* erinnert: der revolutionäre Schriftsteller schreibt auch »für« die Toten, für das Gedächtnis derer, mit denen er zusammen gekämpft hat; diese Aufgabe bleibt auch nach beendetem oder gescheitertem Kampf.[37] Aragon entdeckt wie Sartre erst im Widerstandskampf dieses Schreiben für die »Toten ohne Begräbnis«; in späterer Zeit kommt für ihn in großer Breite das Gedenken auch der Opfer des Stalinismus dazu.

»Schreiben für die Arbeiterklasse« heißt für den Schriftsteller bürgerlicher Herkunft, »denen eine Stimme verleihen, die keine haben«. Für die Arbeiterkorrespondenten der kommunistischen Presse (Rabcors), die Aragon ausführlich zu Wort kommen läßt, ist das klassengebundene Schreiben ohne Problem. Bei allen übrigen Einsendern mischt sich dagegen der gute Wille mit Skepsis: man zieht die ›Qualität‹ der proletarischen Literatur in Zweifel und glaubt nicht, daß das in der Sowjetunion Mögliche auf das kapitalistische Frankreich einfach übertragen werden kann. Aragons Lösungsversuch ist zwiespältig. Einerseits will er »*Zuerst* die Verhältnisse ändern ... das ökonomische System in der Welt, und zwar von Grund auf«. Aber das hieße ja, daß in Frankreich die Schriftsteller *vor* der erhofften Revolution außer schweigen überhaupt nichts tun könnten. Nach der anderen Seite hin bekämpft Aragon die fatalistische, defaitistische Vorstellung, auch die *gegen* sie geschriebenen Bücher dienten letztlich der herrschenden Klasse, weil das Proletariat nicht dazu komme, sie zu lesen: eine Wirkung sei dennoch möglich, denn auch der Schriftsteller Karl Marx schrieb ja einst *in* dem von ihm bekämpften System und nahm dennoch Einfluß auf den Gang der Geschichte.

Aragon kann also seinen Schriftstellerkollegen bei allem Scharfsinn keine positiv eindeutige Anweisung geben, für wen und was sie schreiben sollen; im übrigen kann es Sartre 1947 genau so wenig. Einiges läßt sogar vermuten, daß er sich sein Ziel gar nicht so hoch gesteckt hatte. Bei denen, die ›für alle‹ oder ›für sich selber‹ zu schreiben behaupten, enthüllt er hinter den geistreichen, witzigen Antworten die geheime Unsicherheit und Verlegenheit; marxistisch aufgeklärt beobachtet Aragon, seiner Überlegenheit gewiß und nicht ohne Schadenfreude, wie die anderen, Unaufgeklärten, blind-idealistisch im Räderwerk der kapitalistischen Gesellschaft tappen; nicht ihr konkretes Publikum, sondern die »Publikumsunbewußtheit« ist das eigentliche Krankheitssymptom. Die Interessen des Kapitals gehen über die Köpfe der ahnungslosen Individuen hinweg; die Kritik am bürgerlichen Schriftsteller ist bei Aragon Vorspiel zum Thema des falschen, ideologisierten Bewußtseins allgemein, das er dann in den Romanen der »Wirklichen Welt« tiefsinnig orchestrieren wird.

Aragon selber ist der Frage »Für wen schreiben?« als *der* wesentlichen für alle Literatur nicht eben lange treu geblieben, er hat, so muß es wenigstens auf den ersten Blick von Sartre 1947 aus erscheinen, gar nicht allen Sprengstoff entdeckt, der in ihr liegt. Die Umfrage war nicht mehr als ein gelungener Start für die Monatsschrift »Commune«, die in den sieben Jahren, bis sie 1939 nach dem Hitler-Stalin-Pakt verboten wurde, einen überaus großen Reichtum an Ideen in die literarische Diskussion der französischen Linken brachte, und durch die erweiterte antifaschistische Front mehr und mehr die anfängliche Enge hinter sich ließ. Gide wirkte eine Zeitlang mit, Montherlant wurde von Aragon umworben[38], bedeutende Autoren wie Malraux, Nizan und Guilloux hielten sich zur Partei und regten Aragon zur Theorie des Politischen Romans an; internationale Kongresse »zur Verteidigung der Kultur« wurden organisiert. 1935 hatte Aragon als Resultat des Moskauer Schriftstellerkongresses von 1934 mit Hilfe seiner Frau, Elsa Triolet, und gegen den Widerstand Malraux' den »sozialistischen Realismus« und die Schriftsteller als Seeleningenieure in Frankreich eingeführt, aber auch dies nicht gründlich, sondern mehr der Form nach, mit alsbaldiger französischer, nationaler Korrektur.

Den sicheren und zuverlässigen Grund, die soziale Legitimation des Schreibens, die Aragon nur einen Augenblick lang im ›Für wen‹ gesucht hatte, findet er tatsächlich mehr und mehr im ›Wovon‹ des Schreibens, in der Bindung an den Zeit- und Gesellschaftsstoff, welche »Realismus« und »wirkliche Welt« im Stichwort benennen. Für Sartre und das Engagement ist diese Umbildung des Problems später so nicht mehr gangbar[39] – Aragon macht sich, mit viel Verspätung freilich, seine Gedanken darüber, warum solche Objekt-Bindung der Kunst den Engagierten nicht mehr möglich ist, warum bei ihnen das Subjekt auf der Stelle tritt. Das ›Für wen‹ lebt weiter über seinen Urheber Aragon hinaus und wird auch die Beunruhigung späterer Schriftstellergenerationen bleiben. Dennoch aber ist auch der Weg, den Aragon als Schriftsteller *nach* dieser Frage ging, nicht nur persönliche Inkonsequenz, sondern immer noch paradigmatisch für den Weg, wie das Engagement über sich selber hinauskommen müßte. Wie problematisch für Aragon – nicht im Sinne einer Lösung, sondern in dem einer Erweiterung des gestellten Problems – in der Mitte seines Werkes, bei den letzten drei der fünf Romane der Wirklichen Welt, die Verbindung des ›Für wen‹ mit dem ›Wovon‹ blieb, läßt sich besser noch als in einer kontinuierlichen Entwicklung in einer Folge von Durchstichen zeigen.

Gelegentlich Nizans sagt Aragon 1938 dem Publikum, man solle sich nicht wundern, wenn gerade ein Romancier bürgerlicher Herkunft die häßlichen und grotesken Züge seiner Klasse festhält: gerade das erklärt seine Unerbittlichkeit, denn »Juvenal, meine Herren, war Römer«; das, was man der Satire unterzieht, muß man kennen in seiner Herkunft und als eigene Versuchung.[40] Die *Reisenden der Oberklasse*, der 600 Seiten starke erst 1942 veröffentlichte Roman, den Aragon schon 1937–1939 schrieb[41], gehört in eben diese Rubrik. Der gealterte Held Pierre Mercadier, der aus dem bürgerlichen Leben eines Gymnasialprofessors für Geschichte ausgebrochen war, kehrt nach zehn Jahren Weltreise und einem Leben in Spielkasinos im Jahre 1910 nach Paris zurück und gerät nach weiteren Abstiegsetappen einer greisen

Bordellinhaberin in die Hände, die ihn zu kleinbürgerlichem Eheglück zwingen will. Durch den Schlag gelähmt und des Sprechens unfähig ist er ihrer wildgewordenen, geistig umnachteten Fürsorge wehrlos ausgeliefert bis zu seinem symbolbeladenen Tod im August 1914: am Weltkrieg stirbt der bürgerliche Individualismus. Drei Silben sind es, die Mercadier, der sich sein Leben lang um das Zeitgeschehen nicht gekümmert hat, geheimnisvoll noch stammeln kann bei der Äußerung seiner elementarsten Lebensbedürfnisse: »Politik ...« Ansonsten bleibt die schein-naturalistische Deskription des häßlichen Realen gewahrt; nur der Titel des Romans gibt, zusammen mit des Helden unausgeführtem Projekt, ein Buch über den Ökonom John Law (1671–1729), den Erfinder der Papiergeldspekulation, zu schreiben, weiteren Aufschluß: »Les voyageurs de l'Impériale« sind die Fahrgäste des Oberdecks in den Pariser Pferdeomnibussen und zugleich die Bourgeoisie des Imperialismus, die auf den Boden des wirklichen Geschichtsprozesses nicht durchsieht.[42] Die Menschheit zerfällt in zwei Arten, von denen die einen – wie Mercadier – oben sitzen ohne zu verstehen, die anderen aber, wie Law, an der Maschinerie herummachen und den Omnibus von der Bahn abbringen.[43] Marx ist in Metapher gebracht, ohne genannt zu werden, die Scheidung von falschem, ideologischem Bewußtsein und dem Unterbau, dem gesellschaftlichen Sein der ökonomischen Wirklichkeit, welche den Oberen undurchdringbar bleibt.

Die *Reisenden der Oberklasse* stehen durch den Versuch, das Typische einer ganzen Epoche, nämlich der Jahre 1889–1914, einzufangen und marxistisch zu deuten, im Zentrum der Ambition der »Wirklichen Welt«. Mercadier ist Individuum und Klassensymbol; eine besonders grimmige Szene bedeutet dem Leser außerdem, in ihm die häßliche soziale Wirklichkeit zu erkennen, die sich von Rimbaud bis Valéry-Teste als den Helden des Schweigens mit mystifizierendem Kult umgab.[44] Letztlich aber soll Mercadier in seiner unwirklichen Traumwelt ein spätbürgerlicher Don Quichotte sein und damit Waffe der nachbürgerlichen Klasse gegen das zum Untergang Verurteilte. Diese Intention geht aus Aragons sympathisierend-weiterführender Analyse von *Le Sang noir*, »Das schwarze Blut«, (1935) eines Romans von L. Guilloux hervor, der damals auch bei Malraux und anderen Aufsehen erregte.[45] Der Konflikt, der Aragons Romane von nun an nicht mehr losläßt, ist auf den einfachsten Nenner gebracht der, welche Verbindung Traum-Innenwelt und Marxismus miteinander eingehen sollen. Wie später Aurélien lebt Mercadier in einer von ihm unverstandenen Welt, zu welcher die klassenkämpferisch durchschaute, in welcher der wirkliche Autor lebt, im Kontrast zu denken ist. Das verdunkelte Bewußtsein des Helden ist Projektions- und Transkriptionsleinwand, auf welcher das tödliche Übel der verurteilten Gesellschaft geahnt, aber nicht beschrieben wird. Es gibt im Roman keine direkten Zusammenstöße der Klassen mehr, Streiks und Polizeiaktionen, wie noch in den beiden voraufgehenden, in ihrem symbolischen Anspruch bescheideneren, den *Glocken von Basel* (1934) und den *Vierteln der Reichen* (1936). Jetzt bleibt in der Romanhandlung alles auf der Ebene der Distribution, die der Erzeugung kommt nicht vor. Die gewählte kunstvolle Art der Darstellung des ideologischen Bewußtseins erfordert notwendig den untätig-passiven Helden; ein Fabrikant als Klassenvertreter hat zuwenig Zeit zum Träumen. Nur so läßt sich ein moderner ›personaler‹ Roman mit den Mitteln des inneren Monologs und der erlebten Rede, welche Aragon virtuos gebraucht, schreiben. – Daß ein altmodisch-auktorialer Erzählerstandpunkt geeigneter wäre, um dem Publikum, und zumal den ungeübten nichtbürgerlichen Lesern, für die Aragon 1934 zu schreiben versprach, eine bestimmte Vision der Gesellschaftsgeschichte mitzuteilen, liegt auf der Hand. Das eigentlich Gewagte und Neue liegt also darin, daß Aragon, der französische Romancier, bemüht ist, eine westlich moderne Erzähltechnik von ihren Joyceschen, Faulknerschen und surrealistischen Inhalten abzulösen und sozialistisch-realistisch umzufunktionieren; gerade das aber hatte der offizielle, in Moskau definierte Realismus längst als undurchführbar verboten; entsprechende Experimente finden in den sozialistischen Ländern erst Jahrzehnte später statt.[46]

Die nationale Katastrophe von 1940 läßt Aragon bei gleichzeitigem Einsatz im Widerstandskampf nicht etwa verstummen, sondern macht ihn im Gegenteil äußerst produktiv. Aber die verschiedenen Momente in seiner Antwort – geheime Widerstandschroniken, nationale Lyrik und Liebesroman – bilden keine neue Synthese; verschiedene Schichten treten vielmehr auseinander in ihren Reinzustand und enthüllen auf diese Weise die gelebten Probleme des Realismus. Der Klassenkampf wird vom nationalen Kampf gänzlich aufgesogen, die Deutschen insgesamt, mit Ausnahme der Emigranten, sind ein »Volk von Verbrechern«.[47] Weltruhm erlangt Aragon durch seine nationale Lyrik, deren kunstvolle Hermetik, auch im Rückgriff auf das 12. Jahrhundert, die höfische Liebe als innere Abwehr des Faschismus, weniger mit Rimbaud und den modernen Folgen zu tun hat als vielmehr mit gezielter ›Konterbande‹, um das nationale Publikum zu erreichen und die feindliche Zensur zu täuschen.[48] »Arma virumque cano« ist jetzt, 1942, mit der Äneis das zeitgegebene ›Warum‹ des Schreibens[49], die Poesie ist Waffe.

Politischer Kampf und lyrische Klage sind aber nicht Aragons einzige Antwort auf die Zeit, seine Hingabe an die Forderungen des Krieges und Widerstands ist viel weniger naiv als die mancher seiner Zeitgenossen, auch die Camus' oder Sartres. In denselben Jahren, als er in kämpferischen Novellen den Haß predigt und alle Träumer zu Verrätern werden läßt, die man erschießen muß[50], schreibt er als sein Hauptwerk während der Besatzungszeit *Aurélien* (1944), den großen Roman der absoluten Liebe in einer Welt des gepflegten Müßiggangs und des Friedens. Eine Fülle von Reminiszenzen von Racines *Bérénice* bis hin zu Barrès und Colette sind eingearbeitet; der Titelheld ist ein verwandelter Frédéric Moreau aus Flauberts *Éducation sentimentale:* als Kriegsheimkehrer nach 1918 in Paris scheitert er an der absoluten Liebe und daran, mit seinem zivilen Leben das rechte anzufangen. Am Ende »reklassiert« er sich großbürgerlich durch Annahme eines Verwaltungspostens, wird aber eben dadurch, nach des Marxisten Aragon heimlichem Sinn, endgültig zum negativen Helden.[51] Ein Epilog soll diesen Sinn unterstreichen, und doch ist zu vermuten, daß noch weniger Leser als bei den *Reisenden der Oberklasse* auf diese intendierte Spur gefunden haben. 1943 schreibt Aragon in einem aus politischen Gründen pseudononymen Aufsatz über das Veralten von Romanen und über die psychologischen Mechanismen des Lesens: jede Generation hält sich an andere, vom Autor eingebaute »Schlüsselzeilen« und überliest anderes, oder nimmt es nur unbewußt auf. Der Romancier steht in einem Abenteuer, das über ihn und seine Lebenszeit immer hinausgeht:[52] Aragon zieht implizit die Konsequenz aus der Entwicklung seines eigenen Romanwerks und dementiert damit die in ihrer Einfachheit falsche Beantwortung der Publikumsfrage von 1934/35. Hätten sie nur »für die Arbeiterklasse« geschrieben sein sollen, dann wären *Aurélien* und die *Reisenden* durchaus als gescheitert zu betrachten; wären sie andererseits nur für die wenigen gebildet-raffinierten Leser, die verstehen, dann liefen sie seiner revolutionären Überzeugung zuwider – der Ausblick auf künftige Leser, auf eine Nachwelt war notwendig, um beide Romane zu ermöglichen.

Schon jetzt aber muß man Aragons eigene Deutung *Auréliens* kritisch hinterfragen. Am Ende ist die Bürgerlichkeit des Helden doch nur Neben- und die große Elegie die Hauptsache, ohne doch des Bezuges zur Geschichte, und zwar in ihrer akutesten Form, zu entbehren. »Es gibt keine glückliche Liebe«, schreibt der Lyriker Aragon zur gleichen Zeit, und eine andere Schlüsselzeile zu dem Roman lautet: »Ich war unter dem Eindruck der Niederlage«, der von 1940 nämlich.[53] Aurélien und seine Bérénice leben zwar in einem falschen Bewußtsein, aber es betrifft letztlich nicht ihr Gesellschafts-, sondern ihr Menschenbild. Sie halten die absolute, auch durch Revolution nicht realisierbare Liebe für realisierbar und müssen darum, genau wie bei Racine, zum Relativen und Unvollkommenen hin desillusioniert werden. Aragon geht mit seinen Helden soweit solidarisch, daß er den entrüsteten Kritikern – wie könne man nur so etwas während des Widerstandskampfes schreiben – ›cant‹, Heuchelei, vorwirft; darüber hinaus aber ist seine, des wirklichen Autors Erschütterung, die im Roman ihre künstlerische Form annimmt, anderer Art. Mit dem Unglück der Nation hat sich das Unglück der Liebe im Romancier nicht kausal verbunden, aber assoziiert; die eine Tragik hat die andere, private – nicht notwendig wirklichere, aber künstlerisch leichter darzustellende – wieder aufgeweckt.[54] Aragon hätte den *Aurélien*, so wie er ist, *vor* der französischen Niederlage wohl nicht schreiben können und hätte es sich im Namen des sozialistischen Realismus auch nicht erlaubt. Der umfunktionierende Bruch mit der ›bürgerlichen‹ Literatur läßt sich nur mit der Lupe herausfinden; die Kontinuität ist stabil. In der Ausnahmesituation, wo die Zeit aus den Angeln ist, muß es für den ›marxistischen‹ Roman genügen, wenn er antifaschistisch und mit lebendiger nationaler Tradition verbunden ist. Aufgabe der Nachkriegszeit wäre es dann gewesen, den Pessimismus *Auréliens*, seine Resignation am Absoluten, als die neue Gegebenheit in den weiterentwickelten Realismus hineinzuarbeiten.

Aber nach 1945 kommen ganz andere Aufgaben auf Aragon zu. Die Zeiten der weit geöffneten Volksfront sind vorbei, der Kältestrom des Marxismus bekommt die Oberhand, von der Kritik der bürgerlichen Ideologie geht Aragon über zum Angriff im Namen der sozialistischen Ideologie. Mit Kollaborateuren muß abgerechnet werden, »Verräter« wie Gide und der noch gefährlichere Malraux müssen entlarvt werden;[55] die nationale Einheit des Widerstands ist schnell zerbrochen. Einst Gelobtes hat sich zur Versuchung des ›politischen‹ Romans entwickelt; neue Gefahr droht vom Existentialismus von Saint Germain des Prés, den Aragon vornehmlich wegen seines Einflusses bei der Jugend beargwöhnt, aber vorerst nur flüchtig einordnet als ein Konglomerat aus pathologischem Kafka, obszönem Henry Miller und französischer »schwarzer« Romantik, das Ganze verbunden mit einem neuen Begriffsbazar.[56] — Auf der anderen Seite steht die sehr gelichtete gute fortzuführende Tradition des französischen Romans: Zola, Barrès und Romain Rolland.[57] Aragons eigener neuer politischer Roman, der fünfte im Zyklus der »Wirklichen Welt«, mit dem Titel *Die Kommunisten*, war selber als roman-fleuve zu 15 Bänden geplant, brach aber 1951 nach dem sechsten unvermittelt ab. Zweiter Weltkrieg, Liebe und Klassenkampf sind die Themen des ausgeführten Torsos, der die Schicksale der französischen KP vom Hitler-Stalin-Pakt im August 1939 über den Prozeß gegen die Partei im Frühjahr bis zum nationalen Zusammenbruch im Juni 1940 führt; geplant war die Fortsetzung bis 1945. Die Apologie des umstrittenen Pakts und der Verrat des französischen Bürgertums als Hauptursache für die Niederlage nehmen breiten Raum ein; gerade hieran hat Aragon in der späten Zweitfassung der *Kommunisten*, 1967, entscheidende Abstriche gemacht, wogegen die Reportage des Krieges aus der eigenen Erfahrung der späteren eigenen Kritik standhielt.[58] Der politische ist aber zugleich als Liebesroman gedacht: Jean de Moncey und Cécile Wisner, beide bürgerlicher Herkunft, finden, indem sie zueinanderfinden, auch zur klassenkämpferischen Ansicht der Geschichte. Mit skeptischeren Ansichten erscheint Marie-Noire, beider natürliches Kind, 26jährig, 1967 in *Blanche ou l'Oubli* . . .[59] Am Willkürlichen der Verbindung von Liebe und Politik läßt sich das wesentlich Ungelungene der *Kommunisten* verfolgen. Wo die politische These zu trocken wird, kommt die Liebesgeschichte hervor, um den Leser am Davonlaufen zu hindern; eine Verfahrensweise, die dem Autor des *Aurélien* besonders übel ansteht.

Noch manches andere konnten die Parteileser, für die Aragon nun bewußt als Publikum schreibt, an Neuem finden, was es in der bisherigen Wirklichen Welt so noch nicht gab: die konsequent klassenkämpferische Sicht der Spätbourgeoisie, konzentriert in Fred Wisner, dem großindustriellen negativen Helden, der in einer sportlichen Figur eine nuancenlos schwarze Seele hat. Nicht umsonst hat Aragon ihn 1965 in der *Mise à Mort* als Alfred, das schlechtere Ich des Schriftstellers selber, parodierend wieder aufgenommen.[60] Aber nicht nur Fred, sondern ebenso Jean de Moncey, die positiv gemeinte Gegengestalt, markiert die Diskontinuität zu den kompliziert-problematischen Gestalten Auréliens und Mercadiers, des Autors persönlichsten Schöpfungen. Jean wird durch die Erfahrungen des Krieges erwachsen, aber seine reich geschilderte Innenwelt, welche typisch für die einer ganzen Generation stehen soll, bleibt dennoch konturenlos und pubertär-unfertig. Jean hat gute Gefühle, aber wenig Gedanken, »Marxismus und Boxen« sind die beiden Dinge, die er lernen will;[61] sicher wirkt sich in seinen Anschauungen auch die Tatsache aus, daß es kaum die jungen Intellektuellen waren, welche gerade 1940, nach dem Hitler-Stalin-Pakt, den Weg in die Partei suchten.

Aragon hatte seine Gründe, plötzlich in der Personengestaltung anders zu verfahren als in den früheren Romanen. Im Jahre 1948, als er mit den *Kommunisten* begann, verfaßte er einen enthusiastischen Nachruf auf Andrej Shdanow, Stalins Kulturinquisitor, der 1934 schon den positiven Helden und die revolutionäre Romantik gefordert hatte und der nun, nach dem Kriege, im Namen der Parteilichkeit den Zweifel an der Überlegenheit alles Sowjetischen dem Westen gegenüber verbietet und den »Objektivismus« in Philosophie und Literatur bekämpft.[62] Aragon, der in der französischen KP einsam gewordene Romancier, unterwirft sich. Ganz plötzlich nach dem Höhepunkt seines nationalen Ruhms langt sein Vertrauen auf den eigenen nationalen Kunstverstand am Tiefpunkt an: auch Barrès' Parteilichkeit im Roman und R. Rollands Positivität interessieren ihn gerade nur insoweit, als sie sich in Shdanows Perspektive des Realismus einfügen lassen. Aragon schreibt Sowjetliteratur in französischer Sprache. Doch »die Stimmung der Einsamkeit und Ausweglosigkeit ist der Sowjetliteratur fremd«; Todesstimmung, Schwermut und Verlorenheit können nur geschichtlich verurteilten Klassen zugehören; die religiös-mystische Erotik des 12. Jahrhunderts »vergiftet« die fortschrittlichen Leser – praktisch alles, was Shdanow 1946 exemplarisch gegen die Lyrikerin

Achmatowa vorbrachte, trifft auch Aragon mitten ins Herz, in seine eigentliche Inspiration.[63] Seine ursprüngliche und tiefste Begegnung mit der politischen Geschichte der Kriegsjahre hatte *Aurélien* in der privaten Transposition ausgedrückt; jetzt, 1949–1951, da er den Gang der Dinge parteilich und realistisch zugleich nachzeichnen soll, ist er viel zu sehr damit beschäftigt, sich vom Pessimismus dieses seines »bürgerlichsten« Romans reinzuwaschen und loszuschreien, als daß er ihn wirklich aufarbeiten könnte. Man deutet das Scheitern der *Kommunisten* durch den Hinweis auf Sartres ebenfalls nicht vollendete *Wege der Freiheit:* zu Unrecht, insofern Sartre als freier Einzelner für das selbstgeschmiedete, zu schwer geratene Joch seiner literarischen Theorie geradestehen kann. Aragons monumentaler Romantorso hat weniger mit der mit Sartre gemeinsamen Bürgerlichkeit als vielmehr mit der von Sartre analysierten »mauvaise foi« einer ganzen Partei zu tun, in der auch andere, nichtbürgerliche Autoren damals schlecht schrieben.[64] Nach außen vertritt Aragon auf Jahre den Shdanowschen Überlegenheitskomplex, der jeden Dialog ausschließt, und ohne den das Projekt des roman-fleuve wohl gar nicht entstanden wäre: die Quantität ist Beweis der Qualität, aus der »akzeptierten«, nicht subjektiv »erfundenen« Ideologie resultiert notwendig die epische Großform, wie Aragon 1947 dem ideologielosen Erzähler Vercors, der über die Novelle nicht hinauskommt, erklärt.[65] Die »auf Flaschen gezogene Philosophie«, wie er die Romane der Existentialisten geistvoll nennt, beantwortet Aragon mit Unphilosophie in Schläuchen . . .

Über ein Jahrzehnt hatte Aragon das ›Wovon‹- und das ›Für wen‹-Schreiben sich in produktiver Freiheit neben- und auseinanderentwikkeln lassen bis hin zu dem Eingeständnis 1943, daß auch seine, des kommunistischen Autors, Romane auf das Abenteuer einer Nachwelt angelegt und nicht ohne diese zu deuten seien. Jetzt, im Kalten Krieg, sind beide Fragen wieder aneinandergekettet. Aragon sieht seinem zur Partei organisierten Klassenpublikum, das über seine geschichtliche Rechtfertigung oder Verdammung entscheidet, ins Auge, hier und jetzt. Er diskutiert mit den Arbeitern, den »Massenlesern«, über ihre Wünsche an den Roman, ohne ihnen in allem stattzugeben.[66] 1956 beginnt er in der lyrischen Klage über den doppeldeutig »unvollendeten Roman« auch die Kritik an den Forderungen des Partei-Apparats an die Schriftsteller. 1967, im Rückblick auf das »Ende der Wirklichen Welt« in den unvollendeten *Kommunisten,* geht beides wieder ungetrennt zusammen, Parteivolk und ideologische Spitze, welche beide der Roman »anging«, und die nur ihn allein und sonst nichts von Aragons Werk guthießen.[67] Die Verkettung ist mehrfach: das ›Für wen‹ ist zugleich das ›Wovon‹ geworden, eben die Partei, die Kommunisten; und dieses genau umrissene, homogene Publikum erwartet von der realistisch porträtierenden Kunst die Bestätigung, daß es, als der kollektive Held des Romans, die Reisenden der Unterklasse, zugleich der Held, das treibende Subjekt der Weltgeschichte sei. Die Oberklasse tritt im Roman nur noch auf, um verurteilt zu werden – in Abwesenheit, denn sie liest ihn ja nicht. Es gibt kein spannungsreiches Publikum der ›Linken‹, der Volksfront über die Partei hinaus mehr wie bis 1939. – Aragons Situation im Kalten Krieg ist die genaue Alternative zu derjenigen Sartres, wie er sie 1947 in seinem Literatur-Essay beschreibt. Die fruchtbare Vieldeutigkeit der Vorkriegsjahre ist nicht mehr, das Dilemma der Literatur in ihrem Verhältnis zum revolutionären Arbeiterpublikum klärt sich zur Härte des Bildes, wie Aragon seine Heldinnen oft die bürgerliche Ehe erfahren läßt: entweder geborgen, doch inwendig vergewaltigt, oder einsam aber frei. Sartre weiß, daß seine engagierte Literatur eigentlich für die Arbeiter da ist, die aber nicht ihn, sondern Aragon lesen. Alle beide verbieten sich den Ausweg in die metaphysisch-religiöse Funktionsbestimmung des Schriftstellers, wie sie Camus in der gleichen Konstellation als nachchristlicher Seelenarzt der Verlorenen ihnen als Lesern, insoweit sie gebildet genug sind, das allegorische Gefüge der *Pest* zu durchschauen, vorschlägt. – Altjüngferlich klingen manche Passagen in Sartres Polemik gegen den Partei-Apparat, den er in kafkaesken Farben als den eigentlichen Feind des Schriftstellers malt. Aragon, der tiefer durch die Krise des Individualismus hindurchgegangen ist, weiß es anders. Nicht der Betrug, die »mauvaise foi« der Individuen, etwa Shdanows, macht die Ideologie, sondern die Ideologie, das schiefe Verhältnis zur jeweiligen Geschichte, macht den Zustand der Partei.

Aragons Situation ist auch jetzt, wie in der Résistance, komplexer als die der nicht parteigebundenen linken Autoren. Schreiben für die Arbeiterklasse und Publikumsbewußtheit erschienen ihm 1933/34 als höchstes und reines Ziel der Literatur; jetzt hat er beides und macht damit widersprüchliche Entdeckungen, die damals für ihn noch nicht mit zum Problem gehörten und auch bei Sartre 1947 noch fehlen. Aragon sieht seine realen Leser aus Fleisch und Blut, er spricht mit ihnen – aber eben die Weise, *wie* sie ihn lesen und was sie in seinen Büchern suchen und wie sie ihn loben, läßt ihn verstummen.

> ... Durch eine ziemlich bittere Fügung waren es gerade die Lobreden, die mich anhielten ... Männer und Frauen kamen so nacheinander — die meisten waren Leute mit Herz, aufrichtig und mit einfacher Sprache —, um ihre Bestätigung zur Wahrheit der beschriebenen Ereignisse zu geben und mir zu danken dafür, daß ich das geschrieben habe. Gerade weil ich für diese Leute, fast alle, das tiefe Mitgefühl hatte, das aus gemeinsamen Gefahren der schlimmen Jahre stammte, aus der Solidarität des noch nahen Kampfes, gerade weil es von ihnen kam, der Irrtum, meiner, ihrer, traf es mich wie ein Dolch. Ich glaube, daß ich nie in meinem Leben so traurig war wie an jenem Abend, der wie ein Triumph ausgesehen hatte.[68]

Erst die Parteileser zwingen dem Autor die Erkenntnis auf, daß er, ohne es recht zu wissen und zu wollen, mit den *Kommunisten* etwas wesentlich anderes als seine früheren Romane, als *Aurélien* geschrieben hatte. Sie ließen sich in ihren politischen und ideologischen Ansichten bestätigen, sonst nichts; aber eine Ideologie wird für Aragon schon dadurch zum falschen Bewußtsein, daß sie mit der Freiheit der Literatur, mit *Aurélien* – in dem noch Sartre seine künstlerische und universale Forderung erfüllt sah[69] – nichts anzufangen weiß, sondern ihn verdächtigt. Das klassenkämpferische ›Für wen‹ entpuppt sich als zeitgemäßer Umweg zum größeren ›Warum‹, zum »Wozu Dichter in dürftiger Zeit«: das Proletariat als solches ist keine Orientierung für die Kunst, es muß selber orientiert werden. Aragon versucht dies durch Poesie und Roman als Korrektiv – nicht mehr nur als Spiegelbild – der veränderten Welt, so wie es Malraux später, nach dem Kommunismus, durch nationale Kulturpolitik als Abwehr gegen die niederen »Mächte der Nacht« versucht. Aus Aragons Satz von 1935, die Schriftsteller müßten, wie die Philosophen, statt die Welt zu interpretieren, sie klassenkämpferisch verändern, wird so am Ende, 1967: »Bis jetzt haben die Romanciers sich begnügt, die Welt zu parodieren. Jetzt geht es darum, sie zu erfinden.«[70] Das Wunschziel selber ist korrekturbedürftig. – Nicht alles entfremdete, ideologisierte Bewußtsein ist mehr bürgerlich. In den *Kommunisten* hatte Aragon die angefangene Analyse des ideologisierten Bewußtseins nicht weitergeführt, sondern sich auf klassenkämpferischen Antiobjektivismus verlegt; er wäre sonst zu sehr aus seinem eigenen Zustand des bösen Traums, der neuen dumpfen Ahnung erinnert worden. Erst die Begegnung mit den realen Lesern, an deren Ideologie er mit gewebt hat, bringt ihn durch Abstoßung doch wieder zurück in die anti-ideologische, kritische Funktion der Literatur. Die unfehlbaren Antworten, welche die Partei um 1957 von der Fortsetzung des Zyklus erwartete, weigert er sich zu geben

> ... weil ich ein anderes Drama herumtrug ... von dem ich nichts verstand, aber das ich fühlte im Dunkeln und in der Stille, eine Frage, auf die ich keine Antwort wußte, und die ich nicht einmal in Worte bringen konnte.[71]

Diese Frage zu formulieren: wie eindeutig an den geschichtlichen Fronten Gut und Böse auszumachen sei, und ob es wirklich so viele »Verräter« geben könne, war sieben Jahre darauf die Sache der *Karwoche* und der folgenden Bücher. In den Jahren des Übergangs, 1952 bis 1956, geht Aragons schriftstellerische und theoretische Aktivität in einer Fülle von Einzel- und Randgebieten weiter. Die eigentliche, umfassende Antwort Aragons auf die Erfahrung, daß auf der eingefahrenen Bahn der *Kommunisten* keine Zukunft für den Realismus als Kunst sei, war die neuerliche intensive Beschäftigung, das Sich-Anklammern an die französische Tradition des Realismus im 19. Jahrhundert als Besinnung über die Hemmnisse, welche die Parteilichkeit im politischen Roman nicht ungestraft überspringen kann. Die Bücher über Hugo und Courbet 1952, über Stendhal und die Politik im Roman 1954[72] – als Stendhal in der Sowjetunion gerade attackiert wurde, weil es über ihn, im Unterschied zu Balzac, keine autorisierenden Marx/Engels-Zitate gibt – stellen nun bewußt und auf historisch geweiteter Basis das Problem, das Aragon vor dem Krieg zwar praktisch gelöst, aber in der Theorie nur erst angedeutet hatte: »Sozialistischer Realismus und französischer Realismus«[73] als die allgemeine Polarität, in welcher, durch alle tagespolitischen Wirren hindurch, der französische kommunistische Schriftsteller im 20. Jahrhundert seinen schwierigen Stand gewinnen muß.

3. Realismus und politischer Roman

Mit der *Karwoche* (1958), dem Roman aus der beginnenden Restauration im Jahre 1815, bricht Aragon mit der »Wirklichen Welt«, aber nicht mit dem Realismus. Die Kenntnis des tiefen Einschnitts zwischen dem Spätwerk und den Romanen des Zyklus, der ihm voraufging, ist Voraussetzung, um sinnvoll und konkret nach dem Verbindenden zu fragen: was meint Aragon mit ›Realismus‹ im Zusammenhang der französischen Literaturtheorien, und was im außerfranzösischen, wesentlich durch ideologische und kulturpolitische Faktoren mitbestimmten Kontext? – Im engeren französischen Zusammenhang ist zunächst dem Verdacht zu begegnen, als ob es Aragon mit dem Realismus nicht ernst sei, als ob ihn mehr die Lust am Skandalösen, die Provokation triebe. Sind sich doch die engagierten Schriftsteller seines Landes einig, daß Realismus eine überwundene Irrlehre des vergangenen Jahrhunderts sei – das Gegenteil und Ende aller Kunst, lehrt Malraux, etwas leiser auch Camus; Kunst zwar, aber das Gegenteil und der Feind des Engagements der Literatur, lehrt Sartre, um seine Position Flaubert gegenüber zu definieren. Darüber, daß sich auch nur einer von ihnen durch Aragons Wortgebrauch hätte irritieren lassen, ist nichts bekannt. Erst die spätere Generation findet mit A. Robbe-Grillet seit 1955 wieder in »réalisme« das passende Wort, ihre erzählerischen Experimente mit einer ehrwürdigen Tradition zu verbinden, wofür ihm und M. Butor, Cl. Simon, Ph. Sollers und J. Coudol, die über die Sartre-Generation hinausstreben, von Aragon ein freundliches Echo zuteil wird.[74] Nichtsdestoweniger schwimmt Aragon jahrzehntelang gegen den Strom und redet vor tauben Ohren; betäubt sind sie immer noch von der reinen oder auch symbolistischen Theorie der Kunst, welche sich vor der Jahrhundertwende gegen den Naturalismus als ihren Hauptfeind konstituiert hat.

Aragon neigt dazu, diesen seinen Ausbruch aus den französischen Gepflogenheiten seiner Zeit heroisch zu verstehen; Realismus als Ehre seines Lebens ist eine »tragische Frage des Vokabulars«[75], was einen freilich nicht hindern kann, auch das zu sehen, was derselbe Aragon dazu beigetragen hat, daraus eine Komödie, gar eine Farce zu machen. Fürs erste ist er nicht allein in die andere Richtung geschwommen, sondern gestützt auf das Sendungsbewußtsein einer politischen Partei: das ist neu in Frankreich und entbehrt direkter Parallelen; weder Zola noch die Symbolisten noch Sartre haben Politik und Literatur so offiziell-organisatorisch miteinander verbunden, und gegen Aragon hatte Malraux 1935 an der Tradition einer komplizierteren Vermittlung von Kunst und Kommunismus in Frankreich festgehalten. Sodann hat Aragon durch die *Kommunisten* und seine Weise, den Realismus im Kalten Krieg zu verteidigen, ihn den französischen Schriftstellern weithin undiskutabel gemacht, der politische Roman war mehr Politik als Roman. Der quantitativen Ambition des Zyklenromans entsprach, daß Aragon in jener Zeit auch in der Theorie sehr viel und zentrifugal schrieb; die gleiche ›Verdünnung‹ des Realismus war trotz mancher wohlbegründeter Interpretationen, wie der Hugos und Stendhals, die Folge. Drittens schließlich ist Aragons Neigung zum abstrakten, deduktiven Denken in der literarischen Theorie gering, er nimmt die »Frage des Vokabulars« selber oft nicht ernst, indem er »realistisch« schlechterdings alles nennt, woran er, aus welchen persönlichen Motiven auch immer, Gefallen findet. »Der Realismus bin ich«, die unausgesprochene Devise, die er 1962 in Prag den linken Piraten ankreidete[76], paßt häufig für ihn selber, wobei er freilich mehr annektierenden als verdammenden Gebrauch von ihr macht.

Ein anderes persönliches und biographisches Problem führt dagegen in den objektiven Ernst der Sache hinein. Als der kommunistische Schriftsteller Aragon 1935 offiziell »für einen sozialistischen Realismus« plädierte und sich durch die alsbaldigen tiefsinnigen Einwendungen Malraux' – der sich dem Realen *vor* Aragon im Roman angenähert hatte, aber dialektischer, mehr am Subjekt festhaltend – durchaus nicht irritieren ließ, da war er, Aragon, in Gedanken noch bei seiner eigenen Schriftstellervergangenheit und meinte die Abwendung vom Surrealen. Realismus war für ihn vor allem anderen Anti-Surrealismus. Von diesem Angelpunkt aus hatte er die Beschlüsse der sowjetischen Schriftsteller 1934 gedeutet. Die wirkliche, das heißt dem Subjekt vorgegebene Außenwelt als das Feld und der Realismus als Darstellungsweise sind in Aragons Sprache seitdem die Schlüsselwörter, wo es um Literatur im ganzen, um ihre Rechtfertigung geht. Das ›Für wen‹ und das ›Warum‹ sind dem ›Wovon‹ des Schreibens eingeordnet, die Seinsfrage: was ist Literatur, stellt sich nicht mehr. Nicht der Unterschied zwischen Literatur und Wirklichkeit beschäftigt ihn, sondern deren Zusammenhang. Der Wert eines Werkes bemißt sich nach seinem Wirklichkeitsgehalt; Aragon redet jahrzehntelang nicht ontologisch von der Literatur, von sporadischen Hinweisen auf Lenins Theorie des

Abbilds und der Widerspiegelung abgesehen. Erst in der Spätzeit gerät mit einer eigenen Lehre von den Spiegeln, »der Kunst zu lügen« und dem Eigenrecht der Sprache, schließlich der Relation von Poesie und Mystik, diese Seite des Literaturbegriffs wieder in Bewegung. Doch auch dabei ist die Frage nach dem Menschen dringender als die nach den Kunstdingen; die objektiv gewordenen Träume interessieren, weil sie aus dem gleichen Stoff gemacht sind wie der lebende Mensch.

Bis dahin aber bleibt die Außenwelt der Kompaß, die Orientierung durch alle Verwirrungen der literarischen Praxis und der umgebenden französischen Theorien hindurch; und gerade für die Theorien hat sich Aragons Realismus zur Erhellung von Zusammenhängen und Widersprüchen wohl bewährt. Er hält die Perspektive offen, welche die subjektiven Lehren von der »adhésion« oder Teilnahme (Malraux) und dem Engagement (Sartre) sich verbauen, er weist an ihnen die Achillesferse auf. Der subjektiv engagierte Schriftsteller ist noch kein »Zeuge der Geschichte«; indem er sich zu sehr mit seinem Werturteil dem Wirklichen gegenüber beschäftigt, verliert dieses Wirkliche an Welthaftigkeit und Tiefe. Der dramatische Appell an des Lesers freie Entscheidung vernachlässigt dessen Begier, Zusammenhänge zu verstehen, die zu vermitteln immer noch die Aufgabe der Epik ist. Den »Zeugen« fasziniert die Bewegung der geschichtlich-gesellschaftlichen Außenwelt, auch der Natur; er sucht nach treibenden Geschichtsmächten, auch außerökonomischen. Diesem Begriff des künstlerischen Zeugen geben die Bücher über Hugo, Courbet, Stendhal Konturen, bis er dann in der *Karwoche* in der Gestalt des Malers Géricault selbst auf die Szene des Romans tritt. Unmittelbar danach bringt 1959 eine Gegenüberstellung des nicht revolutionären Tomasi di Lampedusa im *Leopard*, der den »unnachahmlichen Akzent des Zeugen der Geschichte« hat, mit dem von viel guter revolutionärer Absicht erfüllten, aber wirklichkeitsarmen Stück Sartres *Die Eingeschlossenen von Altona* die Krönung dieses Gedankenganges.[77]

Die Krönung ist aber zugleich auch der Abschluß: das an der *Karwoche* vielbewunderte Gleichgewicht von geschichtlichem Objekt und Erzählersubjektivität, um dessentwillen Aragon noch als exemplarischer Anti-Sartre ins Feld geführt werden konnte, war labil; von der späteren Entwicklung Aragons aus gesehen war es überhaupt kein Gleichgewicht, weil die Forderungen des Individuums, speziell des realistischen Künstlers, an die Gesellschaft immer noch eher verschwiegen als eingelöst worden waren. »Die anderen« sind zwar auch in der *Mise à Mort* nicht wie einst bei Sartre die Hölle, wohl aber, verkörpert in Anthoine Célèbres drittem Person-Fragment Fustel-Schmidt, das Gleichgültige, nicht mehr die Erlösung des Einzelnen. Der Abstand zu Sartre, der seinerseits Aragon gern mit dem Nobelpreis gekrönt sähe, hat sich seit 1959 erheblich verringert. Er ist immer noch da, aber er hängt nicht mehr am »Zeugen«, der aufs ganze betrachtet doch mehr nur eine Auswirkung war, ein Symptom jenes Objektiven, das Aragon über das Engagement hinaus festhält. In seinen jüngsten Nachbemerkungen zum abgebrochenen Zyklus der »Wirklichen Welt« ist es wieder der Begriff der Politik und des Politischen, bei dem Aragon verweilt.[78] Das Adjektiv ›politisch‹ gebraucht er weit häufiger und auch persönlicher als das zum Realismus gehörige ›sozialistisch‹; — man könnte sogar vermuten, daß es eine bestimmte traditionelle Auffassung des Politischen ist, die Aragon das souveräne Spiel der historischen Analogien so leicht und das Eindringen in die spezielle ›ökonomische‹ Seite des Marxismus so schwer macht. — Die Politik, schreibt Aragon 1967, ist der abgekürzte Name des Verhältnisses des Menschen zu den anderen allgemein; sie ist, wo sie im Roman erscheint, in keiner Weise das Gegenteil von Psychologie. Ihre »öffentliche Ausübung« interessiert weniger als die »unvorhergesehenen Resonanzen«, welche sie im Individuum findet. Sie sind seit Stendhal der Stoff des politischen Romans, durch welchen er die Bildung des Bewußtseins ›des‹ Menschen, und nicht nur je eines Menschen, zum Objekt hat.

Das gleiche hatte Aragon vor dem Krieg, 1937/38, in ähnlichen Worten auch schon gesagt.[79] Die Politik ist neues Feld für den Roman, nicht als Ziel, sondern als Stoff, matière; die Zeit ist vorbei, in der man den Leser, der das geschichtliche Bewußtsein schon hat, bei dem es nicht erst geweckt werden muß, mit ›Opernhelden‹ in Bann halten konnte. Der Romancier ist zugleich der Historiker, er »bändigt das Ungeheuer unter seinen Erkenntniswillen«. Der Roman kann verstanden werden als

> Mittel der Erforschung der Gesellschaft oder als Erforschung des Menschen in den geschichtlichen Bedingtheiten seiner Epoche, was fühlbar aufs gleiche herauskommt;

Malraux' *Hoffnung* nennt Aragon »die Tragödie des modernen Menschen, das Ecce homo der Periode der Kriege und Revolutionen«. Außer Malraux waren es wesentlich P. Nizan und L. Guilloux, die Aragon damals veranlaßten, eine Blütezeit des politischen Romans auszurufen. Notwendig mußte dann nach dem Kriege aller drei Entwicklung für Aragon die Synthese von Politik und Erkenntnis des Menschen im Roman zutiefst verdächtig machen: ›der‹ Mensch war politisch kompromittiert, zur ›metaphysischen Dirne‹ geworden, der Mensch, der weder Bauer noch Bankier noch Soldat ist und keiner Partei angehört, eine

> marmorne Statue, die den Unbilden des Wetters durch ihre Nacktheit widersteht, die für das Ewige gemacht ist und sich dem gemeinen, vergänglichen Stoff des Menschen entgegensetzt ... der Mensch des Jargon ist die Negation der Massen —

so parodierte Aragon 1947, Perfides mit Treffendem hämisch vermischend, Malraux' tragisch gewordenen Humanismus.[80] Jeansons und

Sartres Attacke 1952 gegen Camus ging in die gleiche Kerbe, brachte freilich nicht so eindringlich wie Aragon dann in den *Kommunisten* das zweifelhafte literarische Resultat der Abschaffung ›des‹ Menschen durch den politischen Romancier zutage. – Diese Metamorphose ist es, die Aragons Hochstimmung der Vorkriegsjahre ihren bitteren Klang gibt, als er an *Le Sang noir, La Conspiration* und der *Hoffnung* bewunderte, was er sich selber zu realisieren im Begriff sah,

jene Synthese aus der Heiterkeit der Kunst und dem eindringenden Verstehen der Epoche, die vom Künstler fordert, daß er sie nicht vom sichern Ufer aus betrachtet, sondern sich ihrer wilden Flut anvertraut. Gewiß noch nirgends in der Welt sah man, wie diese eigenartige Quadratur des Kreises im Roman in der Ungezwungenheit der individuellen Entwicklung der französischen Schriftsteller ihre harmonische Lösung findet.[81]

Auch die *Reisenden der Oberklasse,* an denen Aragon in jenen Jahren schrieb, haben teil an der »harmonischen« Lösung. Noch *Aurélien,* der vergleichsweise unpolitische Roman, gehört dazu, indem er das Ungeheuere des Ereignisses, der nationalen Katastrophe ›bändigt‹ in der Transposition und in dem Willen, den Menschen zu erkennen. Man sieht, wo der Realismus hätte weitergehen können.

Bald darauf, seit 1945, war es aus mit der »Ungezwungenheit individueller Entwicklung«. Nizan, Malraux und Guilloux verraten den Kommunismus, weil die stalinistische Politik ›den Menschen‹ verraten hat. Aragon wird, weil er dabei bleibt, jetzt erst unter das Joch der sowjetischen Theorie gezwungen, die er 1935 in Frankreich eingeführt hatte, ohne sie damals ganz ernst zu nehmen, oder in ihren Tücken zu durchschauen. Jetzt muß er Entscheidendes von dem verleugnen, was ihm die freie französische Synthese von Politik und Mensch, Veränderung und Erkennen, Kampf und Zeugentum im Roman erschlossen hatte, und was, wie gezeigt, auch 1967 und schon seit der *Karwoche* wieder sein künstlerisches Bekenntnis ist. Das Rätsel, das die *Kommunisten* in der Folge seines früheren und späteren französisch-realistischen Romanwerks aufgeben, löst sich trotz allem, was Aragon seither an Enthüllungen dazu beibringt, am besten durch Andrej Shdanows Konzeption von der Literatur: positiver Held, revolutionäre Romantik, kein Pessimismus. Zwischen 1945 und 1956 fand die Quadratur des Kreises im französischen politischen Roman, wenn überhaupt, nicht in der KP statt.

Ein Ausblick auf die Kritik, welche sich die eigensinnige französische und ideologiekritische Realismus-Synthese der »pessimistischen« Romane Aragons in der Sowjetunion und im anderen Deutschland gefallen lassen mußte, wäre von kulturpolitischem Interesse. Relevanter für die Situierung Aragons und für die Geschicke des Realismus ist aber der tiefsinnige Disput einiger deutscher oder deutsch orientierter Marxisten, mit welchen die offizielle sozialistische Kulturpolitik bis auf den heutigen Tag in gespanntem Verhältnis steht: Georg Lukács, Bertolt Brecht und Hans Mayer, welcher den mittleren Aragon – einschließlich der *Karwoche* – als eine bedeutsame Figur in die Diskussion einführte.[82] Lukács' Verhältnis zu Aragon ist geradezu auffallend negativ; er erscheint bei ihm nur in unbedeutenden Fußnoten. Dabei ist beiden – gegen Brecht und Mayer – die Firmierung ›sozialistischer Realismus‹ gemeinsam, und der Wille, ihr einen tieferen Sinn zu geben als sie ihn in der Sowjetliteratur bis 1956 hat, für die sie sich beide lebhaft interessieren und mit der sie doch beide unzufrieden sind.[83] Beide blicken auf das französische 19. Jahrhundert zurück, um an ihm die Gegenwart zu orientieren; über alles Spätere von Flaubert bis Zola, wo Lukács nur noch Verfall sieht, scheidet sich dann freilich das Urteil. Lukács' Idee, daß der Roman gesellschaftliche Totalität, nicht nur Splitter der Wirklichkeit widerzuspiegeln habe, kam Aragon im enzyklopädischen Projekt der *Kommunisten* am nächsten, das er dann bei beginnendem Tauwetter aufgegeben hat. Aragon seinerseits, der nicht im Hauptberuf Theoretiker ist, hat über Lukács und seine französische Schule – Goldmann und Lefèbvre – nie ein Wort verloren. Was ›sozialistischer Realismus‹ in einer anderen eigensinnigen Version universalen Anspruchs bedeutet, die weder modern, noch französisch, noch von Moskau bestätigt ist, läßt ihn kühl – man stört sich gegenseitig nicht.

Innerhalb der gemeinsamen kommunistischen Basis haben Brecht, der Leninpreisträger von 1955, und Aragon, der denselben Preis 1957 bekam, ohne sich persönlich je nähergekommen zu sein, als Theoretiker der Literatur eine bestimmte moderne Front gemeinsam. Brecht nennt sie die »antiaristotelische«, beiden gehört eben darum Lukács' Mißtrauen und Hans Mayers Sympathie.[84] Brecht wird oft mit Franzosen verglichen, mit Sartre zuweilen, neuerdings ausgiebig mit Camus – eine Gegenüberstellung mit Aragon, dem fast Gleichaltrigen, der wie Brecht schon im Ersten Weltkrieg seine Begegnung hatte mit der Geschichte, und wie er nach Umwegen um 1930 zum Kommunismus kam, ist weniger kühn, aber um so aufschlußreicher für die Eigenart beider Autoren, für ihr Verhältnis zur Tradition im Literaturbegriff. Aragon und Brecht berühren sich in der Lyrik, hier wie dort gibt es antiidealistische Liebesdichte, und bei beiden den Kontrast vom blühenden Apfelbaum und dem Anstreicher. Brecht entschloß sich, über den Apfelbaum zu schweigen, Aragon verteidigt ihn dagegen auch noch »im Rachen des Wolfs«, vor dem nahe geglaubten Atomkrieg.[85] Für ihn bleibt in der Breite seiner schriftstellerischen Möglichkeiten die Lyrik mit einigen Ausnahmen, darunter als wichtigste die nationale Widerstandsdichtung, meistens doch das, was sie für Brecht nur in der Frühzeit neben dem Theater war, Raum für das Privatere, Nichtöffentliche und Außergesellschaftliche. In Krisenzeiten zieht er sich aus der Prosa in die Poesie zurück, so besonders im *Roman inachevé*, dem großen Poem über die politische und ideologische Krise des Jahres 1956. Aragon ist Lyriker auch in seinen Romanen, für das ›Poetische‹ im Roman steht er nicht an, sich als Patron und Bundesgenosse dem Nouveau Roman zu empfehlen.[86] Darüber sollte aber nicht vergessen werden, daß der selbe Aragon in seiner Poesie Romancier bleibt. Die Lyrik bekommt eine veränderte subjektive Funktion dadurch, daß sie nicht eines Autors einziges Ausdrucksmittel ist; naheliegendster Vergleich zu Aragon ist hierfür die Entwicklung P. Éluards. – Der *Fou d'Elsa* hat in seiner komplizierten Form seine Vorbilder bei Claudel, mehr noch bei Hugos *Légende des Siècles;* außerdem vertritt er aber bei Aragon auch den esoterischen Roman, d. h. einen solchen, den er seines Themas und der Problemstellung wegen seinem Publikum nicht ohne weiteres als ›realistisch‹ vorlegen kann. – Zwar schrieb auch Brecht zu der Zeit, als Aragon die Umfrage »Für wen schreiben Sie?« stellte, 1934 über die vom Publikum aus gegebenen »Schwierigkeiten beim Schreiben der Wahrheit«, aber er trat doch kaum jemals, auch in den späten Jahren in der DDR nicht, in die verwickelteren Stadien des Problems ein, die sich für Aragon daraus ergeben, daß seine ›Wahrheit‹ schrittweise den Schutz des überpersönlichen Systems, von dem aus Brecht argumentiert, verliert, daß aber dennoch sein Publikum gemischt bleibt aus Parteilesern und Bürgerlichen, Russen und Franzosen.

Aragons Bemerkungen über Brechts Stücke, die in Paris aufgeführt wurden, sind rar. Eine jüngere von 1963 besagt scheinbar harmlos, daß es sich mit dem Aufstieg *Arturo Uis,* d. h. Hitlers, nicht ganz so verhalten habe wie in Brechts Stück;[87] die Kritik geht also in dieselbe Kerbe wie 1959 die an Sartres *Eingeschlossenen von Altona;* dieser Deutung des Faschismus und seiner jüngsten Nachwirkungen fehle der »Akzent des Zeugen«. Die Bemerkung ist beiläufig, aber nicht zufällig; sie läßt erschließen, in welchem Sinn Aragon Brechts dialektisch auf Lehrhaftigkeit bedachtes System als nicht generalisierbar abgelehnt hätte. Aragons Stendhal-Verständnis – der Schein-Naturalismus, der zunächst nur Zweifel im Leser an dem für selbstverständlich gehaltenen erzeugen soll – paßt zur »Verfremdung«, nicht aber seine Hugo-Deutung oder gar die Flaubert-Adaption im *Aurélien* und in *Blanche.* Brecht umgeht, mit Ausnahmen, den Roman, Aragon umgeht das Theater: das, was er zu sagen hat, läßt sich besser dem einzelnen Leser zu Hause als dem Theaterpublikum sagen. Wo Aragon lehrt, da ist der Lehrstoff nicht letztlich Gesellschaftsanalyse, sondern eher, seit den surrealistischen Entwürfen bis hin zu den späten Romanen, Erziehung des Gefühls, Éducation sentimentale. – Aragon versteht sich auf die Satire, vom böswillig-entlarvenden Pastiche in seinen literarischen Kritiken über die opportune Opportunistenkarikatur in *Herrn Duvals Neffe,* bis hinauf zu den tragikomischen, grotesken Gestalten des realistischen Schriftstellers Célèbre, der in Ansätzen vom späten Gorki herkommt, und Mercadiers, für den er sich auf Cervantes' und Juvenals

Tradition beruft. Immer gilt die Satire dem, was Aragon leidenschaftlich verachtet, haßt und fürchtet – nicht dem, was er, wie Brecht, in begrifflicher Kühle glaubt analysiert zu haben. Ironie und Kritik sind bei Aragon nur der Anfang des Pathos, der Elegie. Seine Helden sind negativ, aber doch Helden und nicht anonyme Agenten historischer Mächte, insofern sie – darin gut aristotelisch – schuldig werden als Individuen vor dem Richtstuhl des Moralisten, dem sich als letzter auch der »realistische Schriftsteller« stellt, um seine irreale, mythische Positivität abzuwerfen. Keine neuen Verhältnisse überwinden das tragische, vom »Drang zum Absoluten«, dem »goût de l'absolu« besessene Individuum; Aragons letzte Triebfeder widerstreitet der Dialektik, welcher Brecht seine Dramenfiguren und sich selber unterwirft, und triumphiert auch meistens über sie. Zu den wenigen Dingen, die Brecht naiv haßt, gehört das Romantische, oder gar Neuromantische, daher sein unermüdlicher Kampf gegen »Einfühlung«. Aragon würde kaum umhinkönnen, gegen ihn das Romantische zu verteidigen: Verfremdung, Aufklärung und Kritik sind ihm Mittel der Kunst, aber noch nicht diese selber; Literatur, die sich asketisch darin verzehrt, das Publikum vor ihrem kulinarisch-quietistischen Mißbrauch zu warnen, ist nicht seine Sache. Es war auch nicht mehr die Brechts in den späten Jahren; aber Aragon hat im Unterschied zu ihm praktisch in keiner Periode des Realismus auf kulinarischen Kunstgenuß je verzichtet.

Brecht, der die offizielle Theorie des sozialistischen Realismus zeitlebens souverän von sich wies, ahnte in seinen späten Jahren, daß auch dort, wo seine Stücke in großer Zahl auf westlichen Bühnen gespielt wurden, sie in keiner Weise etwa die Arbeiter dieser Länder erreichten, weder direkt noch indirekt. Aragon hat in seiner westlich-kapitalistischen Heimat sein Publikum innerhalb und außerhalb der Partei, unter den Arbeitern ganz gewiß nur innerhalb. Auf seine politischen Gegner als Leser zu verzichten – wie Brecht –, ist er nicht bereit, auch dies bestimmte ihn mit zum Abbruch der *Kommunisten* und zur Suche nach neuen, besser in der französischen Tradition begründeten Wegen für den Realismus im Roman. Aragon wirbt um andere Leser. Der böse Bourgeois ist als Romanfigur durch den Autor selbst ästhetisch vermittelt; die politisch ›anderen‹ sind zwar negativ beleuchtet, aber nicht wie bei Brecht aus weltgeschichtlicher Ferne gesehen. Sie sind intime Versuchungen, Virtualitäten; der Romancier setzt seine Kunst daran, ihnen die Farbe seiner persönlichen »Gespenster« zu geben. Dies ist aber nur möglich, wenn das tiefere Warum des Schreibens nicht allein das Didaktische ist, wie dialektisch auch immer gefaßt: Aragon redet nicht zu Schülern, sondern zu Zeitgenossen, die fast genauso klug und nicht viel dümmer sind als er selber. Oder anders: er verstummt nicht dort, wo er genau so wenig weiß wie sie; er trägt auch für ihn selber noch oder wieder ungelöste Fragen ins Publikum. Brecht tut dies erheblich seltener, freilich ließ ihm sein kürzeres Leben auch kaum Zeit dazu. Dadurch bleibt seine Kunst in allen ihren Raffinessen oft anonym – man findet ab und zu die Spur eines vermittelnden, vereinzelbaren Subjekts hinter seinem Werk, meistens aber betont nur das Gebäude der unverfälschten Lehre. Zur Frage steht zwischen beiden, wie weit der Begriff der Literatur in unserer Zeit wieder von der Greifbarkeit und Integrität des Individuierten gelöst werden kann; Aragon und die Tradition gibt davon ein anderes Bild als Brecht und die Tradition. In Brechts Literaturbegriff triumphiert letztlich das Geschäft des Aufklärens, das 18. Jahrhundert; ähnlich, wenn auch auf eine breitere Basis gestellt, wie bei Sartre.[88] Für Aragon wird beides zusammen, Aufklärung und Marx, erst Literatur, wenn es sich mit der Roman-Innerlichkeit des 19. Jahrhunderts, von Stendhal über Flaubert hin zu Barrès, verbindet; der Verzicht auf dieses Erbe wäre ihm der Verzicht auf Literatur überhaupt.

Allerdings hat Aragon diese seine Haltung mit seinem Marxismus nie ganz zur Deckung gebracht. Die Literatur der Innerlichkeit kann die bürgerliche Weltordnung kritisieren, aber nicht eigentlich bekämpfen. Aragon, der zum Kampf ausgezogen war, endet damit, den Fortschritt der Geschichte und die technisch-industrielle Revolution mit dem bürgerlich-unrevolutionären Publikum zu versöhnen; Brecht bleibt ein Kämpfer. Sein durchgehendes Thema war, in Aragons Metaphorik zu reden, der Zusammenhang und Zusammenstoß von Unter- und Oberklasse im Pferdeomnibus der Weltgeschichte, von gesellschaftlichem Sein und Bewußtsein, von Basis und Überbau. In Aragons wirklicher Welt bleibt eine vergleichbare Kontinuität, wie gezeigt, brüchig. Die wichtigsten Romane lassen den Kampf nur innerlich, im getrübten Bewußtsein des Helden erscheinen; die *Karwoche* ist national und geht den ideologischen Strömungen einer vergangenen Zeit nach, hat aber mit historischem Materialismus wenig mehr zu tun. Die späten Romane deuten Stalin durch Shakespeare und Hölderlin. Die meiste Zeit weiß sich Aragon eben doch den »Reisenden des Oberdecks« zugehörig, auch wenn er sich innerhalb dieser Räumlichkeit den relativ sichersten, d. h. fortschrittlichsten Platz aussucht, um den Mitreisenden klarzumachen, daß es unten große und verhängnisvolle Dinge gibt, die sie nicht sehen können. Zu den anderen, »die den Mechanismus kennen und daran herummachen«, zählt er sich meistens nicht, im Unterschied zu Brecht. Der verblendet handelnde und sich verstrickende Ödipus kommt dazwischen, nicht erst am Ende, wo er sich offen ausspricht. Gibt es so etwas wie einen tragischen Marxismus als Vision der Geschichte, dann ist er gewiß Aragons Sache: Marx als Klassiker zwischen Shakespeare und Sophokles.

4. Die Literatur und das negative Wirkliche

Dabei spielt aber Tragik und das Tragische in Aragons Vokabular im Gegensatz zu Malraux etwa eine recht nebensächliche Rolle; und wo es erscheint, steht es in Verbindung mit der ›Maschinerie‹ des Weltprozesses. Worüber Aragon schließlich noch befragt werden muß, nach der Entwicklung seines Realismus in den sukzessiven Etappen und nach dessen Situierung im Zusammenhang der gegenwärtigen Realismen, das ist mehr und allgemeiner ›das Negative‹: Literatur als Instrument der Erforschung des negativen Wirklichen. Aragon steht im Unterschied zu Malraux und Camus weiterhin auf der Schwelle zwischen Ost und West, er hat sein Publikum auf beiden Seiten, zwischen denen er zu vermitteln sucht. Er ist an Shdanows Forderung nach sozialistischer Positivität gescheitert. Shdanows Axiome, wie und warum diese Positivität sein müsse, scheitern umgekehrt an der Wirklichkeit und Eigenart von Aragons Romanen. Der eine Punkt, an welchem Shdanow bei dem französischen Romancier neben seinen handgreiflichen verheerenden Wirkungen mittelbar nützliche hatte, ist der, daß er – im Verbund mit einer ganz anderen, gemeinfranzösischen Tradition – Aragon gezwungen hat, seine Ansicht vom Negativen als Stoff und Inspiration der Literatur zu präzisieren. Der Kampf um das Negative in der Literatur ist in den sozialistischen Ländern noch lange nicht abgeschlossen, insofern bilden Aragons diesbezügliche Überlegungen außerhalb des französischen Horizonts seine eigentliche Aktualität.

Daß Aragon in dieser Frage noch irgendeine Bedeutung haben könnte, wird freilich bestritten. Man sagt von ihm, was man von Pasternak und Gorki auch sagte, als sie alt geworden waren, sein Pessimismus habe mit seiner zerfallenden Gesundheit zu tun und erweise außerdem die heimliche, nur scheinbar überwundene Macht des »Bürgerlichen«, in das er nun zurückfällt. Nicht ganz zu Unrecht, insofern als die sozialen Widersprüche in der Wirklichkeit ihn wenig mehr interessieren und seit den *Kommunisten* auch die Arbeiter aus seinen Büchern wieder verschwunden sind. Andererseits aber gab es bei dem vorkommunistischen, ›bürgerlich‹-surrealistischen Aragon keinen dargestellten, zum Thema gewordenen Pessimismus; kein sichtbares Negatives; solange es dieses im Spätwerk gibt, kann man darum auch von keiner wesenhaften Rückkehr zum Surrealismus sprechen. Das Problem beginnt erst zusammen mit dem Realismus, es hat seine Mitte beim 40- bis 50jährigen Romancier, nicht beim siebzigjährigen. Sodann sind die neuen, verschärften Töne des Pessimismus im Spätwerk nur zum Teil privat veranlaßt, mindestens ebenso stark aber politisch zu verstehen: die Begegnung mit der Realität der Sowjetgeschichte anläßlich der *Histoire parallèle* als Konfrontation mit dem Unvorstellbaren – oder bisher von Aragon nicht Vorgestellten – des Stalinismus. Der moderne, neue

Pessimismus Aragons ist nicht in den alten, bürgerlichen ohne Rest aufzulösen, er hat seine eigene zeitgemäße Realität.

Auf die Versicherung hin, daß in einem Teil der Welt das Negative der sozialen Wirklichkeit abgeschafft sei, hatte Aragon als Romancier sich seit 1933 bereitgefunden, statt der Wirklichkeitsflucht ins Surreale das negative Wirkliche in der ihn noch umgebenden westlichen Gesellschaft anzusehen und realistisch zu durchdringen. Im Verlauf der Jahrzehnte aber sieht er mit seinem daran geübten Blick, wie wenig Negatives die östliche Gesellschaft tatsächlich abzuschaffen vermochte. Das allgemeine Klima, die Atmosphäre seiner Bücher mußte sich dadurch nicht mehr wesentlich ändern: schon immer hatte sich Aragon auf das Negative, auf Schwarz und Grau spezialisiert; er zieht nur jetzt neue Wirklichkeiten der Zeit, die sich von der Revolution herleiten und die er bisher sorgfältig herausgehalten hatte, mit in dies Negative hinein, wenn auch weiterhin nur kunstvoll maskiert. Er weiß von dieser seiner Einseitigkeit, daß alles, was immer in seinen Romanen lebendig wird, »Phantome, Gespenster, Ungeheuer« sind.[89] Um sich davon zu befreien, schreibt er Romane. Eben diese Befreiung durch Literatur liegt aber nicht im Sinne des sozialistischen Realismus, weil sie die reale Befreiung durch Veränderung des Wirklichen nicht eindeutig unterstützt, sondern, nach Überzeugung der sowjetischen Theorie, eher ihrer Dringlichkeit beraubt.

Die einfachste und auch zutreffende Richtigstellung wäre von Aragon aus, daß das Negative, wie er es im Roman erscheinen läßt, methodisch ist; Pessimismus als Kunstgriff, und nicht als die volle existentielle Wahrheit des Autors. Auch eine Hoffnung, die man nicht zeigt, oder nur bis zur Unkenntlichkeit ins Private der Liebe hinein transponiert, kann ernst sein. Der Fall kompliziert sich aber dadurch, daß Aragon sein Negatives statt mit der Kunst vielmehr mit der Wirklichkeit und mit der Zeitlage verteidigt. Nur der Ausgangspunkt für das weitergespannte Problem ist dabei die Frage nach dem negativen Helden; im Spätwerk dann auch als die Frage nach dem Tod, der Hinrichtung – mise à mort – des positiven Helden im Roman. – Die erste greifbare Stellungnahme Aragons aus dem Jahre 1935 ist einigermaßen paradox: bei der Verteidigung von Malraux' Novelle *Die Zeit der Verachtung*[90] geht er mit diesem einig, daß Helden im ethischen Sinn heute nur noch als Kommunisten denkbar seien, nicht als Verteidiger des Kapitals. Dann aber widerspricht er Malraux, was die Möglichkeit der Kunst, ihre nur scheinbar notwendige Bindung an das Positive betrifft – an dem einzigen Punkt, wo Malraux sich mit der sowjetischen Lehre berührt, die Aragon sonst verteidigt, da widerspricht er ihm: vom künstlerischen Gesichtspunkt aus wäre genauso ein Meisterwerk möglich, dessen Hauptfigur sich an *Mein Kampf* orientieren würde und aus Hitler und Horst Wessel zusammengesetzt wäre, das wäre eine andere Art von Held ... es gäbe interessantes Material für ein künstlerisches Bild hohen Werts, für die Schaffung eines Typs von Spion, eines Streikbrechers, der sich aufbläst, so weit aufbläst, bis er König der Frösche wird, weil sich hinter ihm die wirklichen Mächte der kapitalistischen Welt verstecken ...

Sicher treibt Aragon hier auch die Freude am Widerspruch, aber darüber hinaus hat er wirklich recht: wenn auch bei Malraux ein solcher negativer Held ganz undenkbar wäre, so doch nicht bei Aragon, und wahrscheinlich würde er ihm noch besser gelingen als Brecht sein *Arturo Ui.* Aber er hat den défi schließlich doch nicht aufgenommen, sondern sich mit Mercadier, einem bürgerlichen Don Quichotte begnügt.

Später, als Malraux vom Kommunismus abfiel, konnte Aragon zwar »den Menschen« als verdächtiges Thema ächten, nicht aber den positiven Helden, Malraux' eigentliche Spezialität. Im Gegenteil, jetzt mußte er das verteidigen, was ihm am allerfernsten lag.

Das Problem der richtigen Darstellung eines Kommunisten in der Literatur ist eines von denen, die am wenigsten gelöst sind,

hatte er 1935 gemeint und Malraux' Ansätze im wesentlichen gutgeheißen. Nach dem Krieg, 1949, als er von Malraux nicht mehr sprechen darf, findet er im *Johann Christoph* von Romain Rolland einen nationalen Anknüpfungspunkt für die unerbittliche sowjetische Forderung. Rolland widerlegt Gides »widerwärtigen« Satz, der schon lange bevor er formuliert wurde in der französischen Literatur in Kraft war, daß mit guten Gefühlen keine guten Bücher zu machen seien; die große Fabel, das neue Epos organisiert sich um den Helden als Mitte,

er siegt durch das Herz und sein Reich ist die Güte, welche die Vertreter der Kunst verbannt haben, die für die Feinschmecker (les délicats) sprechen, nicht für die Tausende, die Einfachen, die Schlichtesten. In diesem Sinn eröffnet dies Buch das 20. Jahrhundert, in dem Maß, in welchem unser Jahrhundert sich absetzt vom romantischen Zeitalter mit seinen großen weichen Köpfen, wie Isidore Ducasse sagte, der seit 1870 schon vorschlug, die gewollt satanischen Erzeugnisse seiner Zeit »auf gut« neu zu schreiben. Nichts ist weniger baudelairehaft als *Johann Christoph.* Nichts geht mehr gegen den Strom der schwarzen Ader, die von Huysmans zu Sartre geht in der recht eigentlich reaktionären Literatur unserer Zeit, die den Fortschritt leugnet und ihre Kraft aus der Niederlage des Herzens zieht, aus dem Fall und nicht aus dem Aufstieg des Menschen.[91]

Hier argumentiert Aragon gegen seine literarischen Ahnen und gegen sich selber. Welches Urteil er von hier aus über Alain Fourniers Meaulnes, über Gides Lafcadio, die Apologie des Verbrechens, fällen muß, ist klar.[92] Aber nachdem die *Kommunisten* ihm samt ihren positiven Helden offenbar nicht nach Wunsch geraten sind, nachdem Stalin tot ist, läßt er sich wieder ganz anders vernehmen.[93] Durch die Forderung, das Gute allein solle dargestellt werden, fälscht man die gegenwärtige Geschichte und hilft praktisch dem »geschichtlich Bösen in seiner Aufgabe«. Dies wendet sich gezielt gegen jene Zeitgenossen, die nur noch Bücher lesen wollen, »welche als zentralen Helden die Inkarnation ihres Ideals haben, eine Art dialektischen Tarzan, der mit allen Tugenden ausgerüstet ist und nach der Grammatik spricht« ... Aragon führt die Debatte ausgehend vom Werk R. Merles (geb. 1905), besonders von *La mort est mon métier* (Der Tod ist mein Handwerk), dem Roman, der nach den Aufzeichnungen des Auschwitzkommandanten R. Höß geschrieben wurde: zu verstehen, wie ein SS-Mann zum Massenmörder, zum Ungeheuer wird, ist *auch* Sache der Literatur – was Aragon ja schon, etwas ironischer noch, 1935 gesagt hatte. Es bedarf dazu nicht in jedem Buch alsbald eines politischen Gegenübers, so wenig wie in Chaplins gesellschaftskritischen Filmen. Ducasse-Lautréamonts antiromantische Wendung zum Positiven ist nicht mehr der Weisheit letzter Schluß, sondern eher der Stendhal der italienischen Novellen, den Aragon vor der sowjetischen Kritik verteidigt, und die englischen Elisabethaner, die Königsdramen seit Webster, über deren realistische Blutrünstigkeit die Zeitgenossen von Auschwitz und Hiroshima sich nach Aragon nicht unbedacht entrüsten sollten.

Das moderne, gesellschaftlich Böse darf in seinen typischen Vertretern dargestellt werden. Selbst wenn ein Schriftsteller wie Merle im Auschwitz-Prozeß und in den modernen Kriegen nur das Absurde sieht, dann ist doch die Geschichte selber stärker als diese Parteinahme des Romanciers, sie steht gegen das Verbrechen, auf seiten der strafenden Gerechtigkeit. Dies gilt um so mehr, wenn ein Autor, dessen Parteinahme für die geschichtliche Zukunft des Sozialismus bekannt ist, sich in seinen Büchern ohne anderen Kommentar als den seines wirklichen Lebens mit der Darstellung dessen begnügt, was keine Zukunft hat oder gehabt hat: die Spätbourgeoisie oder die Restaurationsaristokratie von 1815. Der unangefochten positive Sinn der Geschichtsentwicklung macht die Darstellung des geschichtlich Negativen erlaubt – es liegt auf der Hand, daß diese Rechtfertigung in tiefe Erschütterung geraten muß, sobald die Geschichtsvision durch neue Entdeckungen des realistischen Künstlers ins Wanken gerät. Eben davon handelt 1965 die *Mise à Mort*, deren Titel weniger eine konkret-realistische Romanhandlung als vielmehr ein Grundprinzip sämtlicher Romane Aragons, seines persönlichen Realismus, aus dem Hintergrund hervorholt: das Gute, die positiven Helden müssen sterben im Roman, weil die Wirklichkeit der Geschichte sie auch nicht leben läßt; so Bérénice in *Aurélien*, Géricault indirekt in der *Karwoche* – die zwar rechtzeitig endet, um ihn am Leben zu lassen, aber von dem jedermann weiß, daß er in Wirklichkeit 32jährig tödlich verunglückte –; so in *Blanche ou l'Oubli* in besonders makaber-grotesker Weise Marie-Noire, das Kind der nationalen Résistance, und ihr Sohn Avenir – ›Zukunft‹.[94] In solcher Landschaft des Verhängnisses wird nun, um jede mögliche andere Auslegung abzuschneiden, im Namen des Realismus auch der Gestalt der Prozeß gemacht, welche bis dahin durch ihr positives Leben die Rechtfertigung des dargestellten Negativen in der Literatur gewesen war: Anthoine Célèbre, dem realistischen Schriftsteller. Der Autor debattiert mit seinen Lesern ausführlich diesen seinen verbrecherischen Anschlag, ob und warum es gerecht sei, diesen Helden zu Tode zu bringen: ihn leben zu lassen, hieße den Realismus verleugnen.

Anthoine war mein positiver Held ... jetzt bin ich plötzlich ohne positiven Helden. Ein Realismus ohne Ufer, das ist schon eine Sache; aber kein positiver Held: das geht zu weit! Vor allem, weil man sich nicht ganz des Gedankens erwehren kann, daß, wenn Anthoine nicht existiert, er genau darum nicht existiert, weil er ein positiver Held war, oder sogar noch schlimmer: der Beweis, daß er nicht existiert, ist der, daß, wenn er existierte, er ein positiver Held wäre.[95]

Das Positive muß im realistischen Roman zu Tode gebracht und das Negative weiterhin dargestellt werden, nicht weil es überwunden, sondern weil es wirklich ist. Der Realist muß sich immer »das Schlimmste vorstellen. Weil das ähnlich (ressemblant) wird«.[96] Die eigentliche Grenze der Möglichkeit des Realismus liegt darin, daß des Schriftstellers Vorstellungskraft vor bestimmten menschlichen Realitäten versagt. Anläßlich Merles Buch über den Auschwitzkommandanten Höß versicherte Aragon 1953 sich selber und den Lesern seinen Psychologenblick, seine Abgebrühtheit, die nichts Menschliches mehr erschüttern kann; aber nun, im Nachdenken über die Moskauer Prozesse, 1936 bis 1938, über seine spurlos verschwundenen sowjetischen Freunde, stellt der Romancier seine Kapitulation vor dem nicht mehr faschistischen, sondern stalinistischen Negativen fest. Daß Menschen, die Kommunisten waren, zugleich berechnend-gewissenlose Mörder waren, ging ihm damals, trotz allem, was man ihm sagte, nicht in den Sinn.

Übrigens finde ich das noch heute unvorstellbar. Wie bestimmte Tatsachen aus der Physik oder Mathematik, die ich anerkenne, weil die Leute, die Bescheid wissen, sagen, daß es so ist, aber von denen ich mir kein Bild machen, die ich mir nicht vorstellen, verbildlichen (imaginer) kann. Übrigens können es die Leute, die Bescheid wissen, auch nicht.[97]

Will sagen, Aragon schrieb auch als Stalinist noch im guten Glauben, er war nicht unter den Zynikern und Mördern. Das heißt aber auch: er selber erkennt das epische Bild, das er in Jahrzehnten aufgebaut hat, als unvollständig, einseitig und verharmlosend. Er hat die lesenden Zeitgenossen in Wirklichkeiten, nicht aber, wie sein Anspruch war, in *die* Wirklichkeit eingeführt. Seit dem *Fou d'Elsa* reagiert Aragon gereizt auf die Literatur als Widerspiegelung des Wirklichen nach der Art einer »unbewegten Mühle, die jedes mögliche unerwartete Getreide durchmahlt«; nur den »Komparsen«, und also auch nicht den beteiligten Zeugen gelingt es, von der Katastrophe objektiven Bericht zu geben;[98] der wirkliche Spiegel, der der Künstler ist, verliert zuweilen seine verbildlichende Kraft, er verstummt vor bestimmten Wirklichkeiten. Also nicht, weil sie zu langweilig ist, kritisiert Aragon die Widerspiegelung der geschichtlich-gesellschaftlichen Totalität, sondern weil sie ihm selber – und vielleicht auch denen, an denen sie so sehr gelobt wird – nur als Rückblick, als Modifizierung eines durch die Konvention längst vorgegebenen Bildes der bürgerlichen Gesellschaft möglich war, weil ihm die unbeschreibbare und unerwartete Gegenwart in den Rücken gefallen ist.

Der »Sieg der Engel«, der Übergang »vom sozialen Affen zum neuen Menschen«[99] läßt auf sich warten. Aus: das Bürgerliche ist negativ, folgt nicht mehr: alles Negative ist bürgerlich, auf den Klassenfeind zurückführbar. Aragon mißtraut den Fahrkünsten der revolutionären Chauffeure, er glaubt ihnen nicht mehr ungeprüft, daß der weltgeschichtliche Omnibus im wesentlichen dahin gekommen ist, wohin sie ihn seit den letzten fünfzig Jahren seiner Schriftstellerexistenz gesteuert haben. Der Roman ist wieder oder noch wie zu Stendhals Zeit Kritik, Kunst des Zweifelns, die »Maschine, um das Dogma schachmatt zu setzen«.[100] Für Aragon ist das Negative weder nur revolutionär noch nur bürgerlich, freilich auch nicht, wie für Malraux und Camus, die sich darin auf Dostojewski berufen, metaphysisch. Aragons Negatives betrifft das »menschliche Geheimnis«, es gehört dem Außen und dem Innen der wirklichen Welt zu. Er läßt daran Zweifel laut werden, ob nach Stalin der Marxismus als Theorie des Negativen in der Geschichte noch hinreicht; wiederum ein Grund für diejenigen, die bei Marx bleiben, sich von Aragons Pessimismus nicht betreffen zu lassen und ihn als tot zu behandeln. Ein besser marxistisch fundierter Pessimismus würde gewiß die politischen und sozialen Unterschiede nicht so leicht transzendieren wie er es beim späten Aragon tut. Aber auch dann findet er, auf der Drahtharfe vorgetragen, bei den Angesprochenen nicht williges Gehör. In der sozialistischen Gesellschaft ist offiziell das Negative revolutionär aufgelöst und weitgehend abgeschafft, das ›positiv‹ verengte falsche Bewußtsein von der Wirklichkeit, dessen Aragon sich durch »mise à mort« erwehrt, ist dort noch nicht Thema der Literatur. Bei Aragon will das Individuum, das sich aus seinen in der Zeitgeschichte zerstreuten Fragmenten wieder zusammengesucht hat, *seine* Wahrheit den Zeitgenossen bekanntmachen, gleich, ob dies dem fernen Endsieg der neuen Gesellschaft nützt oder nicht. Eben darum ist seine Wahrheit den Hütern der Zukunft verdächtig. Aber »es ist vor allem zu vermeiden, die ›Gesellschaft‹ wieder als Abstraktion dem Individuum gegenüber zu fixieren«, sagt nicht Aragon, sondern Karl Marx.[101] Die Forderungen des Künstlerindividuums an die neue Gesellschaft zu integrieren wäre dialektischer als sie platterdings und entschieden nur zu bekämpfen.

Das Individuum fordert die Reinheit seiner »großen Leidenschaft« und findet im Stalinismus das Gegenteil verwirklicht. Die Schwermut der *Éducation sentimentale* enthält transponiertes Politisches, Flaubert ist nach Aragons Lesart immer Republikaner geblieben. Hölderlin blieb Jakobiner und ließ dennoch zur Zeit des Terrors in Frankreich 1793 Hyperion an Diotima schreiben: alles ist aus. Weil die Kritik, der literarische Pessimismus von innen kommt, meint Aragon, darum muß er eingearbeitet werden. – Das Individuum fordert aber auch, daß der Tod, die nicht abgeschaffte und menschlich nicht abzuschaffende Sterblichkeit des Menschen wieder in das fortschrittliche atheistische und nachbürgerliche Bewußtsein aufgenommen wird. Man stirbt, obwohl es die anderen gibt, und obwohl die Todesgedanken zuweilen der sozialen Konservation nützlich sind. Ohne Todesbewußtheit ist das Bewußtsein nicht hell, nicht fähig, die Dumpfheit und Regression der anderen zu überwinden. Weil Malraux 1934 in Moskau erklärte, die revolutionäre Literatur müsse auch über den Tod etwas zu sagen haben, weil ihn an Tolstoi Fürst André auf dem Schlachtfeld von Austerlitz mehr fasziniert als die soziale Totalität, wurde er von Karl Radek der Kleinbürgerlichkeit geziehen.[102] Der späte Aragon tritt vor der selben, sich gleichgebliebenen sowjetischen Kritik das Erbe des von ihm so wenig geliebten Malraux an, offenbar von der gleichen französischen Tradition getrieben. Immerhin ist der alte Aragon dabei des Metaphysischen weniger verdächtig; bei ihm steht der lange Zeit im Hintergrund gehaltene Tod auch jetzt im Vordergrund seiner Bücher nicht isoliert, sondern verbunden mit dem Thema der Moral des Individuums und mit der Zweisamkeit der Liebe, die, obwohl sie Fundament eines Neuen sein soll, nicht nur lichte Seiten hat. Aragon schreibt konkreter von der *conditio humana* als der junge Malraux, aber eben darum auch allgemeiner, unabweisbarer.

Die Funktion und Daseinsberechtigung der Literatur besteht nicht für sich, unabhängig von den Stoffen, über welche zu schreiben verboten oder erlaubt ist. Aragon weiß es wohl, der zuerst den Themenschwund des bürgerlichen Romans, seine Monotonie[103], und dann das Chagrinleder kritisierte, als welches die Wirklichkeit dem sozialistisch offiziellen Realismus dahinschrumpft. Nicht einmal das Absurde, das Sein zum Tode, und die philosophischen Gründe des Selbstmords sind zeitlos interessierend, schreibt Camus 1951:[104] der Blick auf die Überlebenden, die Zeitgenossen mit ihrer politischen Leidenschaft und ihrer Verantwortung für die, die nicht überlebten, kann eines unruhigen Tages aktueller werden für den Schriftsteller; worin er mit dem sozialistischen Realismus vollkommen übereinstimmt. Und dennoch kann die Notwendigkeit der Literatur für die Gesellschaft, vornehmlich die östliche, aber nicht nur für sie, durch den Verzicht auf aktionshemmende, die Weltveränderung komplizierende Stoffe allein nicht gerettet werden. Sollte es ihr gelingen, die kritische, infragestellende

Funktion in der Zukunft einzunehmen, dann wäre auch das eigensinnige Kreisen um den »realistischen Schriftsteller« in immer neuen Künstlerromanen nicht Verengung, sondern Korrektiv, notwendiger Durchgang für andere. Daß und wie die Menschen von der Politik »gemacht« werden, beschäftigt Aragon mittlerweile mehr als die Politik, die von ihnen gemacht wird. »Wie Dada die Welt nicht gerettet hat« wollte er vor langer Zeit ein Kapitel in einer Literaturgeschichte überschreiben.[105] Nun müßte, als Thema für den der Zeit gemäßen Realismus, für Dada ein anderes Wort eingesetzt werden. Sicher nicht, nach Aragons Sinn, die revolutionäre Hoffnung, wohl aber deren mächtigste Repräsentanten: wie die Politiker die Welt nicht gerettet haben, comment les hommes politiques n'ont pas sauvé le monde.

III

André Malraux: Literatur und Humanität

1. 1967: »Was geht mich das an, was bloß mich angeht?«

André Malraux, französischer Kultusminister, unternimmt als Vierundsechzigjähriger zu Schiff 1965 eine ausgedehnte Asienreise, auf welcher er die Schauplätze seiner früheren Abenteuer und politischen Aktionen wiedersieht. Ihre Veränderung im Lauf der Jahrzehnte beeindruckt ihn tief. Asien ist aus seinem zeitlosen Schlaf unumkehrbar zurückgekehrt in die Geschichte, was er in seinem ersten Roman *Die Eroberer* (1928), der seinen Ausgangspunkt vom Generalstreik in Kanton nimmt, nur erst geahnt hatte. Das alte Asien mit seinen Religionen, die »Versuchung des Abendlands« hat ihre Macht verloren.

Was antwortet jetzt mein Leben auf jene Götter, die zur Neige gehen, und auf die Städte, die sich neu erheben, auf den Lärm von Aktion, der an das Schiff schlägt, als ob er das ewige Rauschen des Meeres wäre, und was auf so viele vergebliche Hoffnungen und getötete Freunde? Das ist der Punkt, an dem meine Zeitgenossen anfangen, ihre kleinen Geschichten zu erzählen.[1]

Aus dieser Frage ist der Plan eines größeren Werkes entstanden, dessen erster, 600 Seiten starker Band 1967 erschienen ist. Der Titel, den Malraux seinem Werk gibt – *Anti-Memoiren* – ist gewollt aggressiv, aber auch, wenn man an Antiroman, Antitheater und Antiliteratur dazu denkt, etwas preziös; die Souveränität, das Objektive der Titel, die Malraux seinen früheren Büchern gab: Die Stimmen der Stille, die Hoffnung, Conditio humana, hat er nicht. Der Autor erklärt sich dem Leser, sein Buch antworte auf eine Frage, welche Memoiren nicht stellen, und lasse die, welche sie stellen, unbeantwortet; außerdem folge allem Tragischen wie ein Schatten »le farfelu«, das Märchenhaft-Komische, Groteske und Ironie.[2] Die Kraft der Erinnerung – mémoire – soll die »tiefsten Augenblicke« seines, Malraux', Lebens dem Vergessen entreißen. Tief sind aber von vornherein nur die Augenblicke, in denen das Individuum sich seiner selbst entäußert, in Malraux' lapidarer und wieder ganz souveräner Formel: »Was geht mich das an, was bloß mich angeht«, »que m'importe ce qui n'importe qu'à moi«.[3] Also das Gegenteil der ›kleinen Geschichten‹, welche die Zeitgenossen im Lebensrückblick ausbreiten. Gide wird genannt, keiner von den Lebenden; aber der Sartre von den *Wörtern* und Aragon seit der *Mise à*

Mort veranschaulichen durchaus das hier Gemeinte. Die Antwort eines katholischen Dialogpartners, François Mauriac, eben darin liege Malraux' Unchristlichkeit beschlossen[4], kann so nicht unwidersprochen hingenommen werden; sie sagt weniger über das Christentum als über die individualistisch-literarische Tradition, gegen die Malraux als Schriftsteller sein ›Anti‹ setzt und durchhält.

Malraux' Besonderheit innerhalb der Gattung Memoiren findet ihren literarischen Ausdruck in der scheinbar freien Assoziation der verschiedenen biographischen Stücke zur kunstvollen Unordnung einer Antichronologie und Antitopologie. Er beruft sich dabei auf das Vorbild von Chateaubriands *Memoiren von jenseits des Grabes.* Auch sie sind montiert, und es ist nur mehr eine Frage des Gesichtswinkels, ob man darin eine Bereicherung der Memoiren sehen will, oder aber umgekehrt eine Bereicherung der Montagekunst durch die Hereinnahme der Autobiographie. Für Malraux liegt, um die Einheit und Bedeutung seines Werkes zu begreifen, das letztere näher: Montage, oder mit seinem eigenen Begriff elliptische Kunst, waren auch seine Romane von Anfang an gewesen. Erst in Malraux ist der philosophische Roman politisch-revolutionär und die politische Reportage durch Komposition, Dialog und Szenenwechsel philosophisch geworden. Malraux' Memoiren stehen trotz ihres Mangels an Fiktion näher bei seinen Romanen als bei den Memoiren anderer zeitgenössischer Autoren, und seine Romane verbindet auch formal mehr mit den späteren Memoiren als etwa mit den gleichzeitigen Romanen Martin du Gards. Das durchgängig Verbindende ist die Bewußtheit der Komposition, die methodische Gewalttätigkeit des Szenenwechsels. Neuerdings ist es zudem noch der Wille, den Mechanismen des wirklichen Gedächtnisses gerecht zu werden; ein Grundunterschied zwischen den Menschen ist nach Malraux der zwischen solchen, die sich vorwiegend vergangenen Glücks, und solchen, die sich spontan vergangener Demütigung und ihres Leidens erinnern. Malraux rechnet sich mit Stendhal zu den letzteren[5], auch dies ist im Titel ›Anti-Memoiren‹ mitzulesen.

Hinter Kunst und Gedächtnis liegt aber noch als das tiefere strukturgebende Prinzip die Meditation über das Schicksal, le Destin; von ihr sind auch Malraux' Bücher über die bildende Kunst nicht zu trennen. Verschiedene Bücher wurden geschrieben darüber, was Schicksal bei Malraux in verschiedenen Etappen ist;[6] bedeutsam erscheint von Deutschland aus, vor allem den tragischen, negativen Aspekt darin zu sehen: in keiner Weise will Malraux den Menschen zu einer Hinnahme des »Seinsgeschicks« versöhnen; Schicksal ist der Tod, die Ohnmacht und Bedingtheit des Menschen, das Verhängte und Unpersönlich-Feindliche. Er ist gerade hier in ständiger Auseinandersetzung mit, aber auch in endgültiger Absage gegen Nietzsche; dem amor fati ist seine Haltung genau entgegengesetzt; Malraux, der Franzose, bleibt in der Individuation, wo Nietzsche sich jasagend in die Lebensflut auflöst. Das Wirkliche der Außenwelt ist feindlich und hart, es wird bei Malraux erkämpft und erobert, nie überlistet. Zweifelsohne ist sein Destin romantisch, und metaphysisch auch in dem zweideutigen Sinn, daß es ständig droht, den Weltprozeß in Chiffre und bloßes Gleichnis aufzulösen; doch eben hier scheint sich in den *Anti-Memoiren* ein neues Stadium der Reflexion anzudeuten. Wiederum soll die vom Autor in bewußter Schwierigkeit gehaltene innere Schicksals-»Architektur« das Ganze tragen und rechtfertigen.[7] Er springt hin und her zwischen Kairo, Mexiko und Hitlers ehemaligem Arbeitszimmer in Nürnberg 1945, zwischen de Gaulle, Nehru und seinen Erfahrungen in deutscher Kriegsgefangenschaft 1944, zwischen Höhlenmalerei, ägyptischen Statuen von 1965 vor Christus und Mao Tse-tung. Man fand Ähnliches in den *Nußbäumen der Altenburg*, in den *Stimmen der Stille;* aber während es dort so klang, als sollte die Gegenwart, der Zweite Weltkrieg in den Stimmen der Jahrtausende und der kunstreichen Barbarei der Primitiven endgültig versinken, klingt es nun – was freilich erst der Fortgang der Memoiren bestätigen kann – so, als brauchte Malraux alle Zeiten und Kulturen, um in ganzer Breite und Tiefe zur Gegenwart und zu den Zeitgenossen zurückzukommen. Destin wird universalgeschichtlich zur Frage nach der destinatio, nach Bestimmung und Zukunftsziel der Menschheit. Das Alte soll das Neue, das Ferne das Nahe erhellen, nicht auflösen; das alte China ist Kommentar zu Mao, und von den hinduistischen Wallfahrermassen in Benares denkt Malraux nicht zum Mittelalter hinüber, sondern zum modernen Menschengedränge in der Pariser Metro und zu nachreligiösen, nichtintellektuellen Franzosen, mit denen er 1940 als Panzerkommandant in den Krieg zog.[8]

Zum Eigenartigen und Ausnahmehaften des gegenwärtigen Zeitalters gehört für Malraux dessen Religionslosigkeit.

Seit wievielen Jahrhunderten hat keine große Religion die Welt mehr erschüttert? Wir leben in der ersten Kultur, die fähig ist, die ganze Erde zu erobern, aber unfähig, ihre eigenen Tempel und Gräber zu erfinden.

Der negative, bilderlose Schicksalskult, wie er schon in der Spätantike hinter den sterblichen Göttern aufging, wird zur Haltung des neuen Wartezustandes. Kein Wunder also, wenn Malraux, wo er, seinen allfälligen Interpreten zuvorkommend, seine eigene Unternehmung in bezug auf die Tradition von Erinnerungen, Bekenntnissen und Schriftstellertagebüchern früherer Jahrhunderte situiert, alsbald darauf kommt, daß in allen religiösen Zeiten der Mensch »gegeben« und zusammen mit seinem Gott geoffenbart ist, folglich kein Gegenstand des Suchens sein kann. Erst dann »wuchern« die Tagebücher in ihrer Enthüllungssucht und werden zu dicken Büchern, wenn die confessio im Augustinischen Sinn kein Gegenüber mehr hat. Gide ist der letzte große Repräsentant der Introspektion des Individuums, mit welcher Malraux auf seinem neuen Weg die Konkurrenz aufnimmt. Er will gewiß nicht weniger, sondern mehr als diese Art des Schriftstellertagebuchs, die von der einen Seite durch die Psychoanalyse Freuds überholt ist, auf der anderen aber, aller Aufrichtigkeit zum Trotz, nichts anderes als transfigurierende Kunst sein kann. Der Autor ist, von Rousseau über Baudelaire hin zu Stawrogins Beichte bei Dostojewski, nicht mehr der Mensch, der sein Schicksal erleidet, sondern der, der es durch sein Talent beherrscht. Daneben steht die andere Tradition der Chronisten und Memorialisten, von Saint-Simon über die Brüder Goncourt hin zu den bezeugten Ereignissen im 20. Jahrhundert, de Gaulles Memoiren und T. E. Lawrences *Sieben Säulen der Weisheit.*[9] – Dies ist, nach Malraux, die Alternative, in der das Problem sich stellte, und die er durch Schicksalsarchitektur überwinden will. Durch die gedankenreiche Einführung seines Projekts läßt Malraux seine Leser die Fragen vergessen, mit denen sie ihn sonst überraschen könnten.

Gerade darum ist Skepsis geboten. Der Realisierung der *Anti-Memoiren* gingen bei Malraux seit seinem ersten Roman 1928[10], ausdrücklich aber dann seit 1935, Möglichkeitserwägungen voraus, welche deutlicher zeigten, daß für Malraux mit der Autobiographie nicht eine Gattung, sondern die Rechtfertigung der Literatur überhaupt auf dem Spiele steht. Die Alternative zwischen Introspektion und Bericht war dort nicht die einzige, und es ist fraglich, ob sie überhaupt die für Malraux entscheidende ist. Zwischen 1939 und 1944 beschäftigte sich Malraux eingehend und leidenschaftlich mit T. E. Lawrence, dessen Versuch, eine letztlich gescheiterte politische Aktion durch ein Kunstwerk nachträglich mit Sinn zu erfüllen, ihn, Malraux, gerade nach der republikanischen Niederlage in Spanien und nach seinem eigenen Bruch mit dem Kommunismus besonders nahe war.[11] Lawrences tragische Selbstdarstellung ist künstlerisch gescheitert, sagt Malraux, weil sie nur zeigt, was er *getan* hat, nicht, was er *gewesen* ist oder zu sein meinte, denn eine Identität, die sich der Darstellung entzieht, ist keine; Lawrences »Dämon« ist er selber, sein Ich, das ihm zuwider ist – wie Malraux das seine. Was beide, Lawrence und Malraux, in der Tiefe verbindet, wäre wohl besser als in Mauriacs christlich gemeintem Widerspruch in Kierkegaards psychologischen Kategorien zu erfassen: in ständigem Wechsel verzweifelt man selbst und verzweifelt nicht man selbst sein zu wollen; extremer Individualismus und sein extremes Gegenteil, das im ›Anti‹ der Memoiren wieder siegt. Der Weg zum überindividuellen »menschlichen Mysterium« geht aber notwendig durch die Selbstdarstellung des Individuums hindurch, wobei Literatur zur Stellvertretung im religiösen Sinne wird; so dachte Malraux das bei Lawrence Versuchte weiter.

Das luzide Selbstporträt eines Menschen – wenn ein Mensch auf der Welt fähig wäre, sein Leben ganz luzide zu erzählen – wäre die heftigste Anklage der Götter, die sich denken ließe: um so größer, je größer dieser Mensch wäre ... Aber zu sagen ›Seht den Menschen‹ ist ein Ausdruck, eine

Enthüllung des menschlichen Mysteriums nur dann, wenn es diesem Mysterium mehr als nur eine widerstrebende Beichte entgegenzuwerfen hat. Wer der letzten Wirklichkeit, welche die Selbsterforschung offenlegt, nicht mehr den Namen Erbsünde gibt, hat nur das Absurde zur Wahl. – Lawrence gehört nicht wie Montaigne oder Goethe zu den ›Weisen‹, die das Tragische als eine Lebensphase unter anderen durchschreiten, was sich entsprechend in ihrer Selbstdarstellung niederschlägt;[12] und dort klingt es so, als rechne sich auch Malraux zu den bleibend tragischen Menschen. Doch sind *seine* Memoiren offenkundig auch nicht vorwiegend dieses titanisch-prometheische Ecce homo; Malraux scheint trotz allem zu einer begrenzteren, weniger religiösen Ambition zurückgekehrt zu sein. Das Komische, le farfelu, kommt dazwischen und dämpft den Prophetenton, der die Kunstmeditation bis 1957 geradezu monoton beherrschte.

Mit dieser seiner Selbstbegrenzung bestätigt Malraux eigene frühere Überlegungen, die er schon 1935 zur Form und Funktion des Schriftstellertagebuchs angestellt hatte. Das Absolute, der dauernd gehobene Stil führt zur »reinen Predigt«, die erst durch ihr Eingehen in das Relative, sei es der Fiktion, sei es des konkreten Berichts, ihre Kraft bekommt. Malraux, der damals gerade vom sowjetischen Schriftstellerkongreß zurückkehrte und nach Möglichkeiten der indirekten Mitteilung seiner revolutionären Hoffnung suchte, bewunderte an J. Guéhennos *Journal d'un homme de quarante ans*[13] die geduldige Anstrengung, den anderen nur zu sehen zu zwingen, anstatt »beweisen« zu wollen; zu sehen nämlich, wie die nichtbürgerlichen Menschen in unrechtfertigbaren Verhältnissen, die ihnen zum Schicksal werden, leben. Auch der politische Gegner wird, wenn er es durch eine konkrete Individualität vermittelt bekommt, das Bestehende nicht mehr akzeptieren können. Guéhenno schreibt zwar von sich, aber im Blick auf ganz anderes – »man muß in sich selber etwas anderes als sich selber suchen, um sich selber lange betrachten zu können« – er sucht, so Malraux' Deutung, nicht die Identifizierung des Lesers mit dem Schreiber, sondern eine Teilnahme, »une adhésion«, an dem Willen zur humaneren Gestaltung der Verhältnisse. »Adhésion« aber ist, wie sich an anderen Texten Malraux', auch Camus' zeigen ließe, die genaue Vorform zu dem, was nach dem Krieg und seit Sartre »engagement« heißt. – Selbstdarstellung, Lebenserinnerungen, Schriftstellertagebuch stehen also nicht nur in der Polarität zwischen Bericht und Introspektion, sondern, wie Malraux' vorausgegangene Entwicklung zeigt, zwischen religiösem, nachchristlich-tragischem Ecce homo und revolutionärem Engagement – das Individuum als unersetzliches Mittel der Darstellung einer gegebenen überpersönlichen politischen Hoffnung.

Ähnlich sprunghaft wie der Aufbau seiner Lebenserinnerungen im Buch mutet Malraux' wirkliche Biographie, seine Schriftstellerentwicklung an. Bis vor kurzem hatte der Übergang von den Romanen bis 1943 zur Meditation über die bildende Künste seit 1946 so sehr im Vordergrund gestanden, daß alle übrigen, früheren Verwandlungen daneben unsichtbar blieben. Der Bruch sprang in die Augen, und doch fehlte es nicht an Deutungen, die dennoch die Einheit der frühen und der späten Bücher zutage brachten. Nicht das Politische, sondern von Anfang an nur das Metaphysische und das »verklärende Epos« seien in den Romanen wichtig gewesen; man liest in den Romanen nur noch das, was in der Kunstmeditation Bestätigung und Vollendung findet[14] – weitgehend mit des Autors eigener Billigung, der zwar Romane geschrieben hat, aber doch »kein Romancier« sein will.[15] Malraux, ein großer Irrgänger, der nach dem Experiment des politischen Engagements schließlich doch zur Reinheit der Kunst zurückfindet, die andere nie verlassen haben – so wurde er von manchen freundlich aufgenommen.[16] Wobei sich freilich Unstimmigkeiten ergeben mußten. Von der Absolutheit der Kunst und der Absage an die unsachgemäßen Wünsche der Nichtkünstler, welche den größten Teil der Gesellschaft bilden, führt schwer ein Weg zur Kulturpolitik, wenigstens in ihrer pathetischen Form, wie sie Malraux, seit 1958 wieder Minister de Gaulles, jahraus jahrein in tiefsinnigen Appellen vor der Nationalversammlung wiederholt. Es geht nicht nur darum, die historischen Bauwerke der Metropole vom Staub der Jahrhunderte reinzuwaschen, sondern um ein neues Zeitalter der nationalen Kultur für alle; wie die Dritte Republik die Schulbildung für alle einführte, so soll die Fünfte Kultur für alle Franzosen bringen. Kultur gibt dem Unterbewußten, Formlosen, in dem die Massen leben, die Gestalt eines der Menschheit würdigen Traums, sie ist Kraft der Abwehr gegen die niederen Instinkte, die »Mächte der Nacht«. – Die *Stimmen der Stille* (1951) wissen weder von der Möglichkeit noch von der Notwendigkeit dieser Aufgabe; die Kulturpolitik kann also mit der Kunstmeditation nur so verbunden werden, daß sie diese korrigiert und abermals umwandelt. Indessen knüpft die Kulturpolitik ungebrochen an dem an, was schon vordem die Romane Malraux' anvisiert hatten, nicht so sehr die *Nußbäume der Altenburg* (1943) als vielmehr *Die Hoffnung* (1937), das Buch von der erhofften Erneuerung in Spanien, die ebensosehr die Kultur wie die Gesellschaft meinte.

Die mittlerweile angefangenen *Anti-Memoiren* geben der Kunstmeditation der fünfziger Jahre noch stärker als die Kulturpolitik den Charakter einer, wenn auch ausgedehnten, Übergangs- und Zwischenzeit zwischen den Perioden einer direkten schriftstellerischen Einlassung mit der Wirklichkeit, dem Leben, der Zeit oder wie immer man will – jedenfalls nicht mehr nur mit dem künstlerischen Schaffen der Maler und Bildhauer, welches der Sprache nur den Raum einer sekundären Vermittlung hin zu den Beschauern gibt. Die Kunstmeditation war nicht nur Vollendung, Reife, sie war auch Retraite, Unterbrechung, und, in noch zu bestimmendem Sinn, Krise. Die Klammer, welche die Memoiren von der einen, die Romane von der anderen Seite her um sie herum legen, lassen nun aber auch die Wandlungen vor dem Übergang zu den bildenden Künsten im ›vor-theoretischen‹ Werk Malraux' wieder in Erscheinung treten: den Schritt vom verspielt-Märchenhaften der literarischen Anfänge zur Kulturkritik und zum Roman um 1926 bis 1928; dann den Übergang im Roman selber vom tragisch-heroischen Individuum zur kommunistischen Hoffnung, 1933–1935, mit deren Zerfall in den *Nußbäumen* die Krise des Romans bei Malraux gewiß nicht nur zufällig koinzidiert. Malraux verspricht in den Memoiren die Aufzeichnung der »tiefsten Augenblicke [seines] Lebens«: in den Bänden, die erst posthum zur Veröffentlichung gelangen sollen, wird nicht nur die Begegnung mit den Kunstwerken aller Zeiten und mit den außereuropäischen Kulturen erscheinen, sondern auch die Horizontöffnung, welche in den dreißiger Jahren die kommunistische Hoffnung bei Malraux ausgelöst hat und die nach dem Verlust dieser Hoffnung nicht wieder verlorenging. Ohne den Kommunismus wäre Malraux wahrscheinlich ein weniger bedeutender Schriftsteller geworden; die Entwicklung der Problematik der Kriegsliteratur seit den frühen Romanen läßt die weitverbreitete Vorstellung nicht mehr ohne weiteres haltbar erscheinen, als gebe es einen in sich vollendeten Humanisten Malraux, der dann vom kommunistischen Abenteuer nur peripher berührt worden sei.[17] Erst mit dem Kommunismus hat die Frage nach dem Menschen ihren Umfang gewonnen, erst mit der revolutionären Hoffnung kam die Ambition der Literatur auf ihre Höhe.

Was folgte, lädt dazu ein, Malraux' individuellen Lebenslauf als Symbol, als elliptisch verkürzte Figur für die Wandlungen des Begriffs der Kunst durch mehrere Menschenalter hindurch zu verstehen, besonders des 19. Jahrhunderts, wie er selber es deutet:[18] auf die fortschrittsgläubige ecclesia militans, die dem Künstler von Rousseau bis Hugo seine Rolle gibt, folgt die Thebais Baudelaires und Flauberts Einsamkeit, l'art pour l'art. Malraux ›kehrt zurück‹ zum Treffpunkt vieler erlesener Geister vergangener und gegenwärtiger Zeiten und kann doch, im Unterschied zu ihnen, weniger leicht vergessen, woher er gekommen ist, und wohin er, nach beendeter Rast, mitsamt seinem Kunstgriff wieder zu gehen gewillt ist. Selbst ein René Wellek kann sich für sein Programm auf die *Stimmen der Stille* berufen; aber gerade ein in seinen Wandlungen symbolisch für seine Zeit genommener Malraux fordert dazu heraus, die Lehre von der Autonomie der Kunst dialektischer und geschichtlicher anzusehen als dies heute der allgemeine Brauch ist, und bei anderen die Enttäuschung über eine umfassende, nicht nur künstlerische Realisierung des Humanen aufzuspüren, die sie unerkannt mit sich herumtragen. Der späten Kunstmeditation sind, vom marxistischen Blickpunkt Lucien Goldmanns aus, die universal-menschlichen Werte der Romane abhanden gekommen;[19]

unbestreitbar ist daran immerhin eine gewisse nationale Verengung in Malraux' Horizont nach 1945; dasselbe Vorgehen, welches Malraux den »relativistischen« deutschen Kunstgeschichtlern vorwarf, die heimlich die Schwäche Dürers durch seine Unvergleichbarkeit mit Velasquez und den Italienern verwischen.[20] Die Bildhauerei, sagt Malraux, ist nicht mehr »unsere Kunst«, sie führt aus der Urzeit nur bis zu Michelangelo und wird dann sekundär;[21] ihre eigenartige Geschichte im 20. Jahrhundert kommt bei Malraux kaum vor, offenbar, weil sie zu weit ab bei Angelsachsen und Italienern spielt. »Unsere Kunst« ist vielmehr die Malerei, und deren Schicksale entscheiden sich seit Manet und Cézanne für die ganze Welt in Frankreich, in Paris. Zudem haben die Werke der Bildkunst in Malraux' Biographie an einer bestimmten Stelle, um 1937/38, nachweislich die human-universalen Werte ersetzen müssen, das »Volk der Statuen« substituiert die Menschen aus Fleisch und Blut. Malraux kommt bei der Kritik der verengten sowjetischen Kunstdoktrin mehrfach darauf zu sprechen, daß noch Lenin den so wenig realistischen Maler Chagall geschätzt und verehrt habe;[22] den irrealen Fall gesetzt, auch Stalin hätte Sinn für das Moderne gehabt, wäre aber dennoch mit seinen Gegnern inhuman verfahren, dann wäre es Malraux zum mindesten sehr viel schwerer gefallen, für das Humane gegen den Terror Partei zu ergreifen.

Dennoch wäre es vergeblich, Malraux und im genaueren seinen Begriff von der Literatur ohne die Meditation über die bildenden Künste verstehen zu wollen. Sprachlose und sprachliche Kunst müssen sich bei Malraux wechselseitig erhellen, jede der beiden Seiten bleibt für sich genommen dunkel. Eben dadurch, daß sie das Wechselverhältnis der Künste untereinander in sich einbeziehen, werden die Wandlungen Malraux' wiederum untypisch und persönlich. Er verläßt das Gebiet der Sprachkunst, in welchem er zu Hause ist; Künstler, artiste, ist bei ihm nicht, wie bei Aragon meistens, bei Camus immer, synonym mit Schriftsteller, ihm sind die Maler und Bildhauer wirklich lebenswichtig. Was Malraux an der menschlichen Kunstschöpfung außerhalb der Sprache sucht, ist dialektisch bestimmt von der Funktion, welche er selber zuvor der Literatur als dem Grenzfall der Kunst überhaupt gegeben hatte: ihn fasziniert die reine Schöpfung, die in der Literatur wegen ihres Materials, der Sprache, nie rein, sondern immer vermengt, mit Bewußtsein durchsetzt vorkommt. Der Schriftsteller hat mit Ideen, Politik und Gesellschaft zu tun, der Maler nicht. Lange Zeit war von Malraux, dem Schriftsteller und Theoretiker der Literatur, nichts anderes zu erblicken als die berühmten Sandalen des Empedokles; man sammelte und begutachtete die Spuren eines Romanciers, die zu seinem Sprung in den Ätna, will sagen ins innerste Geheimnis der »création« hinführten, um dessen willen er sich vor den Blicken seiner Leser hinter sprachlose Bilder und Zeichen zurückzog und den ›Stimmen der Stille‹ den unverwechselbaren Klang seiner eigenen verleiht. Inzwischen ist er wieder da, offenbar weil es noch andere Geheimnisse gibt als die der Kunst; weil reine Schöpfung eben auch weniger ist als Literatur. Sieht man Malraux' Entwicklung schematisch zwischen den Polen Humanität und reine Kunst, dann ist Literatur eben das, was beides zusammenbindet. Der Roman bleibt in der Krise, aber gerade seine Krise bleibt für die Zukunft der Gattung relevant, weil sie nur als Kehrseite der neuen Ambition richtig verstanden wird, welche der Autor ihm unter dem Eindruck der revolutionären Hoffnung gegeben hatte.

2. Montage contra Realismus. Literatur als Umwertung

Im Jahre 1935 hat Malraux, zum Teil von der Sowjetliteratur ausgehend, die Bedingungen reflektiert, unter welchen die Fiktion im Roman durch Montage und nur andeutende Infragestellung (interrogation) abgelöst, oder anders: unter welchen Voraussetzungen Reportage zur »großen« Kunst werden kann. Alle Romanciers der Gegenwart, meint Malraux, haben sich wenigstens die Frage gestellt, ob in der Reportage eine mögliche neue Form des Romans im Entstehen sei. Von Balzac her über Zola geht die Linie der

> Einführung einer Person in eine Welt, die sie uns aufdeckt, indem sie selber sie schrittweise entdeckt... Die mögliche Kraft der Reportage liegt darin, daß sie notwendig die Evasion abweist, und daß sie ihre höchste Form fände in der Besitzergreifung des Wirklichen durch eine Intelligenz und eine Empfindungsfähigkeit, nicht in der Schaffung einer imaginären Welt. In einer Kunst, der die Metapher der wesentliche Ausdruck ist, kann der Reporter immer nur ein Gehilfe sein; der Lyriker und der Romancier werden immer größer bleiben als er. Wenn es die Sache der Kunst ist, das Faktische zu zerstören, dann ist der Reporter geschlagen; wenn aber das elliptische Zusammenbringen nicht zweier Wörter, sondern zweier Fakten ihre Sache sein kann, dann finden Kameramann und Reporter ihre Kraft wieder, welche beidemal die gleiche ist.[23]

Einiges von der reportagehaften äußeren Gestalt von Malraux' eigenen fiktionsarmen Romanen klingt dabei an und wird durch den besonderen Begriff des Elliptischen, der Weglassung bezeichnet, welche den Leser in den »weißen Stellen« auf den Buchseiten, zwischen den einzelnen Szenen den nur »suggerierten« Zusammenhang suchen läßt.

Malraux spricht vom Realen, von Fakten, gar von der »wirklichen Welt«, die durch die neue Kunstform in Besitz genommen werden soll – und wehrt sich bei alledem dennoch mit Händen und Füßen gegen die Zumutung, ein Realist zu sein. Aragon hat soeben den sozialistischen Realismus vom Moskauer Schriftstellerkongreß unverändert nach Frankreich importiert; Malraux, der in Moskau auch mit dabei war, antwortet kurz entschlossen im Vorwort der Novelle *Die Zeit der Verachtung* (1935) mit einem geharnischten Manifest für die

Literatur der menschlichen Größe, und nicht des Realismus. Aragon würdigt schein-naiv die Novelle im Sinne des heroischen Realismus, aber übergeht das Vorwort mit Schweigen. Malraux schreibt ein geharnischtes Vorwort für Louis Guilloux' Roman *Le Sang noir* (1935)[24], dessen Held, der bürgerliche Don Quichotte, Aragon dann für die *Reisenden der Oberklasse* inspiriert. Darin behauptet Malraux kurzerhand, Guilloux' Roman sei ein Totentanz und lebe aus des Künstlers »ewigem Groll gegen das Wirkliche«, »l'éternelle rancune contre le réel«. Unmittelbare Folge davon war, in offenbar recht explosiver Stimmung, weil die Realisten am längeren Hebel saßen, daß der Roman ohne das Vorwort gedruckt wurde und es erst zwanzig Jahre später mit dem Buch erschien, das heißt, als Malraux und Guilloux beide keine Kommunisten mehr waren. Malraux also meinte, die entscheidenden Szenen in Guilloux' Roman

zeigen uns einmal mehr, wie schlecht die Probleme des Realismus gestellt werden, wie sehr im westlichen Europa der Ausdruckswille an die Stelle der Beschreibung getreten ist. Die Personen werden durch die Fakten ausgedrückt, aber durch eine Leidenschaft hindurch, die genau genug bezeichnet ist, dergestalt, daß über dieses Buch zu diskutieren im Blick auf welchen Realismus auch immer, ungefähr so sinnvoll wäre wie sich zu fragen, ob Madrid Goyas Capriccios ähnlich ist.

Was mit dem »réalisme quelconque« gemeint ist, darüber hätten die Leser 1935 keinen Zweifel gehabt. Aber selbst das Kunststück, Madrid in Goya wiederzufinden, wäre Aragon zuzutrauen, der ja auch behauptet, in Spanien sehe es wirklich so aus wie auf Picassos Gemälden . . .[25]

Beide, Malraux und Aragon, reden so jahrelang konstant und gehaltvoll aneinander vorbei. Nie bekommt bei Malraux die Außenwirklichkeit den Primat zuerkannt wie bei Aragon nach der Abkehr vom Surrealen. Nie hat sich Malraux von der antinaturalistischen, symbolistischen, subjektiven Tradition französischer Kunsttheorien losgesagt, was doch bei Aragon als die Vorbedingung aller revolutionären Literatur erschien. »Wirklichkeit – das besagt in der Kunst überhaupt nichts» – dieses Dekret Malraux' überzeugt 1951 ebensowenig wie 1934.[26] Aber Aragon hat auch nicht recht, wenn er jahrzehntelang und im Widerspruch zu seiner eigenen Praxis die prinzipielle Kunstschädlichkeit alles Subjektiven, Innerlichen, Nichtgesellschaftlichen behauptet. Beide lassen an ihrem Vokabular nicht locker; aber bei allen ihren paradoxen Winkelzügen hat am Ende Malraux', und nicht Aragons, Einseitigkeit den größeren Reichtum an Einsichten ermöglicht in das, was Literatur ist und was sie kann. Wenn Aragon etwa *Die Hoffnung* dem Realismus im politischen Roman zuschlägt, ob der Autor will oder nicht, dann ist dies billig und vernünftig; aber noch einleuchtender ist es, wenn Malraux alle Romane, einschließlich der des sozialistischen Realismus, als Verwandlung von »Erfahrung« in »Bewußtsein« begreift und damit als Aufhebung der einfachen Weltwirklichkeit, als ihre Zurücknahme ins menschliche Subjekt hinein. »Menschliches Geheimnis«, selbst »conditio humana« sind Namen, die Aragon in späten Jahren wieder gebraucht für das, was Gegenstand aller Romane ist: das Humane als Zusammenhalt des Wirklichen, als etwas, das nicht notwendig in der sozialen Mystifikation erstarrt. Nicht Prawda, die objektive Wahrheit, sondern »Humanité« im doppelten Sinn von Menschheit und Menschlichkeit heißt schließlich auch das Parteiorgan des französischen Kommunismus, das über den Minister Malraux wenig Freundliches mehr berichtet.

Malraux' spezifischer Antirealismus ist aber nicht nur ein leerer, allgemeiner Satz. Er taucht auf der anderen Seite beim künstlerischen Umgang mit den konkreten Wirklichkeiten wieder auf, und dort erst bekommt er Nuance und Farbe. Die Form des Elliptischen, Reportagehaften ist dem aktiven, formenden Subjekt eine leichtere Last als die herkömmliche Romanfiktion es wäre; doch nur bestimmte, ausgewählte Wirklichkeiten eignen sich zu solcher Verwendung: Krieg, Revolution, heroischer Aufbau der Industrie in der Sowjetunion. Aber solche Gegenstände sind die Ausnahmen; andere, näherliegende Stoffe sind schon vergeben; in Frankreichs bürgerlicher Welt gibt es nach Balzac und spätestens nach Zola nichts Neues mehr zu »inventarisieren«: diese Aufgabe, eine noch in der Bildung befindliche Gesellschaft aus dem Chaos in signifikative Typen einzufangen, rechtfertigt den Sozial-Realismus der Sowjetliteratur wie den Balzacs zu ihrer jeweils bestimmten Zeit, schreibt Malraux 1935[27], kann aber für den Roman in der bestehenden westlichen Gesellschaft nicht beibehalten werden; er muß vielmehr vom Typischen ausgehend das Individuelle suchen und im »inneren Chaos« statt im gesellschaftlichen seine Entdeckungen machen. – Offenkundig ist Malraux' Urteil dabei von seinen persönlich begrenzten Möglichkeiten als Romancier beeinflußt; bei Aragon würde es, wohl zu Recht, anders lauten; auch die sich auflösende spätbürgerliche Welt hat ihre signifikativen Typen. Für Malraux ist so viel klar, daß ihn die französische Außenwelt darum so wenig reizt, weil es im Innen Interessanteres gibt für die Kunst, eben den Menschen als Subjekt, das mehr ist als bloßes Individuum.

Der Antirealismus als Kunstprinzip zeigt wiederum in einer veränderten Blickrichtung, warum Malraux, sobald er anfing, Romane zu schreiben und ihnen eine Kontinuität und »Architektur« geben wollte, die nicht von der äußeren gesellschaftlich-politischen Welt vorgegeben war, notwendig auf den Weg und die Problematik des Autobiographischen stoßen mußte, das eine solche Einheit anbietet. Seine beiden ersten Romane hatten Ich-Erzähler, die aber nicht der zentrale Held sind, sondern jeweils zu ihm aufsehen; die *Nußbäume* am Ende des Romanwerks haben schon das zentrale Ich, das in den *Anti-Memoiren* die verbindende Fiktion vollends abstreift. Bei der Entdeckung der kommunistischen Hoffnung erschien der Selbstausdruck des Einzelnen als stärkstes Instrument der revolutionären fraternité der Bruderschaft, zu der andere gerufen werden sollten; in den Jahren der Krise blieb, wie an T. E. Lawrence beschrieben, nur das tragische Ecce homo mit dem Unterton religiöser Stellvertretung. – Im übrigen aber lassen sich sämtliche Romane Malraux' aus diesen drei Grundelementen gebaut vorstellen: Reportage, herkömmliche Romanfiktion und Autobiographie. Die Krise des Romans bedeutet dann, daß diese Elemente zum Teil abhandengekommen sind – der Gaullismus ist trotz allem keine so faszinierende Realität wie die revolutionäre Politik es war – und daß die verbleibenden zwei sich nicht mehr vertragen. Die Romanfiktion stirbt, es bleibt das Autobiographische, das verwandelt auf lange Zeit in die Meditation über die persönliche Erfahrung der Kunst eingeht. Das sehende, urteilende und wertende Subjekt spricht sich aus, indem es von Statuen und Gemälden handelt; von Objekten also, die es aber in ihren subjektiven Kern, den menschlichen Akt ihrer Entstehung zurückversetzt. Endzweck der Welt ist nicht ein schönes Buch oder Gemälde, sondern Rembrandts zeichnende Hand.[28]

Malraux kann, weil er in der Spannung von Verdinglichung und Subjektivität stehenbleibt und sie auch nicht zugunsten der Kunstdinge aufgibt, keine Ontologie der Werke betreiben. *Die Stimmen der Stille* nehmen hier, was allgemein zu wenig beachtet wird, ein Thema verändert wieder auf, das zur Zeit der *Conditio humana*, also noch vor der tieferen Aufnahme des Kommunismus, Malraux' Begründung des Literaturbegriffs fast ausschließlich bestimmt hatte: tragischer Selbstausdruck als Kritik am verdinglichten Kunstwerk. Im Tragischen, das er auch das »Heillose« (l'irrémediable) nennt, laufen der frühe Nietzsche der *Geburt der Tragödie* und L. Schestow[29] zusammen; bestimmend aber ist in der Hauptsache Malraux' eigene, fast ekstatische Erfahrung des Kunstschöpfungsvorgangs:

Der tragische Dichter drückt das aus, was ihn in Bann zieht (le fascine), nicht um sich davon zu befreien, sondern um es in seiner Natur zu verändern. Denn indem er es durch andere Elemente ausdrückt, läßt er es in das relative Universum der begriffenen und beherrschten Dinge eingehen. Er verteidigt sich nicht gegen die Angst, indem er sie ausdrückt, sondern indem er etwas anderes durch sie ausdrückt und sie so wieder in das Universum einführt.

Auch dargestellter Horror bleibt Horror, und der Künstler bleibt vereinzeltes Bewußtsein und Fragment der ihm feindlichen und ihn »verhöhnenden« Welt, wie Malraux von Faulkner und Guilloux ausgehend – weniger sie interpretierend – schreibt.[30] Die Wahrheit dieses Tragischen aber verbietet dem Kunstwerk die äußere formale Vollendung, da es vielmehr, wie bei Picasso, »das Zeichen einer Entdeckung, Wegzeichen auf der Bahn eines angespannten Genies« ist, »le jalon laissé au passage d'un génie crispé«.[31] Wo das vollendete, gar das »gelungene« Werk beginnt, da hat das Tragische schon ausgespielt, »Äschylus wird Racine, und mit dem Sinn des Schicksals ist es nichts mehr.«[32] Seine zurückhaltende Einschätzung Racines hat Malraux übrigens zeitlebens beibehalten, auch der spätere nationale Kulturpolitiker sieht in ihm nur einen großen Barockdichter, keinen Tragiker; weil die einzige Erinnye, die es bei ihm gibt, das einzige verhängnisvolle Schicksal die Sexualität ist: »Monsieur und Madame ganz allein durch die Macht der Liebe in den verlassenen Bezirk der Götter erhoben«[33] . . .

Wichtiger als diese innerfranzösische Provokation ist die Absage an den überkommenen Begriff des Kunstwerks überhaupt im Namen des tragischen Selbstausdrucks: wenn E. T. A. Hoffmann, wenn E. A. Poe Grauenhaftes erzählte, dann

existierte das Kunstwerk für ihn und hatte den Vorrang vor dem Ausdruckswillen. Zweifelsohne ist es das, was ihn vorläufig am weitesten von uns [den tragischen Autoren der Gegenwart, Faulkner oder Malraux] entfernt. Er schuf Objekte. Wenn die Erzählung beendet war, nahm sie für ihn die unabhängige und begrenzte Existenz eines Staffelei-Gemäldes an.

In einem früheren Text von 1930 ist der Zusammenhang von Malraux' Kritik am objekthaften Werk noch genauer gefaßt und bleibt an der Herkunft dieses seines Gedankens wenig Zweifel mehr:

Für mich ist der wesentliche Unterschied zwischen dem, was das Bürgertum als Klasse heute von der Kunst erwartet und dem, was jede andere Klasse von ihr erwarten kann, der, daß das Bürgertum den Gegenstand (l'objet) erfunden hat. Im Objekt-Roman wie im Gemälde wurde der große menschliche Ausdruck im Griechentum oder in der Gotik ersetzt durch die Sache, die man besitzen kann und die fürs Vergnügen (plaisir) da ist —

wogegen die Kunst für die nichtbürgerlichen Massen wieder human und tragisch werden müsse.[34] Marxens Lehre von der menschlichen Selbstentfremdung, die eben damals erst in Frankreich entdeckt und in die Kulturkritik eingeführt wurde, die Analyse des Fetischcharakters der Ware, steht im Hintergrund, wenn auch bei Malraux ziemlich schnell auf einen durchaus individualistischen Begriff von Kunst, auf seinen persönlichen ›Expressionismus‹ festgelegt. Auch der Selbstausdruck fiel freilich später einem noch radikaleren Anti-Realismus zum Opfer — der Künstler schafft nicht, um sich auszudrücken, sondern er drückt sich aus, um zu schaffen, behauptet Malraux dann —, und doch ist es auch für seinen »reinen« Kunstbegriff der späten Jahre von entscheidender Bedeutung, daß diese eine Front gegen die Verdinglichung und der Vorrang des lebenden, schaffenden Subjekts, oder auch nur des schaffenden Akts, festbleibt. Selbst wo Malraux l'art pour l'art rehabilitiert, triumphieren nicht die Objekte, sondern die sublimierte »Eroberung« als Triebfeder alles menschlichen Handelns, und die Spannung, das Hin und Her zwischen Außen und Innen.

Der Primat der Außenwirklichkeit ist nur der eine Pfeiler der von Malraux überwiegend abgelehnten sowjetischen realistischen Lehre von der Literatur; der andere ist der positive Held, das Leitbild als Typos. Hier hat er weniger einzuwenden, im Gegenteil. Das Heroische ist der einzige Punkt, an dem Malraux statt mit dem Mythos seit 1934 mit der östlichen Realität gegen die kapitalistisch-französische argumentierte: kein Proust und kein Claudel vermöchte aus dem realen Präsidenten Doumergue einen Helden zu machen[35], wohl aber vermag er, Malraux, solches mit dem realen Georgi Dimitroff, dem Freigesprochenen des Berliner Reichstagsbrand-Prozesses von 1934. Diese durchgehende Eigenart von Malraux' Romanen brachte nach seinem Frontwechsel die kommunistische französische Literaturkritik in Schwierigkeiten, aber man wußte sich zu helfen: das *wahre* Heldentum habe Malraux doch nie verstanden; seine frühen Romanheroen seien recht zwiespältig und wenig human – worüber sich durchaus reden läßt. Nur bemerkt der späte Aragon genau dasselbe allgemein von den immer noch hochgelobten Romanen der sowjetischen Bürgerkriegsperiode, und weiter: in der Wirklichkeit, selbst in der revolutionären, kämen die positiven Helden ohnehin nicht vor.[36] – Später, als er selber schon keine Romane mehr schreibt, hat Malraux an Herkules, Prometheus und Achilles, an den »heidnischen« Literaturen der Renaissance und an Corneille des Funktionieren der Heldenverehrung und die konstitutive Rolle der Literatur darin erläutert.

Weder Eroberungen noch Großtaten reichen aus, um den Helden zu erschaffen; er ist eine Person aus dem Irrealen, geboren aus dem Appell an die menschliche Begeisterungsfähigkeit (exaltation); der Held ruft die Begeisterung hervor, weil sie es war, die ihn zum Leben erweckt hat.[37]

Das Mythische und der Wille zur Bewunderung beim Publikum ist notwendige Voraussetzung, »es gibt keinen Helden ohne Auditorium«. – Dennoch aber bleibt, daß Malraux diese Tradition, »das heroische Faktum«, in der sowjetischen Wirklichkeit neu aufleben sah; jemand setzt, wie Prometheus, sein Leben für andere Menschen ein; das, was er verteidigt, ist etwas anderes als die kapitalistische Gesellschaftsordnung.[38] Daß der Held ein Publikum braucht, welches sich selber in ihm sucht, steht in der *Hoffnung*[39], dem Roman, dessen Helden eben durch die Begegnung mit dem Kommunismus am weitesten humanisiert sind, den Aragon vordem bewunderte und den die kommunistische Kritik nach dem Krieg mit Vorliebe verschweigt: die Probleme »zwischen Ethik und Politik«, die Garcia, Scali, Alvear und Manuel aufwerfen, obwohl und während sie in Spanien kämpfen, darf es nicht geben, hier geht die Humanisierung zu weit . . .

Darin, ob ein Autor vorwiegend heroische oder aber unheroische Romanfiguren zum Leben erweckt, kann, wie bei Aragon zu sehen ist, die Funktion des Romans, sein Verhältnis zu den Lesern und zur Zeit überhaupt, auf dem Spiel stehen. Malraux schreibt nicht wie L. Guilloux oder Aragon »negative Fresken«, um sich von der traumhaften Häßlichkeit des Spätbürgerlichen zu befreien; er schreibt vielmehr von den Befreiern aus diesem Zustand. François Mauriac und Aragon können ihre unheldischen Romane wechselseitig revolutionär, respektive christlich »umverstehend« lesen und so ihr eigenes Urteil über die Gesellschaft im Gegner bestätigt finden; sie tun es gelegentlich – Malraux steht in anderer Wahlverwandtschaft, auf die er selber hinweist: die Vettern seiner intellektuellen Helden sind die Landpfarrer bei Bernanos, welche nicht klug und nicht heldisch, sondern schlicht (humbles) und heilig sind.[40] Hier stellt sich der Autor, statt richtend über seine Figuren, bewundernd unter sie, mit den Lesern zusammen, was ihm die Freiheit gibt, selber weder Heiliger noch Held sein zu müssen. Ausschließlich dem, was er bewundert und vor allem, wovon er will, daß man es bewundere, gibt Malraux als Romancier fiktive Gestalt. Er tut dies mit dem doppelten Ziel, mehr Bewußtheit vom Menschen zu gewinnen und zugleich, wie Stendhal, die Menschen zu kennen, »um auf sie einzuwirken«, »pour agir sur eux«.[41] Nur Romangestalten, nicht Essays oder Biographien, dringen über die Barriere des inneren Bewußtseins des Lesers ein, nur durch sie kann »umwertende« Ethik wirksam werden. Deutlich läßt sich beim jungen Malraux zeigen, daß einer der wesentlichen Gründe, warum er vom Essay *Die Versuchung des Westens* (1926) dann zu seinem ersten Roman *Die Eroberer* (1928) überging, der war, daß er Wirkung haben wollte bei einem bestimmten noch prägbaren, d. h. jugendlichen Publikum. Einem Auditorium von konservativen Intellektuellen gesetzteren Alters erklärt er dies 1929 so:

... Ob das Buch (*Die Eroberer*) einen Wert hat, über die Frage bin ich nicht Richter ... ich glaube, sie entzieht sich jeglicher Diskussion, denn es geht gar nicht darum, recht zu haben, sondern darum, ob das von Garine (d. h. dem Romanhelden) gegebene Vorbild als ethische Schöpfung eine Wirksamkeit entwickelt. Entweder es wirkt auf die Menschen, die es lesen, oder es wirkt nicht. Wirkt es nicht, dann gibt es keine ›Frage der Eroberer‹; aber *wenn* es wirkt, dann diskutiere ich nicht mehr mit meinen Gegnern — dann werde ich mit ihren Söhnen diskutieren.[42]

Von der ethischen Schöpfung durch fiktive Romanhelden lehrt Malraux 1935 in anderen Worten noch genauer, die vom Autor auch unbeabsichtigt ausgeübte »Aktion« geschehe durch

eine Versetzung (déplacement) der Gefühlswerte; und zweifelsohne würde das Werk gar nicht entstehen ohne eine dumpfe Notwendigkeit, die Werte zu versetzen.[43]

Umwertung ist das Wesen der Literatur, das Warum des Schreibens; noch mehr als Stendhal ist Nietzsche hier verarbeitet, dessen künstlerisches Geheimnis Malraux gerade darin erblickt, daß er »auf das, was man damals die Haltung der Bestie (la brute) nannte, zurückgriff, um es auf die Höhe Zarathustras zu erheben«.[44] – Malraux' Bemühung der Jahre 1927 bis 1937 ist es dann, neben der Genugtuung am wirksamen Umwerten als solchem ihm auch einen positiven Zielinhalt zu geben, der sich von dem Nietzsches weitmöglichst distanziert, und den er im Anschluß an die Tradition der Jakobiner »fraternité«, Brüderlichkeit, nennt. Zu Anfang, gerade im Helden Garine, überwogen die Züge der Entwertung, des Bürgerlichen wie des Christlichen.

Für wen er schreibt, ist Malraux in den Romanen also immer wichtig, noch bevor Aragon Gides Umstellung des ›Für wen‹ an Stelle des ›Warum‹ lautstark publik macht. Auch der Ansatzpunkt, den Sartre später zur Theorie erhebt, ist in der Umwertung hier schon mitgegeben, wenn auch zunächst nur die subjektive und psychologische Seite daran –, der Versuch, ein neues, außerbürgerliches Publikum zu erreichen, kommt bei Malraux erst als ein zweiter Schritt. Eigentümlich und konkret wird Malraux' Literaturbegriff aber erst durch die Bindung dieser ›Wirksamkeit‹ der Literatur an die positiven Helden, mit welchen der Leser sich identifiziert. Dieses Geheimnis von Malraux' Romanen ist so einfach, daß komplizierte Erörterungen über das Verhältnis zum Publikum wie Aragons dialektische Negativität, Brechts Invektiven gegen die Einfühlung, Sartres Theorie von der wachzurufenden reinen Freiheit des Lesers demgegenüber fragwürdig erscheinen: die Not, keine positiven Helden, d. h. das, was sie eigentlich herbeiwünschen, in menschliche Gestalt bringen zu können, erhebt sich zur Tugend und erwehrt sich der zu hoch hängenden Trauben durch Satire. So seltsam es herauskommt, hinsichtlich des Positiven und der revolutionären Romantik steht Malraux auf dem Standpunkt Andrej Shdanows – des berüchtigten Shdanow, dem die Verantwortung für Aragons verzweifelten Salto hinaus aus dem Pessimismus *Auréliens* hin zur grellen Zuversichtlichkeit der *Kommunisten* zukommt. Malraux stört die fast allgemein anerkannte Auffassung, das tiefste Geschäft der Literatur der Zeit sei die Aufarbeitung des negativen Wirklichen. Negativ ist bei ihm das, worin der Mensch sich vorfindet, sein Schicksal, der Tod; aber positiv ist er selber: die Größe, nicht die Durchschnittlichkeit gibt das Maß des Menschlichen. Diese Humanität aber bedarf bei Malraux besonderer begrifflicher Erhellung.

3. Volk der Statuen und Massenmensch

Malraux' »humanisme« ist ein bewegt-lebendiger Grundbegriff seines Denkens durch alle Entwicklungsstadien hindurch, der Wortgebrauch ist so persönlich, daß er gleichsam erst am Ende des Denkweges durchsichtig wird. Dennoch ist er auch geschichtlich situierbar: der Dialog mit der Tradition unterscheidet ihn vorweg von jenem Humanismus, welcher nach Sartres Lehre auch der Existentialismus sein will. Bei

Malraux kommt all das vor, was zur humanistischen Bildung gehört: die griechische und römische Antike, die Renaissance; Michelangelo als Symbolgestalt der abendländischen Kultur.[45] Weiterhin die mehrfach bemerkten spezifischen deutschen Elemente in der geschichtlichen Interpretation des Erbes der Kultur wie auch der eigenen Geschichtlichkeit; Spengler und der übergesprungene Funke des Historismus, von dem E. R. Curtius spricht.[46] Die Begegnung mit den außereuropäischen Kulturen bezeichnet aber alsbald auch die Distanz zur ›innereuropäischen‹ Universalität, mit welcher sich der Humanismus Curtius' und das deutsche Bildungsideal allgemein noch zufriedengeben: Malraux zieht Konsequenzen aus dem deutschen historischen Relativismus; was ›der Mensch‹ sein kann, hat die europäische Vergangenheit allenfalls angedeutet, nicht etwa normativ schon entschieden. Renaissance und Griechentum sind der Infragestellung und Verwandlung durch die Gegenwart unterworfen. Andere Namen stehen dagegen auf der Seite dieser Gegenwart und bestimmen die Verwandlung mit, Dostojewski vor allem und Nietzsche im Tragischen und der Größe des Menschen oder Übermenschen, die nach dem ›Tod Gottes‹ zur Aufgabe wird.[47] Schöpfung, création, ist das eigentliche Grundelement in Malraux' Humanismus; Schöpfer und in keiner Weise abhängiges Geschöpf zu sein ist Bestimmung und Größe des Menschen, ist jene »grandeur«, welche die »misère«, das Elend, welches ihr in Pascals christlicher Anthropologie die Waage hielt, vergessen macht oder vielmehr sie in das außermenschliche homogene und nicht weiter erforschbare Schicksal verbannt. Dieses Schicksal soll nicht mehr zur Wahrheit des Menschen selber gehören.

Verwandlung oder Metamorphose der Götter ist das Gebot der Stunde; sie ist nicht einfach Religionskritik und Atheismus, wohl aber die Nivellierung des Christentums hinein in die Vielfalt der Religionen, soweit die menschliche »Schöpfung« aus ihnen spricht – was sonst noch aus ihnen spricht, das kann und soll nach Malraux der moderne Mensch nicht mehr verstehen, sondern subjektiv verwandeln in des Menschen schöpferische Selbstbefreiung von den Dämonen. Dabei weiß Malraux im Unterschied zu Nietzsche davon, daß die Christianisierung Europas vor mehr als einem Jahrtausend nicht Unterdrückung, sondern Befreiung des Menschen samt seiner Kultur war; er weiß von christlicher Kunst in seiner eigenen Gegenwart bei Rouault und Bernanos; auch die andere aktive Konzeption von der Einheit des Menschlichen, die die Grenzen des Abendländischen als christliche Mission überwindet, ist ihm nicht unbekannt und klingt in seinen Romanen verschiedentlich an. In der *Conditio humana* (1933) läßt Malraux den lutherischen Missionar in Shanghai dem Terroristen Tschen, seinem einstigen Zögling, begegnen, als dieser mit der Bombe unterwegs ist zum politischen Attentat:[48] diese »Widerlegung« seiner missionarischen Erziehungsarbeit, die im Laufe der Jahrzehnte in Fernost oder in den Staaten

Afrikas ihre Aktualität behält, wird den Missionar wahrscheinlich nicht hindern, weiter auf seine Weise das Humane im Außereuropäischen zu suchen und christlich zu befreien.

Menschliche Schöpfung schließt für Malraux Geschaffensein der Welt und des Menschen aus. Worin Malraux niemals Marxist gewesen sei, ist häufig beschrieben worden, von linken und von rechten Interessenten; daneben ist es aber doch nicht ganz belanglos zu sehen, was seinen persönlichen Humanismus mit dem des frühen Marx verbindet. Ihm war auf lange Jahre die Hoffnung auf die in Entstehung befindliche »sowjetische Kultur« ungefähr das, was Marx die klassenlose Gesellschaft oder der Kommunismus war; vollendeter naturalistischer Humanismus, aufgelöstes Rätsel der Geschichte, Versöhnung von Freiheit und Notwendigkeit, Individuum und Gattung. »Der Bourgeoisie, welche sagte: das Individuum! wird der Kommunismus antworten: der Mensch!« rief Malraux 1934 den Sowjetschriftstellern zu.[49] Was die Würde und Wahrheit des Menschen ist, sollte eine neue Gesellschaft und Kultur entscheiden, nicht die alte. Bei dieser anfänglichen, später verwandelten Prämisse wirft ein anderer, revisionistischer Marxismus auf das Klima von Malraux' Humanismus mehr Licht als Existentialismus und Spengler zusammen.

> Was das dichtende Innen sei, dies geht aus ihm selbst keineswegs hervor. Die Frage ist so müßig und abstrakt wie die verwandte größere, was das ›Menschliche‹ an sich sei, das sozusagen allgemeine daran. Trotzdem lebt das Menschliche ... im marxistischen Denken ... Es geht aber, verwandt dem Dichterischen, obzwar nur als geäußertes faßbar, ja vorhanden, in seine bisherigen geschichtlichen Erscheinungen nicht völlig ein, so daß es darin zu schwebend und noch lange uneingelöst sein dürfte. Es ging das Dichterische in die Gebilde der Ideologie, die es seinerseits im Überbau der bisherigen Kulturen geschaffen hat, nie so formal und ohne eigenen Inhalt ein, daß es mit dem bloßen falschen Bewußtsein — ohne eigentümlich produktive Zutat — sich deckt ...

so schrieb 1935 Ernst Bloch für den antifaschistischen Kongreß zur Verteidigung der Kultur in Paris[50], als außer den deutschen Emigranten auch noch Gide mit von der Partie war; als Aragon für die weit geöffnete geistige Volksfront argumentierte und Brecht dagegen durch klassenkämpferische Grundsätzlichkeit störte, und als der gefeierte Malraux zum erstenmal die fortschrittliche Öffentlichkeit in seine Leidenschaft für die archaischen Kulturen hineinzog. Aber die Wege trennen sich bald: Malraux läßt nach dem Spanienkrieg die kommunistische Hoffnung sterben und kehrt sich dem archaischen Erbe der Menschheit zu, Bloch dagegen hält sich an das Erbe der Hoffnungen der Menschheit, um dennoch die Parusie des Humanen von einer sozialen Zukunft zu erwarten. Verwandt bleiben beide in nichts außer dem Grundthema des Homo absconditus, der Malraux weiterhin nicht losläßt und mit sein Teil dazu beigetragen hat, daß er bei der Meditation über die Kunst allein nicht stehenbleiben konnte, sondern in den *Anti-Memoiren* wieder dem ganzen Menschen nachgeht.

Bei Malraux ist der unerkannt-verborgene Mensch Thema nicht des systematischen Denkens, sondern zunächst des Romans, der seinen Sinn eben in der Erkenntnis des Menschen, seiner conditio und seiner Hoffnung hat. Der Anstoß, den Malraux seit 1933/34 vom Sowjetkommunismus bekommen hat, nimmt im Roman und in einigen umliegenden Entwürfen für eine neue Totalkultur Gestalt an; die Frage nach dem Humanum identifiziert sich so sehr mit der nach der revolutionären Kultur, daß folgerichtig die Krise von Malraux' Kommunismus auch seinen Humanismus und schließlich die Literatur fraglich macht, welcher er die Erkenntnis des Menschen zum Ziel gegeben hatte. »Kultur« und »Humanismus« sind bei Malraux synonym und austauschbar, zwei Seiten einer Sache; die Wandlungen in Malraux' Verhältnis zum Menschen werden nur in seinem gewandelten Verhältnis zur Kultur greifbar und umgekehrt. Das kulturpolitische Engagement unter de Gaulle steht auf diesem Hintergrund, auch wenn es sich an Malraux' früherer Erwartung gemessen als recht bescheiden geworden ausnimmt. Drei Etappen seiner Gedankenentwicklung sind es, die den Umriß dieser innigen Verbindung der Kultur mit der Humanität erscheinen lassen: 1. die revolutionäre Kulturhoffnung, 1934–1937; 2. der Zerfall der Einheit des Humanen in Kultur- und Bildungsgegensätze, 1937–1942; und 3. die unvollkommene Rettung ›des‹ Menschen durch die Künstler, 1946–1951.

1. Sporadisches Interesse an einer Kultur und einer Kunst, welche, um die Massen wieder zu erreichen, nach Malraux menschlich und tragisch sein müßte, findet sich bei ihm seit 1930.[51] Aber erst die offene Zuwendung zum Kommunismus und der sowjetische Schriftstellerkongreß 1934 geben ihr Konturen. Auch dort verteidigt Malraux das Tragisch-Humane als notwendiges Thema auch einer revolutionären Kultur, er fordert von den Sowjetschriftstellern mehr psychologische Wahrheit, um die Hoffnung glaubhaft zu machen. Daß die sowjetischen Arbeiter jetzt, um »leben zu lernen«, Gorki und Tolstoi lesen, begründet die Erwartung des sowjetischen Humanismus und der »totalen Kultur«, wie sie im kapitalistischen Westen nicht mehr vorstellbar ist; Kultur der lebenden Menschen als die Vermittlung zwischen marxistischer Lehre und einer neu ermöglichten Kunst. Der Individualismus ist überwunden, auch als Haltung des Künstlers, es gibt für ihn eine Solidarität und Brüderlichkeit, wie es sie vordem in den religiösen Kulturen gegeben hatte. Solche Brüderlichkeit aktiv zu fördern, wird zur Möglichkeit des Künstlers.[52] Gegen zwei Fronten baut Malraux seine Konzeption 1935 im programmatischen Vorwort zur *Zeit der Verachtung* aus: gegen Flaubert, die angebliche Unparteilichkeit

des Romanciers und, verdeckter, gegen Aragons klassenkämpferischen »sozialistischen Realismus«. Gegen beide richtet sich die Spitze des berühmten Satzes:

Man kann auch für gut befinden, daß der Sinn des Wortes ›Kunst‹ sei: versuchen, den Menschen Bewußtsein zu geben von ihrer unerkannten eigenen Größe (tenter de donner conscience à des hommes de la grandeur qu'ils ignorent en eux).

Malraux, der sich zur gleichen Zeit wie Aragon sehr für die Befragung des Publikums interessiert, unternimmt diesen Versuch mit dem außerbürgerlichen Publikum der Arbeiter, denen die bürgerliche Literatur sonst nichts zu bieten hat. Ihnen will er aus den Entfremdungen heraus ihre eigene menschliche Größe zeigen.

Das Buch, in welchem Malraux dieses Programm sowohl erfüllt als auch modifiziert, die *Hoffnung*, ist innerhalb seines Romanwerks das bedeutendste. Die Entstehungsursache und der Sinn des Titels war die Hoffnung für Spanien, es noch – im Herbst 1937 – Franco und dem Faschismus entreißen zu können.[53] Nur eine detaillierte Interpretation könnte die situationsbedingt wenig geordnete Stoff- und Ideenfülle erschließen. Je heftiger der politisch-militärische Kampf ist, um so mehr setzt er im kämpfenden Intellektuellen die Seiten frei, die im Engagement nicht aufgehen, ohne die aber die »Qualität des Menschlichen« nicht bewahrt werden kann; Malraux nimmt vielschichtig-tiefsinnig den Übergang vom Engagement zur Zeugenhaltung vorweg, wie ihn zehn Jahre später Camus in der *Pest*, und zwanzig Jahre später Aragon in der *Karwoche* je in einem Künstler-Helden verkörpern. – Einerseits wird also in der *Hoffnung* um der Ganzheit des Humanen willen, das der Kampf nicht garantiert, ein neues »Zeitalter des Fundamentalen«, des denkenden und forschenden Suchens nach dem Menschen ausgerufen; andererseits ist es aber gerade die Menschenwürde für alle, die Ganzheit einer Kultur für Spanien, die Bauern und Gelehrte, Revolution und christliches Erbe vereinen würde – ganz Spanien als Rohmaterial, als ein alter Grabstein, aus welchem der schöpferische Wille die neue Skulptur befreien wird –[54], worauf die Kämpfenden ihre Hoffnung gesetzt haben und was immer noch ihren Einsatz begründet.

Die Garantie für eine Politik des Geistes ... sind nicht unsere Theorien, sondern ist unsere Gegenwart hier und jetzt. Die Ethik unserer Regierung hängt von unserer Anstrengung, unserer Zähigkeit ab. Der Geist [eines Landes] ist nicht die geheimnisvolle Notwendigkeit eines Unbestimmten, er ist das, was wir aus ihm machen werden.

So könnte der Kulturpolitiker Malraux unter de Gaulle sagen, so läßt er aber Garcia, den zentralen Helden und Weisen seines Romans zum Zweifler Scali sprechen, der an die totale Kultur schon nicht mehr glaubt und dem der Gang der Geschichte später recht gegeben hat.[55] Im 20. Jahrhundert ist das aktive Machen der Kultur durch die Politik wichtiger als das beobachtend-passive »Sein«, die Seelenkultur des Individuums; nur so erklärt sich die seltsame Konstellation, in welcher Garcia-Malraux in einer indirekten Stellungnahme zum antifaschistischen Schriftstellerkongreß 1937 in Madrid André Gide wegen seines eben gegen Malraux' Rat veröffentlichten Rußlandbüchleins als »unmoralisch« attackiert und Stalin, der nicht nur Politik machen, sondern zugleich die Menschen »leben lehren« will, gegen ihn verteidigt.[56]

2. Den äußeren Anlaß für Malraux' Bruch mit der revolutionären Hoffnung gab der Hitler-Stalin-Pakt im August 1939; die inneren Gründe sucht man gemeinhin und zu Recht in dem 1942 entstandenen Romanfragment *Die Nußbäume der Altenburg* auf. Verschiedene andere Texte der Jahre 1937–1939 geben dem, was Malraux in der *Hoffnung* des Plädoyers wegen nicht sagen konnte, schon früheren Ausdruck. Seine eigene politische Krise macht ihn hellsichtig für die, in welche einst T. E. Lawrence nach seiner großen politischen Unternehmung geriet; Texte über den Film und über Laclos[57] beschäftigen sich intensiv mit dem Mechanismus des Mythos, seiner Wirksamkeit und seiner Kraft, Niederes und Hohes, also auch den Kommunismus, zu nivellieren. Humanität erscheint mehr als Rätsel denn als Bekenntnis; die Zeit des Fundamentalen ist, wenn kein präziser Begriff für eine Epoche, so doch ein Faktum in Malraux' Biographie. In den knappen Aufsätzen zur Kunstpsychologie von 1937/38 findet sich neben wichtigen Aufschlüssen darüber, aus welchem revolutionär-politischen Anlaß Malraux über das Kultur-»Erbe« zu reflektieren begann[58], der eigenartige Satz »Allein das Volk der Statuen ist würdig, gerettet zu werden«[59] – nur die Plastiken an den Kathedralen sind sündlos rein, um im Jüngsten Gericht zu bestehen, nicht das wirkliche Volk, das die Kathedralen füllte. Seltsam ist der Satz bei einem Schriftsteller, der sich die Wirkung seiner Bücher auf die revolutionären Massen noch kurz zuvor wie die Wirkung der mittelalterlichen predigenden Mystiker vorstellte und wünschte.[60] Aragon fragt, von dunkler Ahnung berührt, 1938 schon, wie dieser Satz zu einem paßt, der eben noch sein Leben für das wirkliche spanische Volk aus Fleisch und Blut eingesetzt hat – als Malraux 1946 den selben Gedanken wiederholt, bekämpft Aragon im steinernen Volk der Statuen den massenfeindlichen, entleerten und verbrecherisch abstrakten Humanismus des abtrünnig gewordenen Bundesgenossen von einst.[61]

Natürlich hat Aragon in seiner böswillig-simplifizierenden Interpretation unrecht; aber der Zwiespalt, den er schon in seinen Anfängen 1938 bei Malraux ahnte, besteht, und die *Nußbäume der Altenburg* sind eine Erörterung zu diesem »fundamentalen Rätsel« des Stoffes der wirklichen Menschheit, des Nußbaumholzes, aus dem man Statuen schnitzen, das man aber auch als Brennholz verwenden kann. Nur darum sind die Spenglersche Kulturmorphologie und der Historismus als die Frage nach der Permanenz des Menschlichen durch die Zeiten so sehr in den Vordergrund gerückt, weil die Hoffnung auf eine eben jetzt zu erbauende totale Kultur zerbrochen ist, weil es nicht gelang, in revolutionärer Größe die Identität ›des‹ Menschen herzustellen, und weil gerade der gescheiterte Versuch den unüberbrückten Abgrund zwischen Intellektuellen und zeitlosen Massenmenschen neu ins Licht gerückt hat.[62] Schon der Held der *Hoffnung*, Garcia, war – um die latente Entfremdung zu symbolisieren – im Zivilberuf Ethnologe und sah die spanischen Bauern wie Indianer oder Moslems an;[63] nun werden dem Ich-Erzähler der *Nußbäume* die unrasierten Mitgefangenen im Lager von Chartres zu »gotischen Menschen« und betrachten die Gelehrten auf der Altenburg die elsässischen Forstarbeiter aus gleicher Distanz wie die Fellachen im alten Ägypten; nun läßt der Erzähler seinen Vater an der deutschen Ostfront unmittelbar vor dem Gasangriff gegen die Russen als die »Stimme des Volkes« die aufreizend belanglosen, abergläubischen und kindischen Reden der einfachen deutschen Soldaten belauschen. Ein junger Soldat plaudert nicht mit, sondern ist still in die Lektüre eines Buches versunken. Die Bedeutung des geschilderten Details ist unübersehbar. Der Angriff beginnt, die Kompanie rückt nach, Vater Berger hebt das liegengebliebene Buch auf: *Die Abenteuer der drei Pfadfinder . . .*[64] Kein Bedarf also an »leben zu lernen« und Enthüllung menschlicher Größe; selbst in der Grenzsituation hat Literatur für das Volk nur die Kraft der Ablenkung vom tragischen Wirklichen. Die Masse, das Volk, ist nicht mehr virtuelles, erstrebtes Publikum für den Schriftsteller Malraux, dafür aber um so mehr der Antrieb zum Schreiben, der Stachel in der Frage nach dem Menschen.

Der Sinn der *Nußbäume* liegt wie im Wechsel von Kriegs- und Friedensszenen, so auch im Wechsel von sozialer und kulturmorphologischer Frage nach dem Menschen, und nicht in dieser allein. Spengler und die Diskontinuität triumphieren über Hegels Weltgeist; der einzelne Mensch ist nur verschwindender Ausdruck der ihn gänzlich umklammernden Kultur, nicht umgekehrt. Wiederum innerhalb dieser Erörterung, die alles feste Wissen über ›den‹ Menschen destruiert, gibt Malraux den Lesern indirekt Mitteilung davon, warum es ihm, nachdem er nicht mehr an die Enthüllung des homo absconditus durch die Revolution glaubt, unmöglich sein wird, weiter Romane zu schreiben. Über zehn Seiten hin verteilt er mit Vorbedacht auf vier Sprecher mögliche Grundpositionen zum Problem der Literatur.[65] Der eine (Rabaud) glaubt unerschüttert an die Macht des Genies von Sophokles bis Dostojewski, die ewige Identität des Menschen herzustellen und zu ergründen; der zweite (Thiard) hält sich bescheidener an die Literatur als Psychologie, Charakterologie, die sich von nichts Menschlichem mehr überraschen läßt; aber beide stehen sie außerhalb des »banalen Geheimnisses des Menschlichen«, welches Vincent Berger in der mißlungenen politischen Aktion und in der Begegnung mit östlichen Kulturen aufging: weder die Psychologie noch der Mensch als Mitte ist der Literatur notwendig; ein universaler Begriff von Kunst bedarf einer anderen Begründung. Die vierte Position, vertreten vom deutschen Kunsthistoriker Stieglitz, baut ihr Wahrheitsethos im genauen Gegenzug zum »großen Taschenspielerkunststück« (le tour de passe-passe) auf, dessen sich alle großen Romanciers schuldig gemacht haben und das, wie es scheint, von ihrer Gattung überhaupt nicht zu trennen ist: daß die Psychologie, die einzelnen unbestreitbaren Erkenntnisse der Introspektion letztlich in den Dienst einer willkürlichen, je individuellen »Predigt« des Autors durch seine Personen hindurch gestellt werden, um sie zu beglaubigen. Alle leugnen sie die fundamentale Fremdheit des Menschlichen, von der umgekehrt die Wissenschaft der Kulturen ausgeht: Malraux sieht sich also um der Wahrheit des Menschen willen veranlaßt, von der »Predigt« der menschlichen Größe im Roman überzuwechseln zur »hellsichtigen Entfremdung« der Kultur- und Kunsthistorie.[66]

3. Damit beginnt für Malraux, wie für Max Scheler, das Zeitalter, in dem der Mensch nicht mehr weiß, was er ist.[67] Es gibt für die *Stimmen der Stille* (1951) einen Zusammenhalt des Menschlichen, aber er ist unerkennbar, auch für die Kunst. Ein neuer Humanismus kann auf der Basis der Kunst-Dinge, der Objekte, allenfalls vermutet, nicht aber formuliert werden. Der Schlüsselsatz des 4. Teils, »Die Münze des Absoluten«, und hinsichtlich der Fragestellung nach dem Humanismus das resignierte Bekenntnis der ganzen umfangreichen Kunstmeditation lautet:

> Die moderne Kunst weiß nicht mehr, was eine exemplarische Idee vom Menschen sein kann, doch sie läßt uns häufig eine exemplarische Idee vom Künstler ahnen.[68]

Der Künstler ist noch, oder in seiner Absolutheit jetzt erst, greifbar; aber der Mensch, die Humanität, nach der Malraux sucht, ist es nicht mehr. Unhaltbar wurde nach dem seit Nietzsche offenbaren ›Tod Gottes‹ das italienische, schöne, katholische Bild des Menschen; die tragische Christlichkeit, Pascal und Rembrandt, der frühe Protestantismus sind eher noch zeitgemäß, doch bei weitem nicht so aktuell wie die primitive, barbarische und dämonische Kunst aller Zeiten und Kulturen: nach den Weltkriegen, nach dem Ausgang der wissenschaftlichen und revolutionären »Zeit der Hoffnung« ist sie allein geeignet, in der europäischen Gegenwart das Bewußtsein vom Irrationalen und Tragischen wachzuhalten, den Betrug hinwegzureißen, mit welchem eine äußerlich geordnete Kultur das dunkle Schicksal verstellt hatte. Malraux sieht nicht mehr in der Romanfiktion das Mittel, eines Menschen »inneres Bewußtsein« über die alltäglichen Schranken hinweg zu erreichen; die »Zeichen« und schließlich die »Sprache«, durch welche der Mensch mit dem Absoluten kommuniziert, sind die Bildwerke; die Sprache der Worte, in welcher Kunst und »Erfahrung« immer nur vermischt vorkommen, nicht in der Reinheit der »Schöpfung« in Form und Farbe, ist zu einem Umweg geworden, zur sekundären Vermittlung. Der Schriftsteller erhebt seine persönliche visuelle Empfindungsfähigkeit zum ausschließlichen Instrument seiner Erfahrung des absolut Wirklichen und damit zur Schicksalsbewältigung. Er spricht, um die Worte für die »création« zu finden, welche die Künstler selber nicht haben; um durch pathetische Teilnahme, adhésion, die Stimmen der Stille vernehmbar zu machen.

Dabei spricht Malraux nicht mehr für alle, für Massenleser; er schreibt bewußt schwierig, für ein begrenztes Publikum. Darin unterscheidet er sich von den engagierten Unternehmungen Sartres, Camus' und Aragons in denselben Jahren des Kalten Krieges, die alle auf ihre Weise, wie er, den Nihilismus der Zeit bekämpfen und die Menschen von den falschen zu den »wahren Problemen« hinziehen wollen. Seit 1948 nennt Malraux mit Nietzsche die, für die er erst sprechen wollte, Nichtkünstler: sie sind unfähig, durch Gefühlsausdruck und Inhalte hindurch zu sehen auf die Formen, auf die es ankommt. Große Gefühlskunst hat es je und je gegeben, Grünewald, Michelangelo und Rembrandt, Beethoven und Victor Hugo, doch darf sie in keiner Weise zur Theorie und Norm des Wesens der Kunst erhoben werden:[69] genau dies war es aber gewesen, was Malraux mit Brüderlichkeit und Enthüllung menschlicher Größe 1935 so ausdrücklich getan hatte. In den *Stimmen* führt er seine Argumentation historisch weiter[70], der Zusammenhang mit seiner eigenen enttäuschungsreichen Schriftstellervergangenheit ist fühlbar: seit der Zeit, als die Malerei absolut wurde, um 1860, gibt es keine Volkskunst mehr; die »Verführung« als Anfang der Befriedigungs-, gar Antikunst hat schon früher angefangen, bei Raffael, Rubens und im Jesuitenbarock; in der Literatur führt der Weg des Trivialen von Hugo hinunter zu Dumas und Ponson du Terrail, dem Vorläufer der *Fantomâs*-comic-strips. Leidenschaftlich und bitter klingen Malraux' Worte über die Massen:

> Es ist falsch zu glauben, daß die Gefühle, welche die Massen von den Mitteln der Kunst erwarten, notwendig tief seien. Der Mann, die Frau, die während der Résistance so vielen brüderlichen Unbekannten verbunden waren, erwarten, wenn sie ins Kino gehen, mehr eine unwirkliche Romanwelt als den Ausdruck ihrer Bruderschaft; die Freuden des Romanhaften aber verbinden die Menschen nicht, sondern isolieren sie ...
> Von moderner Massenkunst reden heißt weiter nichts als den Sinn für die Kunst mit dem Sinn für die Brüderlichkeit irgendwie vereinigen zu wollen, und mit Worten zu spielen —[71]

Konsequent widerlegt hier Malraux seine einstige Vorstellung von der totalen Kultur, der genaue Gegenpol seines einstigen revolutionären

Ideals ist erreicht; der schlechte Geschmack der Durchschnittsmenschen ist die Erläuterung zum steinernen Volk der Statuen, das allein Rettung verdient. Ohne diesen tiefen Bruch mit der modernen Massen- und der romantischen Gefühlskunst bleibt der Kunstbegriff der *Stimmen* unverständlich; aber eben weil »der Künstler« weniger ist als »der Mensch«, findet Malraux auch in dieser pessimistischen Retraite keine Ruhe auf Dauer. Das neue kulturpolitische Engagement – die Einrichtung von »Häusern der Kultur« in der französischen Provinz; das Schauspiel, daß französische Bauern stracks vor Gemälden von Braque stehen bleiben und nicht lachen, »c'est tout de même très impressionant«, es kann nicht ohne Wirkung bleiben auf Malraux' Begriff von Kunst.[72] In den *Stimmen* verstehen die Massen nicht, *weil* die Kunst so abstrakt ist; aber umgekehrt, weil Malraux' heroisch-humane Bücher bei den Angesprochenen einst so wenig Echo gefunden hatten, *deshalb* hatte sich für den Künstler Malraux vorübergehend Sinn, Funktion und spezifisches Wesen der Kunst aus dem Sozialen in das Absolute und in die Formen zurückgezogen.

Der Roman als die Form der Literatur, welche zugleich Instrument der Erkenntnis des Menschen ist, war nach den Entdeckungen der *Nußbäume*, daß alle Erkenntnis der Romanciers, einschließlich Malraux' eigener, »Predigt« ist, aus der Krise nicht mehr herausgekommen. »Der Roman ist tot«, sagt er um 1958;[73] zehn Jahre später dann weniger pathetisch: der Roman ist angegriffen, es geht ihm nicht gut, weil die Konkurrenz auf allen Gebieten, Film, Presse und Dokumentation, ihn überrundet. Faulkner und Hemingway waren gegen Ende ihres Lebens des Romans müde, Sartre hat den seinen nicht vollendet.[74] Zugleich aber betont Malraux die Kontinuität einer durchgehenden »Meditation« in allen seinen Büchern; die Formprobleme der *Anti-Memoiren* sind von denen der früheren Romane nicht grundsätzlich unterschieden; sie werden »einen gewissen Rand aus Fiktion« haben; der verbissene Kampf gegen Darstellung, Ausdruck und Fiktion im Namen der ›reinen‹ Kunstschöpfung gilt also nicht mehr. Noch 1946 hatte Malraux innerhalb des französischen Romans eine »Rückkehr zum Menschen« angekündigt; die Aufforderung, den Nouveau Roman zu würdigen, lehnt er 1967 in großer Knappheit ab; offenkundig ist ihm die Generation Sartres und Camus' immer noch interessanter. Mit ihr gibt es in der Auffassung des Romans genügend Gemeinsames, um an den Punkten der Divergenz die letzten fehlenden Züge für die Eigenart von Malraux' »humanistischer« literarischer Theorie herauszustellen.

In Sartres Literatur-Essay von 1947 bestimmt die Generation der metaphysischen Romanciers in Frankreich, deren Thema die Grenzsituationen sind, in welchen jeweils der Mensch »neu erfunden« werden muß, aus ihrem Gegensatz zu einer literarischen Generation der »mittleren Situationen«, welcher der Druck der Geschichte im Krieg und die Massenvernichtungslager noch unvorstellbar waren.[75] Auch Malraux kennt, wie noch zu zeigen sein wird, einen solchen Gegensatz, eine Schwelle der Gegenwart, versteht sie aber nicht als Bruch überhaupt mit der Tradition, sondern zugleich als Rückkehr zu einer anderen Tradition: Dostojewski, Cervantes und Defoe als drei große Beispiele haben auch nicht nur von — und für — mittlere Situationen geschrieben, sondern fanden, als sie von der Grenze der Einsamkeit zurückkamen, die Menschen

lebendig und absurd ... Menschen, die leben können, indem sie vergessen, daß es irgendwo das Zuchthaus und den Pranger gibt —

welches Vergessen sie eben durch ihre Bücher den Lesern schwerer machen wollten. — Der Front der bourgeoisen Verbraucher-Literatur, der Sartres erbitterter Kampf gilt, begegnet Malraux gelassen, weil ihr Gegenstück, die Romane mit dem Thema des Menschen, durchaus nicht erst im Zweiten Weltkrieg vom metaphysischen Himmel in die französische Literatur gefallen sind; weil sie auch nicht, wie Camus behauptet, erst durch die modernen politisch-kollektiven »Leidenschaften der Zeitgenossen« möglich werden. Vielmehr gibt es ein älteres europäisches Erbe, mit dem diese Werke sich vertragen und dem sie ihrerseits ein neues Gesicht geben. Werke von Cervantes oder Dostojewski können noch heute »den Menschen leben helfen«: es gibt also einen literarischen Bildungshumanismus, der nicht wie der von Sartre bekämpfte Wirklichkeitsflucht ist.

Für Sartre und teilweise für Camus ist der Zweite Weltkrieg die Wiederlegung der analytischen Romantradition bis hin zu Proust. Auch Malraux sieht in der »synthetischen« Schau des Menschen das Neue seiner eigenen Romane, aber er macht dieselbe nicht etwa von seinen eigenen nachchristlichen Überzeugungen abhängig wie die Jüngeren; er findet sie auch in den theologischen Romanen Georges Bernanos'.[76] Die Einfachheit des Fragens nach dem Menschen ist selber geschichtlich vermittelt, sie hat Analogien wie die spätbürgerliche Komplexität der Literatur auch:

Die urchristlichen Bücher sind nicht komplex. Sie sind dicht und stark. Verglichen mit den Autoren des 14. Jahrhunderts ist Paulus durchaus nicht komplex.

Als Malraux dies 1935 sagte[77], glaubte er, die großen, neuentstehenden Kulturen seien nicht bloß ferne Vergangenheit, er sah auch die entstehende Sowjetkultur in solchem Morgenlicht. Die für objektiv genommene und nicht nur, wie bei Sartre, bloß als Darstellungsprinzip an das Bestehende methodisch herangebrachte Utopie war es auch, die Malraux einen größeren Spielraum gab sowohl von dem, wovon, als auch in der Relation zu denen, für die geschrieben werden sollte. Malraux weiß, daß die Lektüre einer Literatur der Grenzsituationen nie einfach ein Appell an die »Freiheit« des Lesers ist –

das Entscheidende ist, die Welt der Einsamkeit in Besitz zu nehmen; in Eroberung zu verwandeln ... was erlitten wurde ... Die Kunst lebt aus ihrer Funktion, welche ist, den Menschen zu erlauben, ihrer menschlichen Bedingtheit zu entgehen, nicht durch Evasion, sondern durch Besitznahme des Schicksals.[78]

Haben und Besitz aber, und sei es der des Schicksals, sind für Sartre wesentlich nur noch Erscheinungsformen der bürgerlichen Entfremdung des Menschen. Camus optiert eher für die andere Seite und spielt in der Kunst durch das Sein mittelbar wieder das Haben gegen das Machen aus, doch statischer, d. h. der Dialektik beraubt, in welcher es bei Malraux ausgehalten ist. – Malraux kommt es darum nicht, wie Sartre, in den Sinn, zum Zweck der Aktivierung des Publikums nun die asketische Einengung der Themen der Literatur auf »Machen, Praxis, Konstruktion« zu fordern: Robinson, »die schreckliche Macht der Arbeit«, steht bei ihm zwischen der Macht des Traums und der der Demut; zwischen *Don Quichotte* und Dostojewskis *Idiot*.

Umgekehrt wäre aber eine Krise der Literatur als Krise der Erkenntnis des Menschen und der revolutionären Hoffnung, wie sie Malraux in den *Nußbäumen* niedergelegt hat, bei Sartre nicht denkbar. Was Malraux entdeckt: daß der Roman darum nicht neutrales Erkenntnisinstrument sein kann, weil die geheime letzte Triebfeder doch immer das subjektive Werten und Umwerten des Autors ist, die »Predigt« bei Dostojewski nicht anders als bei der Tradition des homo faber von Defoe bis hin zu den sowjetischen Realisten – alles das ist bei Sartre sozusagen schon im Ausgangspunkt mitinbegriffen und in der Lehre des Engagements und der Freiheit systematisiert. Weil der Mensch frei ist, darum predigt *jedes* Tun sich selber und ist absolut in aller Relativität. Doch gerade Malraux als Gegenüber macht fühlbar, wie teuer bei Sartre diese Einsicht in den Romanen und Dramen bezahlt ist. Auch Camus sträubt sich gegen die Freiheit als exklusive Wahrheit des Menschen, mit wechselndem Erfolg. Für den *Fremden* hatte sich Malraux 1941 begeistert und bei Gallimard seine Veröffentlichung durchgesetzt; ob die *Pest* ihm noch imponierte, ist fraglich; daß der *Mensch in der Revolte*, in bestimmten Aspekten das Pendant zu den *Stimmen der Stille*, ihm mißfiel, ist bekannt.[79] Auch Camus ist als Schriftsteller über die abstrakte Freiheit des Menschen, die er bei Sartre bekämpft, nicht immer hinausgekommen; Malraux' Gegenbewegung noch in der Kunstmeditation ist weniger die einer größeren geistigen Originalität als vielmehr die eines Instinkts der Verwandlung und Konkretisierung in aller Reflektiertheit, der bei seinen Nachfolgern so nicht mehr da ist.

Seine Philosophie, sagt man, ist ihm nicht persönlich eigen. Wir dürfen nicht vergessen, was sie Nietzsche verdankt. Gedanken, die er in sich hatte, waren schon ausgesprochen. Da er sie aber nicht aufgeben konnte ohne aufzuhören, er selber zu sein, verwandelte er sie so lange, bis sie Leben bekamen (il les transforma si bien qu'il leur donna vie).

Dieser Satz, den Malraux als Zwanzigjähriger schrieb, um die Kunst des von ihm hochverehrten Meisters Gide zu begreifen[80], steht mit noch größerer Berechtigung als ein Vorausblick vor seinem eigenen späteren schriftstellerischen Werk. Literatur ist erst die Verwandlung dessen, was in sich allein nur das dünne Leben des Gedankens hat; der Mensch und die abgegriffene Münze der Humanität, die bei jedermann in Gebrauch ist, ist bei Malraux kein fertiges Bekenntnis, auch nicht nur das Pathos der ›Frage nach‹ dem Menschen[81], sie ist vielmehr ein bewegter Horizont, ein Sinn zur Abwehr alles dessen, was nicht »lebt«, was folglich auch keine große Kunst der Sprache ist. Hierin liegt Malraux' Bedeutung für die Literatur und für den Roman; noch neben Sartre und vielleicht über ihn hinaus. Freiheit oder, in Malraux' Terminologie, Predigt ist nicht die ganze Wahrheit vom Menschen; sie würde allein noch das Engagement erlauben. Aber es gibt andere, ungepredigte Wahrheit vom Menschen; darum ist der Literatur auch Zeugentum möglich. Mit der »Predigt« liegt in der Literatur weiterhin das Bewußtsein, das nur für sich selber engagiert ist, im Streit. Nach Malraux beginnt im Drama und im Roman allzu häufig vor der Frage nach dem Menschen das selbstgenügsame Spiel der Begriffe, die Dialektik; bei Malraux aber ist die Literatur noch nicht einfach ancilla anthropologiae: es knackt in den Fugen des Romans, aber es klappert noch nicht.

4. Raskolnikoff und der Komsomolze

Vorrang des Subjekts vor der Außenwirklichkeit, der Roman trotz aller »Predigt« auch ein Instrument zur Erkenntnis des Menschen in seiner conditio – damit ist aber Malraux' Verhältnis zu den Grundproblemen des Romans noch nicht vollständig umschrieben. Als drittes Moment gehören hierzu Revolution und Krieg, nun nicht als allgemeines Charakteristikum unserer Zeit, sondern als fast ausschließlicher Stoff seiner sechs Romane. Er selber läßt sich keinem der drei Grundthemen zuordnen, die er 1936 durch Defoe, Cervantes und Dostojewski einer humanen Literatur zum Maß gegeben hatte: Arbeit, Traum und Demut. Da er als Deuter der Tradition wie der gegenwärtigen Möglichkeiten über seinen Schatten hinaussieht, ist es gerechtfertigt, das Kriegerische, das lange Zeit den Blick auf alles übrige an ihm versperrt hat, zunächst bei der Darstellung seines Literaturbegriffs wie eine Hülle abzustreifen. Aber er selbst erhebt sein persönliches Thema ins allgemeine durch die begriffliche Unterscheidung vom Tragischen des Krieges und dem des Friedens, von Kriegs- und

Friedensliteratur; zur letzteren gehören Dostojewski, Cervantes und Defoe alle zusammen. Malraux betrachtet sie aus Distanz, von der anderen Seite aus – oder vielmehr, er behält von ihnen nur die Erfahrung des Gegenteils von fraternité als menschlicher Solidarität: Pranger, Katorga, Gefängnis, von ihm noch ergänzt durch die modernen Gestalten der Folter. Weiter geht er ihren Weg nicht mit, sondern sucht seinen eigenen, in einer Richtung, der man nicht ganz ohne Mißtrauen folgen kann, das heißt, wo man sich fragen muß, warum man ihn liest und wem man ihn zur Lektüre empfehlen möchte. Ein Autor, der unter allen extremen Situationen immer wieder auf dieselbe zurückkommt, den Kampf des Menschen gegen den Menschen; der den Krieg nötig hat, um philosophisch zu werden, setzt sich dem Argwohn aus, daß auch sein Kampf gegen die Barbarei und die künstlerische Inbesitznahme dieses Kampfes selber inwendig der Barbarei verhaftet bleiben. Woran soll man erkennen, daß die männliche Bruderschaft Rückkehr von den Grenzen ins Humane ist und nicht vielmehr der Triumph des zweideutigen Nietzsche, der die Bestie preist? Die Frage stellt sich objektiv, vom Gang der europäischen Geschichte aus seit der Zeit, als Malraux Kriegsliteratur zu schreiben begann; durch die Ausmaße der Barbarei des letzten Krieges bekommen seine Romane rückblickend einen anderen Sinn als sie ihn 1928, 1933 oder 1937 noch hatten. Von den französischen Schriftstellern seiner Generation hat es Malraux notwendiger als Sartre, in die Erörterung hineingenommen zu werden, ob die Schilderung des Heroisch-Menschlichen und des Grauens einseitig, in den Märtyrern und Opfern, sein darf oder ob nicht durch Stilisierung »der Völkermord zum Kulturbesitz« wird und die vorgebliche Aufarbeitung der nahen Geschichte es insgeheim erleichtert, »mitzuspielen in der Kultur, die den Mord gebar«.[82]

Es scheint, als sei Malraux im Rückblick der *Anti-Memoiren*, deren Strukturprinzip die stichworthafte Wiederaufnahme der Romane ist, eben dieser Frage ansichtig geworden. Der letzte Teil des erschienenen ersten Bandes gliedert sich unter »La Condition humaine«, dem mehrschichtigen Thema dieses Romans entsprechend, in zwei ungleiche Kapitel; das erste berichtet von China und Mao Tse-tung, der soviel Weltgeschichte gemacht hat wie sonst im gegenwärtigen Jahrhundert nur Lenin; das zweite handelt, zugleich als Abschluß des Buches, von dem »geheimen Richter« aller angesammelten Erinnerung, dem Dialog des menschlichen Wesens mit der physischen Qual, der Folter (supplice), der tiefer sei als der Dialog des Menschen mit dem Tod.[83] Malraux spricht hier, wie er wiederholt vermerkt, nicht aus der eigenen Erinnerung, sondern von der anderer, die er nach dem letzten Krieg befragt hat. Von dem zu Tode gequälten Résistanceführer Jean Moulin wird berichtet, dann in unverbundenen einzelnen Szenen aus den Vernichtungslagern Dachau und Ravensbrück, wiedergegeben von überlebenden französischen Häftlingen, mit der Andeutung am Ende, das geschichtlich Neue der nationalsozialistischen Barbarei sei die planmäßige »Degradierung« des Menschlichen — wovon schon *Die Zeit der Verachtung* (1935) handelte; ebenso neu und rätselhaft sei aber die Widerstandskraft des Humanen, die sich dieser Degradierung entzogen habe. Schließlich versucht Malraux aus seinen Gesprächspartnern herauszubringen, wie sich ihre Rückkehr in den Alltag des Friedens vollzogen habe; welcher »friedlichen« Unmenschlichkeit sie dabei begegneten, wie unerwachsen-kindlich die Menschen ihnen erschienen. Die Rückkehr von der gelebten Grenze ins Ungestört-Normale ist das Problem; Malraux erinnert dazu, daß Männer, die im Krieg tapfer sind, es im Frieden oft nicht sind, wie sie verbürgerlichen. Was läßt sich retten, was festhalten von der Grenze; wie schicksalhaft ist das Vergessen? Malraux referiert, was er nach Kriegsende von einem Gespräch mit Heimgekehrten aufgezeichnet hat. Wesentliches des Erlebten bleibt überhaupt unmitteilbar, beständig bewegt ihn dabei die Möglichkeit und Grenze sprachlicher Kommunikation. Das Entscheidende an dieser seiner neuen Art des Berichtens über die conditio humana: Malraux widersteht der Versuchung, Folter und Vernichtungslager zu heroischer Kunst zu transponieren, wie er es doch 1933 im Herzstück, in der Peripetie seines erfolgreichsten Romans getan hatte, und wie es noch 1951 die *Stimmen der Stille* im Blick auf Dachau nahegelegt hatten:

> ... gäbe es eine Kunst der Verbrennungsöfen, sie würde die Märtyrer zeigen, nicht die Henker —

darum, weil die Kunst nur »Gesang«, nicht die Widerspiegelung der wirklichen Geschichte sei.[84]

Das heißt aber nicht, daß Malraux sich nunmehr im Memoirenton dessen, der die Heimgekehrten befragt hat, mit dieser faktischen Lösung für den zweiten, abgründigen Aspekt der *Conditio humana* neben dem zeitgeschichtlichen chinesischen begnügt. Dieses Kapitel der *Anti-Memoiren* ist vielmehr in komplizierter, kunstreicher Assoziationenmontage unterbrochen durch drei Stücke, welche direkt auf den Zusammenhang von Unmenschlichkeit, Kunst und moralischer Erinnerungsfunktion der Literatur ansprechen: heute sind es die französischen Kriegsdienstverweigerer, die der Staat zum Schutz der von Pilzwuchs bedrohten vorgeschichtlichen Höhlengemälde von Lascaux einsetzt; die vom ewigen Bild des Menschen zeugenden Kunstwerke, welche zur Zeit der Résistance den Widerstandskämpfern, die dort ihre Waffen lagerten, zusprachen im Kampf gegen die deutsche Besatzung. Die zweite eingesprengte Szene hält den unerwartet absurden und kindischen Streit fest, der unter den tapfersten der Deportierten und Widerstandskämpfer darüber ausbrach, was für ein Denkmal Jean Moulin, einem der Helden der Résistance, gesetzt werden sollte: die einen wollen es naturalistisch »ähnlich« haben, worin die anderen, darunter Malraux, welche die Ausführung gern Giacometti überließen, den Alptraum des »Bleisoldaten« sehen, wie er landauf landab die Heldenfriedhöfe der französischen Provinz ziert.

Wovor mir graut — Lazarus von den Toten zurückkehren zu sehen, nur um zornig über die Form der Gräber zu diskutieren.[85]

Das dritte, zentrale Stück ist eine Dostojewski-Evokation.[86] Erst durch die »Offenbarung des Galgens« ist Dostojewski als Künstler über Dikkens und Balzac hinausgewachsen; Malraux assoziiert die Galgen der deutschen Konzentrationslager und die deutschen Gewehre, die er in der Gefangenschaft 1944 auf sich gerichtet sah. Dostojewski, dessen Spuren Malraux 1934 im kommunistischen Moskau aufgesucht hatte, steht für die »unbesiegbare Hoffnung« und für Hiobs Unterwerfung auch unter das Geheimnis des Bösen, dem er in seinen Romanen »ohne Zweifel die ergreifendste Sprache« gegeben hat; er steht aber zugleich für Iwan Karamasoff, die außer der Bergpredigt einzig mögliche Antwort auf Hiobs »heilige Barbarei«: die Ordnung des Universums ist das Leiden eines einzigen unschuldigen Kindes nicht wert. Durch seinen *Glauben* hat Dostojewski »die Säulen erschüttert, auf denen das Rätsel der Welt besteht«, durch seine Absage an das Leiden der unschuldigen Kinder hat er es wieder hergestellt. Darin, daß seit dem 20. Jahrhundert und seit den Vernichtungslagern nur noch das Rätsel geblieben ist — wenn auch in seiner Dostojewskischen, d. h. theologischen Gestalt — und nicht mehr der Glaube, besteht nach Malraux die Trennungslinie der Zeiten, die Schwelle der Gegenwart. Innerhalb des Rätsels oder Mysteriums aber ist die Zeit nicht über Dostojewski hinausgekommen: sie darf nicht darüber hinaus, wie Malraux durch eine Anekdote zu verstehen gibt:

... ich denke an den Garten auf der Krim, wo Gorki mir sagte: ›Um 1929 habe ich einen Komsomolzen gefragt, was er über *Schuld und Sühne* denkt, er hat mir geantwortet: Welche Umstände um eine einzige alte Frau!‹ — Ist dieser Komsomolze in einem russischen Zuchthaus gestorben, oder in einem deutschen Konzentrationslager, oder hat er vielleicht seit damals nur vieles dazugelernt?

Der späte Malraux ist also für die »Umstände«, die in Raskolnikoffs Gewissen der Mord an der alten Pfandleiherin auslöst, mit Dostojewski und gegen den Komsomolzen. Er war es nicht immer in gleicher Weise. Wenige Monate nach dem Erscheinen der *Conditio humana,* im Juni 1934, hatte er dieselbe Anekdote schon einmal erzählt[87], aber mit einer anderen Schlußfolgerung: vom Standpunkt einer bestimmten, eben sich in Europa neu konstituierenden Literatur aus hat der Komsomolze recht. Es ist die Literatur, welche von ihren Grunderfahrungen Revolution und Krieg sich zu einem neuen »furchtbaren, dunklen, heftigen und abenteuerlichen« Bild des Menschen hinbewegt, das von dem aller bisherigen Literatur so verschieden sein wird, wie das Menschenbild der Renaissance von dem des Mittelalters war. Der Mensch, das unbekannte Wesen, gab sich in ruhiger Zeit der Illusion hin, sich zu kennen, doch erst die neuen vom Leben vorgegebenen Themen, Erschießungen, Selbstmorde und Folter enthüllen dem Menschen seinen spezifischen Wahnsinn und die Macht seiner Schreckensträume. Dieser neuen Konzeption des Menschen entspricht eine neue ›Ästhetik‹; von ihr aus gesehen sind Raskolnikoffs Skrupel über den Mord, Dostojewskis Vorstellungen von Schuld und Sühne überhaupt eben nur noch »Umstände«. Die neue Literatur, für welche Malraux einen wenig bekannten russischen Bürgerkriegsroman von M. Matveev und Ernst Dwingers Kriegsbücher nennt, ist die Sowjetrußlands, Chinas, mancher Regionen der USA und – wie Malraux 1934 schon vorausahnt – bald auch Spaniens,

> die Literatur der Länder, denen ein besonders gewalttätiges Leben das Tragische im Überfluß gibt; es war auch die Kriegsliteratur aller Länder. Nicht ein einziges gutes Kriegsbuch wurde während des Krieges von einem Friedensromancier (romancier de la paix) geschrieben. Im Frieden schreiben heißt, ihm sein verborgenes Tragisches entreißen, im Krieg schreiben heißt, dem Tragischen seine unbekannten und fremdartigen Elemente entlocken.

Auf diesen Text, diese Unterscheidung zweier Literaturen, bezieht sich Sartre 1947 in seinem programmatischen Essay, wenn er Malraux' »unermeßliches Verdienst« für die französischen Schriftsteller darin sieht, daß er von seinem ersten Buch an Kriegsliteratur geschrieben und erkannt habe, »daß wir in Kriegszustand waren«, schon in den dreißiger Jahren.[88] Von Malraux weiß man, welche volkstümliche, auf Massenwirkung bedachte bildende Kunst des Ersten Weltkriegs ihm gefiel: Masereel, Dix, Grosz, und welche nicht minder wirkungsvolle Literatur ihm mißfiel: *Das Feuer* von Henri Barbusse.[89] Noch 1935 fand er Barbusse so zweitrangig, daß er nicht mit ihm zusammen arbeiten wollte. – Garine, die »ethische Schöpfung« von Malraux' erstem Roman, den *Eroberern,* denkt ziemlich genau wie der von Gorki befragte Komsomolze und spielt auch entsprechend »umwertend« auf die Schuldvorstellungen von Dostojewskis Mördergestalten an;[90] Tschen, der Terrorist in der *Conditio humana,* versucht noch ebenso zu denken, ohne daß es ihm ganz gelingen würde. Malraux selber gedachte wohl nicht, wie der Komsomolze die Brücken zu Dostojewski und seinem westlichen »Friedens«-Publikum abzubrechen; gleichwohl zeigt die Weise, wie er mit den formalen Schwächen der sowjetischen Bürgerkriegsliteratur ins Gericht geht und die neuen Normen der Kriegsästhetik auf sie anwendet – welche Erzählweisen tauglich sind, wie die Szenen montiert sein müssen –, daß er seine eigenen Romane, die sich durch die Meisterung gerade dieser Formprobleme auszeichnen, wesentlich im Rahmen und auf dem Hintergrund solcher Kriegsliteratur verstanden wissen wollte.

Der Befreiungskampf, den Malraux in beiden Romanen beschreibt, ist durch die eingesetzten Kriegstechniken schon teilweise ›historisch‹, vom Neuesten überholt. Der sogenannte konventionelle Krieg, den die Amerikaner in Vietnam führen, ist, wie Malraux in den *Anti-Memoiren* andeutet, schon wieder anders.[91] Aber auch die Ereignisse von 1924 und 1927 werden nur durch besondere, auswählende Weise tauglich, das Heroisch-Humane zu bezeugen: Malraux zeigt immer nur die eigene Front, an der er kämpft, nie den Gegner; und auch die Eigenen praktisch nur im Kampf. Was im Hinterland an den Schreibtischen ausgemacht wird, erscheint nur diskontinuierlich, um Kontraste zu setzen, nicht zusammenhängend. An der Front sind die Verwundeten, Sterbenden und andere, die auf die Folter warten; es sind Männer, umgrenzte Individuen, die wissen, wie sie dorthin gekommen sind, wo sie sind. – Nach seinem Romanerstling hatte sich Malraux vorgenommen, im *Königsweg* 1930 in eine andere Romanwelt auszubrechen, in den Kampf des Menschen mit den Mächten der Natur. Aber der Zyklus, die versprochene Fortsetzung kam nicht[92], in der *Conditio humana* siegte doch wieder die Kriegsliteratur. Spätere, durch Interviews belegte Ausbruchsversuche blieben ebenso erfolglos.[93] Dieser Kontext gibt den Gedanken Malraux' in den Jahren 1935/36 darüber, wie eine Kunst für die Massen aussehen müßte, um diese auf ihre guten Bestrebungen zu »reduzieren«[94], ihre konkrete und persönliche Bedeutung. Demokraten und Kommunisten müssen gemeinsam ihre universalen humanistischen Werte gegen die nationalen Mythen der Faschismen bewähren, deren Wirkung auf die Massen in Deutschland und Italien sich nicht mehr bestreiten läßt. Keines der faschistischen Länder hat aber etwas dem sowjetischen Film Ebenbürtiges hervorgebracht; es gibt nicht den neuen und großen nationalen Roman – deshalb, meint Malraux mit überraschender Begründung, weil zwar in der Sowjetunion der Kolchosbauer und der Rotarmist vom Künstler aus im »selben Lebensraum« sind, in Deutschland dagegen der Großbauer innerhalb der kapitalistischen Wirtschaftsstruktur steht, der SS-Mann dagegen außerhalb, im militärischen Rahmen, wo »uneigennützige, reale Gemeinschaft« möglich ist. Faschistisch wäre demnach eine Kultur zu nennen, die zur totalen Militarisierung der Nation hinführen würde,

> und die Kunst des Faschismus, wenn es sie gibt, führt schließlich zur Ästhetisierung des Krieges ... mich hatte immer schon die Unfähigkeit der faschistischen Kunst erstaunt, etwas anderes darzustellen als den Kampf des Menschen gegen den Menschen.

Das ›schon immer‹ kann, auch wenn man Malraux' Abgrenzung hier, 1936, als Ausdruck seiner Überzeugung und nicht nur als geschickte Propaganda nimmt, füglich bezweifelt werden. In der *Conditio humana* reichte die männliche Brüderlichkeit ja auch nicht besonders weit über den Kampf gegen den Menschen, den Kapitalisten, hinaus. Erst im Schluß der *Zeit der Verachtung* 1935, der Novelle aus einem deutschen Gefängnis – nicht KZ –, kommt dann im noch freien Prag das

Friedensthema durch Kassners Frau und Kind in Sicht. *Die Hoffnung* handelt 1937 notgedrungen wieder vom Krieg, aber doch nicht von ihm allein, sondern von Krieg und Frieden. »Zum Kampf sind wir entschlossen« — so sagte Malraux 1936 in London, einen Monat vor Ausbruch des Spanienkrieges,

> wenn der Kampf die einzige Garantie bleibt für den Sinn, den wir unserem Leben geben wollen; aber wir weigern uns, aus dem Kampf einen Grundwert zu machen; wir wollen ein Denken, eine Staatsform, ein Kulturerbe und eine Hoffnung, die auf den Frieden auslaufen und nicht auf den Krieg. Noch im heitersten Frieden bleiben genug Konflikte und Tragödien, genug Begeisterung, um Jahrhunderte der Kunst damit auszufüllen.

Dieser letzte kunstökonomische Satz ist trotz seines ironischen Untertons bei Malraux weniger selbstverständlich, als er auf den ersten Blick erscheint: Garine, des Autors erste »ethische Schöpfung«, und später die Figuren der *Conditio humana* waren alle anerkanntermaßen nur in der Waffenbrüderschaft der Revolution darstellbar; andere Orte, an denen die »Bedingungen eines möglichen Heldentums« vereint gewesen wären, gab es nicht. Die Versuchung, den Krieg zu ästhetisieren, die wahrscheinlich keinem der späteren Engagierten, trotz des »Arma virumque cano« auch Aragon nicht, so nahe liegt wie Malraux, mußte alsdann in der *Hoffnung* am selben Stoff durch die veränderte, definitiv antifaschistische Haltung zu ihm abgewandelt werden. »Es gibt gerechte Kriege«, läßt der Autor den Kommandanten Garcia sprechen, »aber gerechte Armeen gibt es nicht«.[95] Den Krieg der reinen strafenden Engel, den wahren Kreuzzug hat die Erde noch nicht gesehen; von Bernanos, dem anderen französischen Zeugen des Spanienkrieges, bekam Malraux 1938 das gleiche gesagt, nur noch praktischer: sein, Malraux', Spanienbuch sei noch zu heroisch-edel, mehr ästhetisch als wahr.[96]

Der Zweite Weltkrieg als Problem der Ethik und der europäischen Kultur erscheint dann von verschiedenen Seiten aus. »Möge der Sieg mit denen sein, die den Krieg gemacht haben, ohne ihn zu lieben«, rief Malraux von der Schweiz aus über den Rundfunk der beginnenden Résistance und den Alliierten zu; dieser Satz, der nun auch der Bekämpfung des Faschismus moralische Schranken auferlegt, hatte damals enorme psychologische Wirkung, er machte Sartre und Camus die Teilnahme am bewaffneten Widerstand ertragbar.[97] Im gleichen Jahr legt Malraux in den *Nußbäumen der Altenburg* seine Eindrücke über den neuen Volkskrieg nieder, von den gar nicht heroischen Mitkämpfern, denen der Krieg das ist, was er vor Jahrhunderten und Jahrtausenden auch war, eine sinnlose Plage und Gottesgeißel. Eine Rückblendung in den Ersten Weltkrieg, die Anwendung von Gas an der deutschen Südostfront, ist die einzige Szene in Malraux' ganzem Romanwerk, wo etwas von Massenvernichtung am Horizont aufdämmert, von verlorener Humanität im Kriege. Aber alsbald klammert sich der Romancier an den humanen Reflex der deutschen Landser angesichts der von ihnen vergasten Russen.[98] Kultur nur im Sinn von Raffinement verträgt sich sehr wohl mit Tortur, Atombomben und Barbarei, vermerkt Malraux 1946 und fügt hinzu, das Metaphysische am letzten Krieg und der Quantität des von ihm erzeugten Leides sei, daß »der Mensch« nun nicht mehr weiß, wer er eigentlich ist. Dies alles ist die Entwicklung, welche dann in dem geheimnisvoll-pathetischen Wort der *Stimmen der Stille* ihren vorläufigen Abschluß fand: wieder einmal, nach einem Jahrtausend der Kultur in Deutschland, haben die Dämonen und Fetische des Nürnberger Germanischen Museums mit ihrem »sehr alten Gelächter« triumphiert bis 1945.[99] Mehr ist von der Organisation der Vernichtung und den Tätern nicht auszumalen, nicht der Literatur zuzuführen; bloß die Märtyrer, nicht die Henker, könnten Stoff einer Kunst der Vernichtungslager sein.

Der entscheidende Satz steht aber schon 1951 im Konditional: *wenn* es diese Kunst gäbe, dann wäre sie so; die *Anti-Memoiren* fahren hier fort: aber es gibt sie nicht; wenigstens nicht als Literatur. Von den Denkmälern der bildenden Kunst für die Opfer geht die Fragestellung an die Kunst der Sprache über, um zu zeigen, wie sie noch viel weniger losgelöst werden kann von der bezeugenden und erinnernden Funktion und damit vom Blick auf die lesenden Zeitgenossen, die es angeht. Die Art der Erinnerung muß verhindern, daß der Völkermord zum Kulturbesitz wird; zunächst dadurch, daß die Märtyrer – anders als im ehernen Standbild – nur zusammen mit dem fragenden Kommentar dessen erscheinen, der sich auf sie eingelassen hat. Malraux' neuer, in den *Stimmen* so eindeutig noch nicht herangerückter Kommentar ist der des »Schicksals«, des Rätselhaften schlechthin. Also nicht Lyrik, sondern das Problem, das Mysterium des Bösen nach Auschwitz in neuer Dringlichkeit. Malraux deutet einen Hintergrund von Passions- und Karfreitagsmeditation an, im deutlichen und bewußten Gegenzug zu einer Zeit, die derlei obskure Fragen gemeinhin durch politische und ökonomische Analyse überspielt oder aber, wohl wissend was sie tut, ins moralisch-kämpferische Pathos übergeht: dem Heillosen, Unabänderlichen darf man nicht ins Auge sehen; auch wo man nichts machen kann, muß man doch so tun als ob. Doch nicht jeder Verdacht gegen Malraux ist damit entkräftet. Unermüdlich, bis in den Titel seiner Gegen-Erinnerungen hinein macht er Front gegen eine Literatur, die das Intimste dem Kulturbesitz einverleibt, gegen die zweideutige Neugier von Gides *Tagebuch*.[100] Könnte nicht der Dialog des Menschen mit Schmerz und Folter, die Suche nach den Grenzsituationen des Krieges derselben menschlichen Neugier, nur auf ein anderes Objekt übertragen, verpflichtet sein? Und weiter: auch wenn die Kriege und Vernichtungsmethoden ins Geheimnis des Bösen verweisen, muß man nicht, während sie stattfinden, zugleich auch anders, vordergründig, von ihnen zu reden wissen? Mutter Courage hat auch dem nachchristlichen Seelenführer ihr Wörtlein zu sagen.[101] – Für die Übersetzungsrechte der *Anti-Me-*

moiren haben amerikanische Verlage Rekordpreise geboten; es ist nicht gut, wenn in Malraux' Ostasien-Reisebericht 1965 die vom Flugzeug aus gesehene amerikanische Kriegsflotte vor Da Nang zu nahe neben dem Unabänderlichen, dem metaphysischen Schicksal erscheint.[102]

Die ›conditio humana‹ wird von Malraux' Romanhelden vorwiegend ›von innen‹ erfahren, sie sind in Grenzsituation, schaffen aber selbst nicht für andere Menschen die Grenzsituation; nur so können sie den Protest in seiner Reinheit verkörpern. Und doch ist evident, daß diese Art von Humanismus immer hinfällig bleiben muß. Auch die Nationalsozialisten hatten ihre Märtyrer. Der Bildungswert der Kriegsliteratur, wie Malraux sie 1934 konzipierte, ist nicht notwendig humanisierend. Damals wollte er dem Komsomolzen, dem revolutionären Leser, der mit Dostojewski nichts mehr anfängt, weit entgegenkommen und erwartete sich aus den neuen Grenzsituationen ein neues, nachdostojewskisches Menschenbild, in dem vermutlich Nietzsche, die Renaissance und Cesare Borgia mitgewirkt hätten. Nun, 1967, stellt er sich den Komsomolzen im KZ vor. Kennzeichnend für Malraux' selektive Einfühlung ist, daß er ihn sich keinen Augenblick, was doch mindestens ebenso nahe liegt, als Folterer und Henker der Stalin-Ära vorstellt. Auch Unmenschen haben ihre Vorgeschichte und ihre Lektüren. Bei anderer Gelegenheit, als er seine eigene Distanzierung vom Kommunismus noch zu rechtfertigen hatte, sprach er auch diese Richtung der objektiven Metamorphose aus: Dimitroff, für dessen Freispruch sich Malraux 1934 in Berlin eingesetzt hatte, und der zum Teil wenigstens den Helden Kassner in der *Zeit der Verachtung* abgab, hat später an seinen politischen Gegnern keine menschliche Größe mehr bewiesen, sondern sie erhängen lassen, als er nach dem Krieg in Bulgarien an die Macht kam.[103] Es sind dieselben Zeitumstände, deren künstlerischen Ausdruck Aragon nur noch im »negativen Helden« für möglich hält, und von denen er doch zugeben muß, daß sie ihm, wenn sie nicht mehr im faschistischen und kapitalistischen Lager, sondern im eigenen kommunistischen auftauchen, als Künstler weiterhin »unvorstellbar« sind. – Malraux ist beim »neuen« Menschenbild der Kriegsliteratur nicht stehengeblieben; er kehrte zurück zu dem alten Dostojewskis, zur Frage nach dem Bösen. Sein Grauen angesichts der Vernichtungslager ist nicht gespielt und wohlfeil wie das der Stalinisten, denen plötzlich seine, Malraux', Romane nicht mehr human genug waren. Iwan Karamasoff wird zur metaphysischen Fragehaltung und zur Erzählposition. Kennzeichnend ist dabei wiederum nicht nur daß, sondern wie im besonderen Malraux Dostojewski halbiert: Iwan tritt auf, aber Smerdjakoff, der Vollstrecker seiner Intuition im Vatermord, fehlt. Kein christlicher Glaube und kein traditioneller Humanismus vermochte etwas gegen den NS-Staat; aber auch kein Malraux und kein Bloch, dem ebenfalls Dostojewskis Iwan um seiner Frage nach dem Leiden der Kinder willen teuer ist, hat Stalin verhindert. Der traditionelle wie der atheistische

Protest beweisen in ihrer Ohnmacht nicht nur das Humanum, sondern auch das unüberholte Rätsel seines Gegenteils.

Malraux stellt seine Fragen, die man zuweilen durch andere, von ihm nicht gestellte, ergänzen möchte. Antworten gibt er keine; was der Leser mit dem Mitgeteilten anfangen soll, wird ihm nicht gesagt. Die fortwährende »interrogation« ist Metaphysik, sie ist aber auch Kunstmittel. So geht die Frage, ob die Erinnerung des Krieges hinein in den relativen Frieden durch die Literatur ethisch vertretbar ist, vom Autor, der die Kriege in der geschichtlichen Wirklichkeit ja nicht erst angestiftet hat, an die Leser über; also an das bei Malraux besonders vielfältige Spektrum möglicher Weisen der Bewunderung für sein Werk. E. R. Curtius, der den europäischen Kulturphilosophen in ihm grüßt, weil es ja auch bei Malraux Dinge gibt, die ihm, Curtius, »näherliegen als Revolution, Folterung, Tragik«[104], ist der Beweis *für* die Notwendigkeit von Kriegsliteratur; auch dafür, daß sich Malraux' Größe und Zeitgemäßheit nicht ohne seine Kriegsromane begreifen läßt. A. Kurella, Kulturfunktionär der SED und einstmals Übersetzer der *Zeit der Verachtung*, läßt zweifeln an der Kraft der Literatur, des Menschen unerkannte Größe gegen ihre alten und neuen Entfremdungen in den Lesern wachzurütteln. Frühe deutsche Bewunderer Malraux' waren aber auch Ernst Jünger – er hält ihn, wie sich selber, für »einen der seltenen Betrachter, denen ein Auge für die Bürgerkriegslandschaft des 20. Jahrhunderts gegeben ist«[105] – und ein gewisser Max Clauss, der Malraux' ersten Roman 1928 für die »Europäische Revue« übersetzte, bevor er zum Unterstaatssekretär bei Goebbels avancierte.[106] Beide geben Grund, die Malraux'sche Kriegsliteratur – und zumal die frühe, bis hin zur *Conditio humana* – nicht nur als unvergängliche Werke der Kunst, sondern auch als ethisches Problem zu überliefern.

Doch alle diese Auslegungen sind bei Malraux' derzeitigen westdeutschen Lesern eigentlich nicht aktuell. Aktuell scheint vielmehr, mit einiger seinsgeschichtlicher Verspätung, noch immer dies zu sein, daß sich in seinen Romanen Grenzsituationen finden, weshalb das Politische, gar Reportagehafte an ihnen notwendig nur Oberfläche sein kann.[107] An den Grenzen aber erweist sich das unverlierbar Humane: hier bleibt in der Tat Adornos Argwohn bestehen, daß von der Kriegsliteratur »fatale Erleichterung« auszugehen pflegt. Wir sind weit von Malraux' erträumter universaler Kultur, in welcher das Existentielle und Humane zugleich das Politische wäre. – Aber alle Literatur ist mißbrauchbar und muß es bleiben, die des Krieges ebenso wie die des Friedlichen und Schönen. Niemand kann gehindert werden, die *Hoffnung*, das Buch vom Spanienkrieg, zu stillos-lebendig zu finden, dagegen aber die klassisch stilisierten Szenen der *Conditio humana* zu genießen; fernöstlich extreme Situationen, mit deren Zustandekommen der europäische Leser sich in keinerlei Zusammenhang sieht ...

IV

Albert Camus: Literatur und die Leidenschaft der Zeitgenossen

1. 1954–1959: Höhe des Ideals und Last der Solidarität

Als Jean-Paul Sartre 1964 der Nobelpreis für Literatur zugesprochen wurde, lehnte er ihn ab; teils, weil er fürchtete, die Annahme könne als Verleugnung seines politischen Standortes zwischen Ost und West mißverstanden werden, teils, weil er argwöhnte, der Eintritt in die illustre Gesellschaft der Preisträger würde auch ihn »institutionalisieren«, die Leser könnten ihn dann nicht mehr freiwillig entdecken als freien Schriftsteller, der durch nichts anderes als durch sein geschriebenes Wort wirkt.[1] Albert Camus dagegen hat sich 1957 durch den Nobelpreis institutionalisieren lassen. Er ist der Güte des Geschicks – le sort trop généreux –, die er in dem Preisrichterbeschluß am Werke sah[2], nicht mißtrauend in den Arm gefallen. Auch daß die schwedische Jury souverän über sein Selbstverständnis hinweggeht, indem sie ihn zum »Repräsentanten des Existentialismus« erklärt und die *Pest* dem »überzeugenden Realismus« zuschlägt[3], nimmt er hin, um sodann die Ehrung von sich selber weg an zwei überpersönliche Instanzen weiterzugeben.[4] Die eine ist seine Generation, die zu Anfang des Ersten Weltkriegs Geborenen, zu deren europäischen Bildungserlebnissen der Nationalsozialismus, die Moskauer Schauprozesse, der Spanien- und der Zweite Weltkrieg gehören, die Welt der Konzentrationslager und des drohenden Atomkrieges, in dessen Aussicht sie ihre Kinder erziehen. Einzige Hoffnung dieser Generation ist es, daß die Welt inmitten einer »von mißlungenen Revolutionen, erschöpften Ideologien und toten Göttern verdorbenen Geschichte« sich nicht vollends auflöst. – Camus scheint auf der Höhe seines Ruhmes das Relative, gar das Zeitgebunden-Konformistische seines eigenen Werkes zu ahnen und weiß doch, daß er mit seiner Generation zusammen überleben wird. Vieles an seinen Büchern und an seiner Haltung hat sich schon bald nach seinem unerwarteten Tod als brüchig, zukunftslos erwiesen – wenn etwas bleibt, dann wird es mit dieser seiner bewußten Bindung an seine Zeit, an die Leidenschaft der Zeitgenossen, zu tun haben.

Die zweite Instanz, auf welche Camus den Blick seines Publikums hinlenkt, ist ein bestimmter Begriff von Kunst und Literatur. Camus bekennt, daß er Mühe hatte, sich mit der ihm zuteil gewordenen Ehrung ins rechte Verhältnis zu setzen –

... und weil ich mich nicht als diesem Geschick ebenbürtig ansehen konnte, indem ich mich auf meine eigenen Verdienste berufen hätte, fand ich, um mir zu helfen, nichts anderes als das, was mich ein Leben lang in den widrigsten Umständen aufrechtgehalten hat: die Vorstellung, die ich mir von meiner Kunst und von der Rolle des Schriftstellers mache.

Sartre hat sich 1964 wegen seiner Vorstellung von der Rolle des Schriftstellers zurückgezogen, Camus tut 1957 genau das, was Sartre nicht wollte oder für unmöglich hielt: er verpflichtet die gesamte schwedische akademische Institution auf seine persönliche umstrittene Vorstellung von der Literatur; er läßt durch den Preis sein Verständnis von der Rolle des Schriftstellers in der Gesellschaft autorisieren. Auf dem Zenit seiner Laufbahn bekräftigt er die zentrale Bedeutung, welche er der Reflexion über sein Schriftstellerhandwerk beimißt; noch weniger als bei Malraux oder bei Aragon wäre es denkbar, den ganzen Camus, sein Werk ohne seine Theorie verstehen zu wollen.

Der Darlegung dieser seiner Idee von der Rolle des Schriftstellers diente ein überaus gedankenreicher Vortrag, den Camus am 14. Dezember 1957 unter dem Titel »Der Künstler und seine Zeit« in Uppsala hielt[5] und im folgenden Jahr zusammen mit der kurzen Ansprache bei der Entgegennahme des Preises veröffentlichte. Das Gewicht dieses Vortrages unterstreicht die – dem Herausgeber von Camus' Werken offenbar entgangene – Tatsache, daß er nicht ad hoc, aus Anlaß des Preises, sondern schon drei Jahre früher geschrieben und in einer nur wenig abweichenden Fassung in Genua gehalten worden war.[6] Camus hat die Rolle des Schriftstellers im Laufe seiner Entwicklung mehrmals und immer verschieden beschrieben; wenn er 1957/58 nach mehreren Jahren, die an äußeren politischen Ereignissen und an Wandlungen in seinem eigenen Werk reich sind, denselben Text wieder aufnimmt, so heißt dies, daß in ihm die konstanten Themen seiner Kunstreflexion in diesem Zeitraum und damit des letzten Drittels seines Schaffens überhaupt zu suchen sind. – In straffer systematischer, aber zugleich geschichtlich gemeinter Folge umfaßt der Vortrag drei Hauptteile, die nacheinander (I) das absolute Nein zum Wirklichen in der abstrakten, formalistisch-bürgerlichen Kunst, (II) das absolute Ja zur Wirklichkeit im revolutionär-sozialistischen Realismus und (III) als Spannung und Gratwanderung zwischen beidem die wahre Kunst und die zu ihr gehörige ethische Haltung des Schriftstellers beschreiben.

I. Camus beginnt mit den Entstehungsbedingungen der Kunst in der bürgerlich-kapitalistischen Gesellschaft. Triviale Unterhaltungsliteratur und abstraktes Spiel – l'art pour l'art – sind nach Camus beide direkt ökonomisch bedingt – wobei er sich zu letzterem ausgerechnet von Aragon in einer Gegenrede anläßlich der Entgegennahme des Leninpreises 1958 in Moskau sagen lassen muß, dies sei schlicht »vulgärer Soziologismus«.[7] In einem weiteren Gedankengang geht Camus der anderen Tradition nach, die sich in heroischem Kampf der bürgerlichen Verführung versagt hat: Rimbaud, Nerval, Vigny, Nietzsche als Künstler; aber auch diese Kunst, die dem einsamen Experiment und dem demiurgischen Schöpfungsbegriff lebt – bei welcher Gelegenheit Camus auch behutsam gegen Malraux polemisiert –, ist heute »steril« geworden.

II. Den positiven, notwendigen Ansatz aller realistischen Kunst sieht Camus in dem Bestreben, »für alle« zu schreiben, zur großen Kommunikation mit allen zu kommen über das, was ihr Leben ausmacht, anstelle der einsamen Künstlererfahrung. Aber, so fährt er fort, der Realismus ist nicht möglich; einmal, weil es ihn im absoluten Sinn, als totale Deskription nicht gibt; und zweitens, weil das, was heute im sozialistischen Lager für Realismus ausgegeben werde, keiner sei: die Kunst bedarf zwar eines »auswählenden Prinzips«, welches aber, nach Camus' höchst eigenwilliger Überzeugung, die mehrfach in seinen Büchern begegnet, die Zukunft, die sozialistische Perspektive niemals werden kann, darum weil einzig die Gegenwart für den Menschen und für den Künstler »wirklich« sei. Die gesuchte große Kommunikation mit allen Lesern wird also in der östlichen Gesellschaft in Wahrheit politisch »geknebelt«.[8] – Hiergegen kann Aragon 1958 wenig erwidern, dagegen verweist er zutreffend darauf, daß Camus vom *Ansatz* des Realismus ein unzulängliches Bild gibt, wenn er ihn nur als Verhältnis zur Wirklichkeit als neutralem Stoff und nicht zugleich auch zu ihr als Feld des gesellschaftlichen Kampfes und der Parteinahme der Literatur sieht.

III. Sodann beantwortet Camus die Frage, was denn Kunst sei, in einer quantitativen Form: sie ist das Gleichgewicht von Nein und Ja zum Wirklichen in einem Werk. Die Kunst schließt in der schlafenden Welt deren Tiefe auf, »das flüchtige und beständige Bild einer Wirklichkeit, die wir wiedererkennen, ohne ihr je begegnet zu sein«. Darauf folgt unmittelbar das Gedankengelenk, welchem der Vortrag seinen Titel, der Künstler »und seine Zeit«, verdankt: so wenig wie von dem zeitlosen Kosmos und der in ihm schlafenden Welt, ebensowenig (de même) darf sich der Künstler von seinem Zeitalter (siècle) abwenden, noch sich in ihm verlieren. – Die erste Fassung des Vortrags hatte hier noch anspruchsvoller von einer »Deduktion« gesprochen, wo doch nur eine einfache Analogie gegeben ist. Camus beantwortet mit ihr den Konflikt, den er selbst vordem 1943 im *Sisyphus* für unlösbar erklärt hatte; Kunst ist die Begrenzung der Aktualität durch das Zeitlos-Ewige, die Vermittlung des geschichtlichen Kampfes mit dem Klosterleben. Eben dieses Verhältnis des Künstlers zur Zeit verbildlicht auch das geheimnisvolle, erst am Ende der *Pest* enthüllte Wechselspiel von aktiver Solidarität und reflektierend-erinnernder Einsamkeit in der Gestalt des Chronisten und Arztes Doktor Rieux.[9] Zum »Abenteuer« des wahren Künstlers gehört, daß er in der Politik die Solidarität immer nur als »franc-tireur« und Einzelkämpfer ausüben kann, nie indem er sich einer Partei verschreibt. Freiheit der Kunst ist die »Atmung« der Kultur – aber Ausbeutung und Krieg sind die Atmung des Kapitalismus, der die westliche Freiheit der Kultur trägt, wie Aragon böse, vielleicht auch betroffen entgegenwirft. – Kunst ist ihrem Wesen nach Emanzipation, durch sie entsteht das ewige Antlitz des Menschen; alle Tyranneien, vornehmlich die östlichen, müssen die Künstler unterdrücken, weil sie sie fürchten.[10]

Soweit der Gedankengang von Camus' Vortrag, der neben den entsprechenden Kapiteln in den beiden philosophischen Essays als der dritte grundlegende Text zu seiner literarischen Theorie gesehen werden muß. Vieles an dem Vortrag wird farbiger, konturierter, wenn man die verschiedenen Einflüsse erkennt, die Camus, ohne sie zu nennen, in ihm verarbeitet hat: zum systematischen Aufbau hat sichtlich ein berühmter Vortrag A. Gides aus dem Jahre 1901 über »die Grenzen der Kunst« Pate gestanden, der parallel die Häresien des Idealismus und des Realismus in den Werken der Kunst bekämpfte[11], ohne sie aber, wie Camus das versucht, auch auf das Leben und politische Verhalten der Künstler auszudehnen. Die schlafende Welt-Tiefe, welche die Kunst erweckt, weist mittelbar auf Plotin, mit dem Camus sich als Student befaßte[12], unmittelbar jedoch auf C. G. Jungs Archetypenlehre, die ihn während der letzten Jahre ausgiebig beschäftigte.[13] Das wichtigste inhaltlich Neue des Vortrags gegenüber Camus' früheren Wesensbestimmungen der Kunst: daß ihr kommunikativer Aspekt, d. h. das Verhältnis der Literatur zu denen, die sie lesen sollen, konstitutiv für »wahre« Kunst wird, kommt, wie die Tagebücher belegen, vom späten Tolstoi, mit dessen Untersuchung *Was ist Kunst?* (1895) Camus sich seit 1951 auseinandersetzte, ohne ihm doch in seiner radikalen und asketischen Antwort ganz zu folgen. Reine Kunstschöpfung kann »verlogener Luxus« sein; nur dann ist sie echt und fruchtbar, wenn sie die Menschen sammelt, statt sie zu vereinzeln.[14]

Die Rolle des Schriftstellers, die Camus positiv umreißt, ist nicht die von ihm gelebte Wirklichkeit zur Zeit des Nobelpreises, sondern eher das Ideal. Der Franc-tireur paßt auf die Kontroverse mit Sartre 1952 um die Frage, ob man sich mit der Revolution auch dann noch solidarisieren kann, wenn sie stalinistisch wird; die jüngsten Erfahrungen Camus' der Jahre 1955/56, seine erfolglosen Vermittlungsversuche zwischen den kämpfenden Parteien in seiner algerischen Heimat, werden durch die Freischärler- oder Partisanenrolle eher verdeckt.[15] Nur am Rande läßt Camus durchblicken, daß es auch im demokratischen Westen um die Kommunikation »mit allen« durch die Literatur kaum besser bestellt sei als im Osten, wenn auch aus anderen Gründen. Gerade das, was er am späten Tolstoi bewundert, die Fähigkeit, »für und mit dem Volk zu schreiben, ... den am wenigsten vorbereiteten

Leser innerlich zu bewegen«, blieb ihm, Camus, der doch selber Arbeiterkind war, zeitlebens, bei mehreren Anläufen, verwehrt. Der *Belagerungszustand* (1948), welcher aus der *Pest* den »für alle verständlichen Mythos« herausstellen wollte, wurde kein Bühnenerfolg.[16] *Die Gerechten* (1950), die den Arbeitern als den am meisten Betroffenen die tragische Seite der sozialen Revolutionen zeigen wollten, erreichten diese nicht; *Die Stummen*, die Novelle vom Streik (1957), fand kein Interesse bei denen, für die sie geschrieben war.[17]

Doch das Verhältnis zwischen der Höhe des Ideals und der Wirklichkeit gestaltet sich noch komplizierter als diese einzelnen Beobachtungen erkennen lassen. Die Künstler wußten Camus, wie Aragons Reaktion andeutet, wenig Dank für seine Bestimmung ihrer allgemeinen Lage und für die Verpflichtungen, die er ihnen stellvertretend auferlegte. Um so mächtiger war der Anklang, den der Vortrag bei Camus' Lesern, den Nichtkünstlern in aller Welt fand. Er gehört mit zu seinen am häufigsten, immer mit Beifall zitierten Texten. Das Bild vom Künstler, das er gibt, ist liebenswert: Rechtfertigen und Verstehen der lebendigen Kreatur, Vergebung und wahre Nächstenliebe, Kampf gegen das Unrecht sind seine Aufgaben. Bei Sartre, Malraux oder Aragon wird auch in der Theorie die Sprache um der objektiven sozialen Sache willen kriegerisch rauh, sie lenken ab von der eigenen sensiblen und anerkennungsbedürftigen Person – nicht so Camus. Ist sein Bild von der Rolle des Schriftstellers, an das er sich in widrigen Zeiten klammert, überhaupt darauf ausgerichtet, je Praxis zu werden? Ist es nicht eher bewußter Mythos, der um so mehr wirkt, je bescheidener er sich zur Theorie deklariert? Allein schon durch seine Sprache ließe sich zeigen, wie der Vortrag an einem Problem mit teilhat, das über den Schriftsteller hinaus mit dem der gespielten ›Rollen‹ allgemein zusammenhängt und durch welches Camus zeitlebens in ungewöhnlicher Weise umgetrieben wurde. Der dritte Teil des Vortrags setzt die ethische Verbindlichkeit des Künstlerdaseins in unserer Zeit voraus, dann aber wird sie in der conclusio doch wieder ins Vieldeutige aufgehoben: der geheimnisvolle Kampf des Künstlers ging letztlich nur gegen den »inneren« Feind, den Zweifel des Künstlers an seiner Notwendigkeit. Am Ende ist dieser Zweifel siegreich aus dem Felde geschlagen, darum, weil die umgebende Gesellschaft selber zu tief im Nihilismus steckt[18], um befugt zu sein, an die Künstler in ihrer Krise Forderungen zu richten. Jede Infragestellung der Kunst durch außer ihr liegende Werte ist bloß methodisch, ein Zirkel, weil die Kunst ihre eigene Rechtfertigung und die des Menschen ist.

Camus' wirkliches Verhältnis zu seiner Zeit läßt sich gerade in den drei oder vier Jahren, welche die erste und die zweite Fassung seines überwiegend mutigen, hoffnungsvollen Vortrages wie eine Klammer umspannen, schwer in Formeln bringen. Der Text selber deutet wenigstens mit einem Satz an, kein Künstler sei in der Lage, sich »auf der Höhe der definierten, unaufhörlichen Aufgabe zu halten«;[19] wie ein düsterer Kommentar dazu klingt ein Interview, das Camus 1957 ebenfalls anläßlich des Nobelpreises gab:

... es bleibt die Wahrheit unserer Zeit, sie ist weniger erhebend, (...) daß der Künstler seinen Weg in der Nacht geht, im gleichen Schritt wie der Mann auf der Straße, unfähig, sich vom Unglück der Welt zu trennen und doch von leidenschaftlicher Sehnsucht nach Einsamkeit und Stille erfüllt; er träumt von der Gerechtigkeit und ist doch selber eine Quelle der Ungerechtigkeit; er wird mitgeschleift von einem Wagen, der größer ist als er, während er glaubt, ihn zu lenken.[20]

Auch der Maler Jonas, mit dem Camus 1957 in den Novellen seine Leser bekannt machte, wird seines Platzes auf dem Schiff der modernen Gesellschaft nicht froh. Schrittweise von Familie und Freunden aus seiner Wohnung gedrängt, meditiert er anstatt zu malen auf einem dunklen Zwischenboden das Geheimnis, das »nicht nur das der Kunst« ist: wie kann man Welt und Menschen malen, und doch gleichzeitig in ungetrennter Solidarität mit ihnen leben? Sein »Stern«, der ihn einst von den Seinen fort auf die Höhe des Ruhms getragen hat, steht als rußende Petroleumlampe bei ihm im symbolischen Dunkel. Der Ausbruch in die Bohème, zu Alkohol und mütterlichen Prostituierten ist ihm verlegt – »er hält sich für Rembrandt«, sagen die Freunde, in trefflicher Anspielung auf die von Camus als überwunden erklärte romantische Idee des »artiste maudit«, des verfemten Künstlers eines gewissen Malraux ... Um nichts in der Welt wird er Freundschaft und Familie wieder verlassen, sind seine letzten Worte, auf die der physische Zusammenbruch folgt, weil die Vermittlung von ›solidaire‹ und ›solitaire‹, Menschengemeinschaft und Kunsteinsamkeit, nicht gelang. Der Künstler erstickt in der Solidarität. Ironisch-opferbereit empfiehlt der Autor seinen Zeitgenossen, die keine Notwendigkeit der Kunst für die menschliche Gesellschaft empfinden, den Künstler, um dessentwillen sich anscheinend der Sturm über dem Gesellschaftsschiff zusammengebraut hat, doch ins Meer zu werfen, wie es vordem die wackeren heidnischen Seeleute mit Jonas dem Propheten taten.[21]

Jonas ist ein begrenzter, grimmig-humorvoller Teil des wirklichen Camus, dem seine Solidarität mit der Zeit schwer wird. Er kann aber auch vom Schiff der menschlichen Gemeinschaft ganz anders reden: Hauptsache und Rechtfertigung des Ganzen sind die Künstler, das Glück und Unglück der übrigen ist genaugenommen Ballast. Im Winter 1955/56 hatte sich Camus im Zusammenhang mit dem politischen Konflikt in Algerien wieder zum politischen Journalismus beim »Express« entschlossen.[22] Im Januar 1956 scheiterten seine direkten Vermittlungsbemühungen in Algier; Ende Februar erschien der letzte seiner Artikel im »Express«. Er nahm Mozarts 200. Todestag zum Anlaß, um von der Daseinsberechtigung der Kunst in den Zeiten politischer Wirrnis zu sprechen und von einer Seite des »europäischen Menschen«, der nicht nur ein von Erniedrigung und Grausamkeit berauschter Irrer sei, sondern eben auch Mozart.

Ganz nahe bei uns in Zeit und Raum hat er gelebt und geschaffen. Durch ihn sind unser Leben und unsere Kämpfe gleichermaßen gerechtfertigt (...) Vor zweihundert Jahren ist Mozart — wie denn! Mozart jetzt mitten in der wahnsinnigen und bedrängenden Geschichte; Mozart angesichts des Hasses in Algerien und Frankreichs politischer Abdankung? — Genau da! Wenn die Welt aus ihrer Bahn gerät, wenn die Gefüge einer Kultur erzittern (quand le monde fléchit autour de soi, quand les structures d'une civilisation vacillent), dann ist es gut, zu dem zurückzukehren, was mitten in der Geschichte nicht wankt, sondern im Gegenteil Mut gibt, die Getrennten eint und Frieden ohne Gewalt schafft. Gut ist es, zu erinnern daran, daß auch das Genie der Kunstschöpfung am Werke ist in einer der Zerstörung geweihten Geschichte.[23]

Von der solchergestalt ›negierten‹, in ihre Schranken gewiesenen politischen Wirklichkeit der Zeit kann sich dann auch Camus abwenden hin zur eigenen Kunstschöpfung. Noch im gleichen Jahr erschien der knappe Roman *Der Fall,* das bedeutendste Werk seiner letzten Lebensjahre. Es klingt wenig nach Mozart; Camus wendet sich auf anderer Ebene doch gerade wieder der negierten häßlichen politischen Gegenwart zu. Trotz mancher eingesprengter Konfession ist der Pessimismus des negativen Helden Clamence nicht derjenige Camus', in dem nun alles übrige versinken würde. Manche am ›positiven‹ Camus interessierten Leser kapitulierten vor dem *Fall*[24], dessen kalkuliert-begrenzte Negativität erst im Zusammenhang der anderen Texte dieser Jahre, zumal des Vortrags über den Künstler und seine Zeit, ihre rechten Konturen bekommt. Clamence, der »Held seiner Zeit«, ist kein Künstler, sondern der Typ des spröden, glasharten linken Intellektuellen, dessen Dialektik von der totalen Freiheit zur totalen Diktatur umschlägt und der jeden Terror zu rechtfertigen weiß, sofern er nur für das gute revolutionäre Ziel geschieht. Im November 1956, anläßlich des sowjetischen Eingriffs in Ungarn, hatte Camus neuen Anlaß, sich über die französischen richtenden Büßer von links zu erregen.[25] Aus der Genese des Buches geht im übrigen hervor, daß er – ebenso wie S. de Beauvoirs Roman über die *Mandarins von Paris* (1954) – nicht ohne die Kontroverse mit Sartre 1952 hätte entstehen können.

Camus hat Distanz von seinem fiktiven Helden, und zwar noch mehr als Diderot von seinem in vielem vergleichbaren *Neffen Rameaus.* Gemeinsam mit dem ›Menschen‹ Camus ist Clamence zwar die Krise, nach Jahren des absolut guten Gewissens plötzlich die eigene Ungerechtigkeit zu entdecken. Ein sehr persönlicher Text des Jahres 1954 anläßlich seiner Jugendessays spricht von dieser Krise, aber zugleich auch von den »Quellen«, aus denen Camus sein Leben neu begründet: die Natur, die Armut seiner Kindheit; über allem aber durch die Freude und Kraft des Kunstschöpfungsaktes.[26] An eben der Stelle aber steht für den Nichtkünstler Clamence seine andere, geniale und böse Intuition: das Handwerk des richtenden Büßers, jenes Antiberufs, dessen Alltag darin besteht, die Menschheit möglichst nachhaltig zu schädigen, indem man wen immer man findet durch kalkulierte Beichte in den eigenen Zynismus hineinzieht. Wer Clamence ungeschützt Gehör leiht, ist schon verloren; die Explikation seines Berufs ist der tiefsinnige Kern seines langen Monologes; alles Voraufgehende, samt der Raumsymbolik von Hölle und Fall, sind »digressions«, Umschweife. – Das Bekenntniselement im richtenden Büßertum ist Camus' wirkliche Entdeckung des Zwielichtigen in der modernen Solidarität, des schlechten »Wir«, das dem Ich der einsamen Verantwortung ausweicht: Camus nimmt die Botschaft des *Menschen in der Revolte*, die vorgebliche Nihilismusüberwindung in dem Satz »Ich revoltiere, also sind *wir*«, zurück; die falsche Lösung weicht der vervollständigten Erkenntnis des Problems der Solidarität.[27] Aber Camus selber ist schon nicht mehr unter den Richtern, er ist zur Rolle des »Rechtfertigers« durch die Kunst übergegangen, welche er als stummes und verstehendes Gegenüber Clamences auf der letzten Seite als den »Advokaten« symbolisch benennt.

Camus' Spätwerk ist schwierig und stellt hohe Anforderungen an die Leser. Texte über Dostojewski und Martin du Gard aus den selben Jahren würden das Mosaik vervollständigen und um neue Widersprüche bereichern.[28] Es ist Camus mit dem Pessimismus Clamences kein letzter existentieller Ernst; er läßt sich auch nicht wie Jonas als Künstler dem Wohle der Gesellschaft opfern; die Rede von Mozart, der nie so aktuell sei als im Algerienkrieg, ist Übertreibung und Provokation. Aber mit der Verpflichtung des Künstlers an die Aufgaben der Zeit ist es ihm auch kein wirklicher Ernst; er klammert sich an eine ideale »Rolle des Schriftstellers«, weil allein sie Beifall bringt, weil nichts anderes so gut dem verehrungswilligen und mythenhungrigen Publikum der Zeit entspricht. Um zu einer wirklichen Verständigung mit ihm zu kommen, ist es darum zunächst vonnöten, zum einen die Verständigungsschwierigkeiten zu zeigen, die Camus' verschlüsseltes Werk schon der früheren Zeit vor allem den deutschen Lesern bereitete, zum anderen aber, das Mißtrauen genauer zu formulieren, das sein Vermächtnis von der allzu idealen Rolle des Schriftstellers geweckt hat.

2. Von Iwan Karamasoff zu Albert Camus. Der Schriftsteller und sein Publikum

Kein anderes Buch Camus' erreichte in Deutschland so hohe Auflagen wie die *Pest* (1947). Jedermann kennt es, und doch ist ein wesentlicher Teil seines allegorischen Bedeutungsgefüges weithin unerkannt geblieben, weil Kritiker und Leser auf ihn bei einem ›philosophischen‹ Autor nicht gefaßt waren. Daß Camus mit der Pest etwas anderes meint als die Seuche, die es in Europa seit vielen Menschenaltern nicht mehr gibt, und daß andererseits eine metaphysische Bedeutungsschicht in ihr angelegt ist, wurde überall gesehen. Unklar blieb aber die untere, geschichtlich-politische Deutungsschicht, ohne welche das Verständnis auch der oberen, wenn anders Camus' Roman mehr sein soll als die Bestätigung einer längst allseits bekannten Philosophie der Existenz, nicht konkret und persönlich werden kann. Acht Jahre nach dem Erscheinen seines Buches schreibt Camus einem französischen Kritiker, er habe an den geschichtlichen »Evidenzen« der *Pest* vorbeigelesen; aufregend ist diese Erwiderung Camus' darum, weil sie mit Entschiedenheit eine Interpretation abwehrt, die allein in Frankreich so lange brauchte, bis sie aufkommen konnte, in Deutschland war sie von Anfang an die Regel.

Ich wollte von der *Pest* — so schreibt Camus —, daß sie auf mehreren Sinnebenen gelesen würde (sur plusieurs portées). Dennoch hat sie den Kampf des europäischen Widerstandes gegen den Nationalsozialismus zum evidenten Inhalt. Der Beweis dafür ist, daß dieser Feind, der nicht genannt wird, von jedermann und in allen Ländern Europas erkannt wurde ... In gewissem Sinn ist die *Pest* mehr als eine Chronik des Widerstands. Aber ganz bestimmt ist sie nicht weniger.[29]

Dieser »Beweis« steht auf unsicheren Beinen. Camus kennt offenkundig sein deutsches Publikum und dessen Lesegewohnheiten nicht. Man sah zwar den Bezug auf Krieg, Konzentrationslager und Nationalsozialismus, aber doch in keinem Fall die Transposition des bewaffneten, also nicht bloß geistigen Widerstandskampfes. Niemand erkannte in der friedlichen, Mikroben bekämpfenden Sanitätstruppe die Résistancekämpfer, deren Erfahrung Camus ›übersetzt‹ hat und von denen er bestätigt, sie würden auch jetzt noch gegen das »sehr menschliche Angesicht der Seuche«, gleich von welcher Tyrannei sie käme, zur Waffe greifen.

Für dieses Mißverständnis dürfte die Hauptverantwortung bei einem zu unpolitischen, zu zeitentbundenen deutschen Begriff von Literatur liegen; die Verdrängung der nationalen politischen Vergangenheit kommt erst sekundär hinzu.[30] Es könnte sein, daß Camus durch diese Richtigstellung, wenn sie sich allgemein durchsetzt, manche voreiligen Sympathien verliert, aber auch, daß er andere hinzugewinnt von Lesern, denen die gelebten politisch-ethischen Konflikte des Zeitgenossen und Künstlers Camus mehr bedeuten als eine gereinigte, aber unpersönliche Metaphysik. Camus, der unmittelbar nach Kriegsende schrieb, war kein unbeteiligter Zuschauer, auch nicht in der Allegorie. Vorläufig war es die Transposition, welche ihm und den französischen Lesern die nahe Vergangenheit erträglicher gestalten mußte, in der es um Menschen ging, die getötet wurden, nicht um Mikroben, wie Sartre

1952 in seinem Abschiedsbrief an Camus deutlich herausstellte, um seine eigene Position zum Problem der politischen Gewalt zu rechtfertigen.[31] Aber Camus' Ehrlichkeit bestand gerade darin, daß er bei dieser Lösung nicht stehenblieb; die ethische Problematik des Widerstands führte ihn weiter zu Kaliajew, den unschuldigen Mördern und ihrer Gemeinschaft der *Gerechten*.[32]

Bei der *Pest* war es ein zu dezidierter Begriff vom Eigenreich der Kunst, welche es dem Publikum erschwerte, das Buch in seiner konkreten Zeitbezogenheit zu verstehen; bei den philosophischen Essays und vorab dem *Mythos von Sisyphus* (1943) scheint es eher, bei einer anderen Art von Lesern, der vorschnelle Griff nach der existentiellen Wahrheit des Autors zu sein, welcher den *Künstler* Camus, der von seiner Originalität als Denker nicht abhängig ist, weithin übergeht. Die wichtigste philosophische Interpretation Camus', die Thèse von A. Nicolas, demonstriert eindrücklich die Notwendigkeit, Camus' Entwicklung gegen seine stilisierende Selbstdeutung zu verstehen: eine Entwicklung im strengen Sinn vom Absurden hin zur positiven Revolte gibt es nicht, das später überwundene Absurde ist ein anderes als das nuancenreiche aus dem *Sisyphus*, welches die »Grenzen« in der pathetischen Gestalt von »Mauern« schon kannte und das sich mit einer »wirksamen und begrenzten Vernunft« durchaus schon vertrug, welche nicht erst durch die positive Revolte hinzugefügt wurde.[33] – Aber berechtigt diese Erkenntnis dazu, im *Sisyphus* nun die unverborgene Wahrheit des wirklichen Camus zu fixieren, ist er als sein metaphysisches Tagebuch zu lesen? Die notwendige, von Nicolas auch gezogene Konsequenz ist dann, daß Camus' Praxis und an Wandlungen reiche Theorie der Kunst nur Evasion, Flucht vor dieser seiner Wahrheit sein kann.[34] Dagegen steht die nicht weniger gut begründete, ebenso einseitige, überwiegend angelsächsische Camus-Deutung, die nichts so faszinierend und so bedeutend an ihm findet wie den *Fremden* (1942), seinen Roman-Erstling, dessen Geheimnis sie darum mit immer neuen Deutungen umgibt, wobei der philosophische Essay bloß als nachträgliche und unvollkommene Rationalisierung des Ursprünglich-Echten Erwähnung findet. Das Absurde ist eine zur Philosophie erhobene moderne Roman-Erzählhaltung, wie auch Nicolas konzediert;[35] dann aber ist das eigentliche Problem für die literarische Interpretation, herauszufinden, warum Camus bei der Modernität des *Fremden* nicht stehengeblieben ist, welche existentiell-vorkünstlerische Erfahrung ihn nötigte, darüber hinauszugehen. Warum mußte er, wie der Maler Jonas in den Augen der Strengen unter seinen Anhängern, »seiner Ästhetik untreu werden«?[36] Der moderne, vom amerikanischen Roman bestimmte Camus ist gewiß interessant in sich selber, aber eigentlich verstanden werden kann er in solcher Isolierung kaum: sein komplementäres und spannungsreiches Wechselverhältnis zum späteren

›klassischen‹ Erzähler, der Dämme und Schranken gegen seine eigene »Faszination durch das Mechanische« aufbaut[37], ist es, was gedeutet werden will.

Entsprechend müßte die philosophische Interpretation klären, welcher Zusammenhang zwischen dem zweifelsohne existentiellen Absurden im *Sisyphus* und jener anderen Erfahrung besteht, die noch nicht darum unecht ist, weil sie in diesem Absurden keinen Platz findet. *Sisyphus* bleibt zentral als Weichenstellung für Camus' ganzes Denken und für sein Grundverhältnis zur Philosophie, aber nur, wenn man seines doppelten Themas gewahr wird, daß nämlich die Bewegung nicht nur vom ›Gefühl‹ zum ›Begriff‹ des Absurden geht, sondern weiter vom Begriff zum Mythos des Absurden. Die mythenschaffende Fähigkeit des Menschen ist das Thema nicht nur des angehängten dritten Kapitels, sondern des ganzen Essays, ist die Bruchstelle, welche eine nur existentielle und ›verbindliche‹ Auslegung des Absurden verwehrt. »Mythen sind dazu da, daß die Einbildungskraft sie mit Leben erfüllt« – »pour que l'imagination les anime«, schreibt Camus und expliziert dann an der altgriechischen Sagengestalt, was gemeint ist: »il faut imaginer Sisyphe heureux« – »Sisyphus muß als glücklich vorgestellt, verbildlicht werden«[38], was er anerkanntermaßen in der griechischen Sage noch nicht ist. Imaginieren ist mehr als nur phänomenologisches Beschreiben. Der moderne Mensch Camus fühlt sich nicht nur durch die mythische Sisyphus-Gestalt verstanden, er versetzt sich zugleich vermittels ihrer als Künstler in das menschliche Vermögen hinein, welches den Mythos als Mythos erfunden hat. Er wird selber schöpferischer Mythologe des Absurden, darin besteht sein ungriechisches, modernes ›Glück‹. Sisyphus mit seinem Stein ist seit Camus und durch ihn *die* tragische Symbolgestalt der Jahrhundertmitte geworden; vor seiner Nicht-Hoffnung und Luzidität schicken sich alle Hoffnungen, einschließlich der theologischen, an, neu Rechenschaft abzulegen. Das Symbol, der Mythos löst sich ab von seinem zufälligen Entdecker, ein legitimer Vorgang, zu welchem es in der Geistesgeschichte genug Analogien gibt. Zu ergänzen wäre hier nur, bei einer zweiten Lektüre Camus', daß auch dem verdeckten Thema in seinem Essay, der Mythenschaffung, ein verdecktes Thema im Bild der Zeit entsprechen könnte, daß es folglich ebenso überpersönlich-relevant ist wie das Absurde: Sisyphus ist nicht immer das Kind des Prometheus, der Vermessenheit des 19. Jahrhunderts – Marx –[39], bei Camus ist er im Gegenteil Vater der Revolte und des Prometheus, eines Romane schreibenden freilich. Sisyphus ist, weil Künstler, auch Odysseus der Listenreiche: er wälzt, wie alle Zeitgenossen, seinen Stein; er stürzt und ist geworfen ins Absurde wie alle, er fällt in unermessene Tiefen, aber – anders als alle – immer auf die Füße. – Das Absurde ist gar kein Gegenstand der Analyse, schreibt Camus später, sondern die »Anwendung eines gewissen modernen Prinzips auf die Lebensweise und auf die Ästhetik«, die absurde Welt ist »ästhetisch gerechtfertigt«, und schließlich, »einen *Mythos* des Absurden kann es geben, aber das *Denken* des Absurden ist unmöglich«.[40] – Unmöglich sollte es darum eigentlich auch sein, den wohlbedachten Titel, den Camus seinem Essay über das Absurde gegeben hat, immer nur halb zu lesen: als ginge es um Sisyphus in seiner nackten Existentialität und Geworfenheit, und nicht vielmehr um »den Mythos von Sisyphus«.

Die Reihe der Beispiele, wie man Camus zu existentiell, und wie man ihn andererseits zu werkimmanent-zeitlos versteht, ließe sich in vielen Einzelinterpretationen fortführen. Mindestens von gleicher Bedeutung ist aber die andere Art von Mißverständnissen, für welche nicht das Publikum, sondern der Autor die Verantwortung trägt. Schlechte Berühmtheit eines Schriftstellers besteht nach Camus' Worten darin, »zu verhindern, daß die anderen gelesen werden«[41] – das hat er da facto getan, und nicht allein durch einen Kreis zu leidenschaftlicher Anhänger, wie sie sich auch um andere Idole versammeln. 1957 spricht er von Werken,

welche den Menschen dem Schlechtesten versklaven wollen, was er in sich hat ... Kein großes Werk war je auf den Haß oder die Verachtung begründet.[42]

Den Haß hat Camus in sich überwunden, aber hat er nicht zuweilen recht nachdrücklich verachtet und an den Instinkt des Verachtens in den Lesern appelliert? Die Stimmung, die Camus mit seinen Büchern in Westdeutschland ausgelöst hat, sieht nicht immer nach Ernüchterung, nach Erwachen zur geschichtlichen Wirklichkeit aus. Ihm selber, der so beständig vor den Verführern warnt, ist die Praxis der Mystifikation nicht ferngeblieben – ohne sie wäre die eigenartige Faszination, welche die letzten 30 Seiten des *Menschen in der Revolte*, das Kapitel über das mittelmeerische Denken auf deutsche Leser ausgeübt hat, schwer zu verstehen. Hier sei der Existentialismus Sartres überwunden, ein neues Vertrauen in des Menschen Fähigkeit zur Solidarität begründet und schließlich die falsche Fragestellung nach der Parteilichkeit des Schriftstellers, wie sie einen Brecht im Banne Marx' und Hegels bewegt hat, richtiggestellt worden.[43] – Allgemein anerkannt ist dabei der Einschnitt zwischen den ersten vier Kapiteln des Revolte-Essays, von denen noch die Rede sein wird, und dem abschließenden fünften, das aber dadurch nicht notwendig zur Hauptsache, gar zum Schlüssel für den ›ganzen‹ Camus wird. Viel eher bekundet es eine Krise des Schriftstellers im Verhältnis zu seinen Lesern; eine Verlegenheit, insofern er sich der Fragen der nachchristlich »verlorenen« Zeitgenossen annehmen will, denen nicht wie ihm selber die Kunstschöpfung Ruhe gibt vor dem Stachel der moralischen Konflikte. Den kranken europäischen Lesern, die er in dem ungeduldig geführten Prozeß gegen Hegel, Marx und Nietzsche von ihrem nihilistischen Geschichtsdenken befreit hatte, muß er ein Heilmittel verordnen und irgendwie die aufgerissene Lücke wieder füllen. Er nennt dies Mittel eine »Moral«, nachdem er zuvor wiederholt erklärt, weder der Surrealismus noch die Existentialisten, »noch sonst irgendeiner von uns« sei imstande, heute eine solche zu begründen.[44] Diese Resignation verwundert nicht weiter, wenn man überblickt, daß Camus' Wortgebrauch von »morale« zeitlebens zweideutig bleibt und die Ablehnung überwiegt:[45] ihm sind wie Nietzsche, auf den er sich beruft, die Menschen verdächtig, die nach Gründen verlangen, um ehrenhaft zu handeln, die »das Gute« nicht ohne Fragen vollbringen.[46]

Die einzige von Camus ernstgemeinte Überwindung des Nihilismus findet im IV., dem Kunstkapitel, statt. Vom politischen Handeln der gewöhnlichen Menschen verlangt er, daß es die Geschichte verneine und bejahe »wie der Künstler das Wirkliche«; einzige feste Basis der »moralischen Klassizität« bleibt der künstlerische Schöpfungsakt;[47] das Böse ist ein Aspekt des Häßlichen. Camus hat den bestirnten Himmel über sich und die Werke menschlicher Kunst vor sich, aber keine Moral in sich, die den Anspruch erheben könnte, Gesetz für alle zu werden; sie orientiert allein den Künstler selber. Gide nannte das bescheidener und ironischer die Moral als »Anhang (dépendance) der Ästhetik».[48] Das einzige, was darüber hinausreicht, sind die Vermittlungsbegriffe »Maß« und »Grenze«, aber gerade sie sind nicht entfaltet und stehen ohne Verbindung mit dem Prinzip der Revolte, aus dem sie nicht hervorgehen. Sie sind nur die Andeutungen eines neuen Buches, das Camus nicht mehr geschrieben hat.[49] Auch der Versuch, Nietzsches Metaphysik des Mittags in Camus' fast ausschließlich geographisch ausgelegtem »midi« zu finden, führt nicht weit, denn hier ist, im Unterschied zu den literarischen Essays, die das Thema des *Sommers* vereinigt[50], die lebendige Landschaftserfahrung aufgesogen von der Konstruktion. Vergessen ist die subtile Vermittlung von Natur und Geschichte durch die Kunstschöpfung im IV. Kapitel; beides steht sich im V. wieder in eindrücklich starrer Antithese entgegen. Kaum hat die Natur, welche sich hier gegen die Geschichte »aufrichtet«, etwas mit Griechentum zu tun – wie Camus vermutet –, sie ist viel eher modern, romantisch und biologisch.

Doch auch damit ist es noch nicht genug. Aus dem Aufbau des ganzen Kapitels wird man weiter zu der Einsicht genötigt, daß für Camus selber innerhalb des mittelmeerischen Gedankens der rassisch-biologische Flügel die Hauptsache war.[51]

Mitten ins gemeine Europa geworfen, wo ohne Schönheit und Freundschaft die stolzeste aller Rassen im Sterben liegt, leben wir, die Mittelmeerischen, noch immer im gleichen Licht. Im Herzen der europäischen Nacht harrt das sonnenhafte Denken, die doppelgesichtige Kultur, ihrer Morgenröte.

Von Bescheidung und »gespannter Heiterkeit« gibt Camus' mittelmeerischer Abschied vom europäischen »Stolz« nicht eben einen sympathischen Eindruck; spätestens im *Fall* hat er es selber gemerkt. Im sterbenden Europa klingt, wie aus den Tagebüchern zu zeigen, entsprechend umgewendet und vergröbert, Spenglers morphologische Geschichtsschau nach[52], mit welcher sich auf einer höheren Ebene im selben Jahr Malraux auseinandersetzt. Nietzsche ist anwesend, aber nicht der des ›Hohen Mittags‹, sondern der, der unterschiedlos alles Südliche in der Kunst seiner Zeit pries.[53] Aber noch viel massiver ist in Camus' scheinbar so neuer Heilsbotschaft die Kontinuität mit dem antiromantischen Ideenkreis und der Doktrin Charles Maurras' (1868–1952), der das Mittelmeerische als System und nicht wie Gide und Valéry nur als Geist faßte. Seine meridionalistische Kulturstrategie, die aus Frankreich die germanische und orientalisch-jüdische Infektion des Geschichtsdenkens auszutreiben versucht, wie Camus[54], hatte gerade in Deutschland durch Hugo Friedrich ihre tiefe Deutung, Würdigung und Kritik gefunden[55], lange bevor den deutschen Lesern das Mittelmeer durch Camus wieder zum Geheimnis wurde.

Aber Maurras hatte sich – wie Giono, der ebenfalls in Camus' Mittelmeer-Mythos nachwirkt – durch seine Kollaboration mit dem Vichy-Regime 1940 endgültig kompromittiert, schon darum kann sich Camus nicht auf ihn berufen. Doch ebensowenig kommt er der durch die Geschichte gegebenen Aufforderung nach, nun auch die mögliche Affinität von »pensée de midi« und Faschismus zu überdenken.[56] Die während des Widerstandskampfes geschriebenen *Briefe an einen deutschen Freund* sind der Problemstellung noch näher im Wissen darum, daß man gegen den Nationalsozialismus, um ihn innerlich zu überwinden, nicht mit der Natur oder mit der Sendung einer anderen Rasse argumentieren kann.[57] Im *Menschen in der Revolte* ist beides wieder da. Entsprechend vereinfacht muß der Gegner von einst erscheinen; Hitler ist die »Geschichte im Reinzustand«; das Vertrauen zu den Ursprüngen, bei den Mittelmeerischen die Reinheit der Natur, ist bei den Deutschen »primitives Geheul, irrationaler Drang, Haß der Form, Bewegung«. Als Theoretiker dieses Dynamismus nennt Camus neben Rosenberg Ernst Jünger[58], der sich bekanntlich von der Realisierung seiner Ideen noch schneller distanzierte als etwa Gottfried Benn. Letzterer hat den neuen Staat einige Jahre verteidigt, obwohl und weil er das »Statische« schätzte und gegen ›Geschichte‹ war – genau wie Camus, der ihn nicht nennt, obwohl er von ihm wissen müßte. In Deutschland ist es üblich geworden, die politische Entwicklung Benns mit derjenigen Brechts zu vergleichen. Neuerdings wiederum wird Brecht mit Camus verglichen und durch ihn ›beantwortet‹: die nächste Aufgabe wäre, genau von der politischen Moral der Dichtung her, sich auszudenken, wie Benn möglicherweise, wäre er Franzose gewesen, den Weg zur Résistance hätte finden können – und auszudenken, in welche Tragödie der Nietzscheaner Camus, der um der Ehre willen nach Gründen nicht fragt, wäre er unglücklicherweise in Deutschland geboren, nach 1933 hätte geraten können.

Man lobt an Camus die Einheit von Leben, Werk und formulierter politischer Moral; doch die detaillierte Interpretation, die Camus an seinen eigensten Forderungen mißt, stößt eher auf relevante Widersprüche und Diskrepanzen. Niemand bestreitet Camus' unermüdliches und spontanes Eintreten auch für seine ideologischen Widersacher wie Tibor Déry, Pasternak, Henri Martin, das Ehepaar Rosenberg, zum Tode verurteilte Algerier während des Krieges seit 1954, und daß er sein Schriftstellerprestige dabei in nachahmenswerter Weise eingesetzt hat. Aber daraus zu schließen, der Schriftsteller an sich und Camus im besonderen sei »zum Verstehen verdammt« gewesen[59] – so wie Sartre »zur Freiheit verdammt« ist, weil die Verdammnis dem neuen Sprachgefühl die Berufung oder Sendung ersetzt –, ist kein guter, redlicher Schluß. Camus war nicht verdammt. Auch er durfte mißverstehen, seinen Horizont verengen, wo seine eigenen vitalen Interessen auf dem Spiele standen. Er durfte Hegel zum Hauptschuldigen des europäischen Nihilismus machen und Nietzsche so weit exkulpieren, daß wir Europäer wiederum die schöpferische Wiedergeburt der Kultur aus seinem Geiste erwarten sollen. Camus ist demselben Zwielicht zurückzugeben, in welchem man Sartre oder Brecht, Gide oder Malraux schon lange sieht, um sie kritisch zu verstehen und ernst zu nehmen.

Und es gibt, wie unser Vergleich mit Malraux und Aragon nahelegt, eine französische Tradition des redlichen, zuweilen verzweifelten Nachdenkens über die Literatur, auf deren Höhe Camus sich nicht in allen Punkten gehalten hat. Das Problem der Rechtfertigung der Literatur ist über ihn hinausgewachsen, es übersteigt die Grenzen des hellen Bewußtseins; Camus reagiert dumpf und ›mythisch‹, indem er einige zu präzise Fragen, wie zumal die nach dem Publikum, als unangemessen wieder vom Tisch der Zeit fegt. Und dennoch ist sie angemessen – nicht nur von der Zeit, sondern von Camus' eigenen mythischen Leitbildern aus betrachtet. Iwan Karamasoff, dessen Revolte Camus mit Nachdruck zu seiner eigenen erklärt, gibt seine Eintrittskarte zum Himmel zurück, weil und solange der Schöpfergott unschuldige Kinder leiden läßt; das »wahre Mitgefühl« verbietet ihm, das eigene Heil zu glauben.[60] Man muß sich vielmehr »der Verdammten annehmen«, als Seelenarzt und Schriftsteller, wie Rieux-Camus fortfährt. Aber auch der wirkliche Camus hat eine Eintrittskarte, die nicht alle »Verdammten« haben, und die er dennoch nicht zurückgibt: die zum wohlbewachten, hochumzäunten »Garten der Kunst«[61], zur menschengeschaffenen Schönheit, die in Jahrtausenden nur einigen wenigen Befreiung und persönliches Heil werden kann.[62] Man kann selbst in der westlich-demokratisch freien Welt nicht ›für alle‹ schreiben; den meisten fehlen als Lesern die bildungsmäßigen Voraussetzungen. Sich aber darum die Möglichkeit zu verschließen, wenigstens für die Wenigen zu schreiben, das nennt Camus, wie es Iwan wohl nicht genannt haben würde, »stupide«, stumpfsinnig. Gegen den Himmel ist Camus'

Revolte mit allen solidarisch, aber auf der Erde, in der Gesellschaft, gibt es weiterhin zwei unterschiedene Arten von Verdammten: für die einen schreibt man symbolische Literatur, mit den anderen bleibt man als Künstler und Mitverlorener »in symbolischer Verbindung«[63], ob sie es nun merken oder nicht.

Auch hier ist Camus nicht einfach zu verdammen, sondern bei seinem gelebten Widerspruch von Mythos und Wirklichkeit zu behaften. Es stimmt wohl, daß die Kunst mit der Würde ›des‹ Menschen und seiner Kultur zu tun hat, auch wenn die Mehrheit der Glieder einer modernen Industriegesellschaft wenig davon merkt. Kaum jemand kann wünschen, daß Camus etwa, anstatt den *Fall* zu schreiben, wie der späte Tolstoi seine Eintrittskarte zur Literatur zurückgegeben hätte. Doch das hätte ihm kein Hinderungsgrund sein müssen, sich mit der utopischen Hoffnung auf eine Literatur für mehr als »einige Wenige«, wie sie Aragon, Malraux und zuletzt noch Sartre angetrieben hatte, offen auseinanderzusetzen, anstatt in erneuter mythischer Preisrede die Wiedergeburt der Kultur durch die Künstler zu beschwören. Hier tritt der Theoretiker des Schreibens ins Zwielicht, hier lauert der Zynismus, den er bei anderen verwirft: in dem gesunden, unheroischen, auf Selbsterhaltung bedachten Künstler- und Menschenverstand, der, anstatt sich offen zu sich selbst zu bekennen, sich mit dem Nimbus des Versöhners gesellschaftlicher Konflikte umgibt. Um so dringlicher ist darum die Aufgabe, dies wandlungsreiche Spiel mit den ›Rollen‹ des Schriftstellers zu erfassen, um danach dann zu überblicken, was an ungespielter Solidarität mit der Zeit stehen bleibt.

3. Die ›Rollen‹ des Künstlers. Die Analogie Kunst – Politik im Aufbau der Revolte

Am ersten Anfang des Schriftstellers Camus stand nicht etwa die lyrische Huldigung an die menschenlose Natur; sie war erst der Gegenzug zum Helldunkel des Gesellschaftlichen, zur Zeit der Galeere, in welcher sich der kommunistische Student beim »Agitationstheater«[64] trotz einer frühen und geheimnisvollen Wallfahrt zu Franz Kafkas Grab in Prag[65] eine Zeitlang wohlbefand. Erst dann, um die Zeit des Austritts aus der Partei (1937) begann, gleichzeitig mit der kritischen Distanzierung von der »adhésion» Malraux' und Aragons, die Natur moralisch zu sprechen und bald darauf, in der frühen Entdeckung Sartres – Besprechung von *Der Ekel* November 1938[66] – das Absurde, welches im *Sisyphus* dann zur ausgebildeten Theorie vom einsamen, illusions- und hoffnungslosen absurden Kunstschöpfer führte, der weiß, daß es außer der Vielfalt und Zerstreuung der Bilder keine Wahrheit und Erkenntnis gibt. Plotins Logik der Bilder, Kafkas Romanwelt, in welcher sich Camus besonders für das moderne Kunstmittel der Disproportion interessiert, und der eklektisch ausgewertete Husserl verbinden sich, um aus dem dramatisch-endgültigen Sterben der Vernunft in neuer unersetzbarer Würde durch eine Osmose den nur noch beschreibenden, nichts mehr erklärenden und dennoch allein philosophischen »absurden Romancier« hervorgehen zu lassen – wenigstens im Ideal. Denn in der Wirklichkeit weicht Kafka nicht weniger als Dostojewski vom Absurden ab, sie werden »existentiell« und positiv.[67] Auch ihm, Camus selber, ist es nicht möglich, die ästhetische Norm dieses Absurden zu erfüllen: es ist nur möglich, wie er bald darauf notiert, in einer Welt ohne die Flucht der Erscheinungen, ohne den chaotisch dauernden Wandel des Wirklichen, den die menschliche Schöpfung aufzuhalten versucht. Im Übergang von der unbewegt-unerkennbaren Denkwelt zur unbewegten Fülle der Bilder und Mythen leugnet die absurde Kunst die Zeit; schon dort, wo die Hoffnungslosigkeit Kontinuität bekommt, fängt die Kunst an.[68] Die eleatisch-spinozistische Welt des *Sisyphus*, in der es ganz und dauernd Nacht ist, so wie im *Fremden* dauernd die unmenschliche Sonne brennt, ist verschieden von der diskontinuierlichen Lebenswelt, in welcher der denkende Mensch Camus sich vorfindet. – Noch ein weiterer wichtiger Grund hat Camus von diesem Weg, Philosophie und Roman einander anzunähern, bald abgebracht: Sartre, der Freund und Konkurrent, ist von 1944 an ein Moment in Camus' Entwicklung, das immer neu seinen Widerspruch hervorruft; so zuerst, noch vor den politischen Divergenzen, seine Kritik an Sartres philosophischer Literatur, welche das Gleichgewicht von »pensée« und »image«, Gedanke und Bild nicht erfüllt.

Die Résistance von außen, die Entdeckung der klassischen Tradition der französischen Literatur und – vorübergehend – das metaphysische Problem der Sprache, aus dem 1943 *Das Mißverständnis* entstanden ist, das Stück vom schuldhaften Schweigen und tödlichen Handeln[69], gaben nach der Erfahrung des Absurden der Gestalt des Künstlers alsbald wieder einen anderen, festen Boden unter die Füße. Er wird zum moralischen Wesen, durch die Kunst kommt das Gute in die Welt; »s'occuper des damnés«, sich der Verlorenen annehmen, fällt ihm als Aufgabe in nachchristlicher Zeit anheim;[70] er wird durch die Kunst Arzt der Seelen, symbolisiert im Helden der *Pest*, dem Arzt, Chronisten und »Priester einer relativen und menschlichen Religion«, Doktor Rieux, der nach dem ausdrücklichen Willen des Autors unter anderem auch das »Handwerk des Schriftstellers« rechtfertigen soll.[71] Die *Pest* ist ein Künstlerroman, der Schriftsteller ist die wahre Wirklichkeit des Arztes, der als Chronist »objektiver Zeuge einer Art von Verbrechen« wurde, der Pest, und damit des Krieges, von dem er schreibt.[72] – Genau dieses Zeugentum aber und die metaphysische Gerichtsverhandlung, auf welche es anspielt, sind Vorstellungen, welche Sartre im selben Jahr im Namen des kämpferischen Engagements der Literatur heftig bestreitet. Noch im *Sisyphus* stand wie bei Nietzsche der Eroberer (conquérant) als Idealtyp *neben* dem Künstler, spätestens aber seit 1948 wird in Camus' Denken aus dem Nebeneinander bewußter und unerbittlicher Kampf: Napoleon und Goethe wollen das gleiche, aber Napoleon will es auf dem falschen Weg. Falsch ist darum auch die Weichenstellung des kriegerischen »engagierten« Schriftstellers, welche Sartre eben proklamiert, weil sie mit der tieferen Differenz, die für Camus den Kampf der »Schaffenden« gegen die politischen Eroberer zum heimlichen, unerkannten Sinn der Geschichte erhebt, unvereinbar ist.[73] Alle einzelnen Kritiken Camus' am Engagement, daß es den Tod als Thema der Literatur nicht ernst nehmen könne, daß es Frühlingsgedichte in kapitalistischem Lande verbiete, und schließlich seine Unfreiwilligkeit, die dem Schriftsteller gar kein eigenes »Verdienst« bei seinem Tun läßt[74], ordnen sich dieser Grundentscheidung unter.

Im Revolte-Essay kommen mehrere Gegensatzpaare hinzu: Revolte und Revolution, Einheit und Totalität, Kreation und Produktion, Sein und Machen, welche vordem bei Camus ihre eigene Entwicklung außerhalb des Zusammenhangs mit dem Künstler gehabt hatten. Die eigentliche Gedankenbewegung dieses Buches, das die problematische Mitte von Camus' Werk darstellt, liegt in der Verknüpfung der Kapitel II bis IV, des »metaphysischen«, des »historischen« und des die Kunst betreffenden, welches mit Bedacht nicht etwa »die künstlerische Revolte«, sondern »Revolte und Kunst« heißt, weil beide ein eigenes Wesen haben. Diese Struktur ist von den Interpreten nicht allgemein anerkannt; bisher hat man Camus entweder seine Fünfgliederung ungeprüft abgenommen, oder aber den Aufbau des Essays überhaupt als irrelevant für seine Sache abgestreift. Für seine politische Stellungnahme, die »prise de position«, den Stich ins Wespennest der französischen Linken mit der These, auch die stalinistische Politik gehöre in die philosophische Diskussion über den Marxismus, mag dies Deutungsverfahren berechtigt sein; aber Camus will ja auch die Tagespolitik in einen höheren systematischen Rahmen aufheben.[75] Entdeckt wurde schon, daß das recht knapp gehaltene Kunstkapitel sein Gewicht dadurch hat, daß es innerhalb von Camus' gesamtem Werk einem ceterum censeo, einem Leitmotiv entspricht, im letzten oder vorletzten Teil eines Buches auf die Kunst oder den Künstler und seinen Platz in der Welt zu sprechen zu kommen:[76] so im *Sisyphus*, in seinen beiden Sammelbänden politischer Texte (*Actuelles*, 1948 und 1953); im Novellenband mit *Jonas*, im 5. Teil der *Pest* mit der Identitätsenthüllung des Chronisten. Bekannt ist auch, daß Camus' erster Plan für den *Menschen in der Revolte* eine zweigliedrige »vergleichende Studie der künstlerischen Schöpfung und der politischen Aktion als der beiden wesentlichen Manifestationen der menschlichen Revolte« ins Auge gefaßt hatte.[77] Der Plan hat sich dann weiter differenziert; aber auch von dem wirklich entstandenen Buch gilt, daß sein Hauptgelenk, sein größter Anspruch und seine höchste Anfechtbarkeit in dem Übergang von der politischen Geschichte zum künstlerischen Schaffen verborgen liegt, auf den letzten Seiten des Kapitels über die historische Revolte.[78] Die totalitäre stalinistische Revolution und das nihilistische, von Hegel her kommende Geschichtsdenken bestimmen das politische Bild der Zeit; aber in seinem anderen Ast, in der Kunstschöpfung, hat sich das Wesen der Revolte unverstellt rein erhalten. Von der »création«, die aus dem Chaos des Wirklichen Einheit erschafft, welche die Unvollendung der politischen Geschichte notwendig voraussetzt und zugleich erträglich macht, ist darum die Regeneration auch des politischen Handelns durch analoge Übertragung ihrer »Regel« zu erhoffen, die schöpferische Neugeburt der Kultur, in welcher schließlich gar die industrielle Produktion in freie »Schöpfung« übergehen soll.

Mehr Widerspruch hat allerdings bei den ersten Lesern der Übergang vom »metaphysischen« zum »historischen« Kapitel gefunden. Zweimal wird die Geschichte vom 18. bis zum 20. Jahrhundert erzählt im Bild und Zerrbild des revoltierenden Menschen. Der erste Gegenstand der Revolte ist das Christentum; aber der Gott, gegen den Camus seine Helden auftreten läßt und gegen den er später als antitheistischer Kunstschöpfer die Konkurrenz aufnimmt, ist keiner; er ist es weniger als in der *Pest* und in Camus' übrigen früheren und späteren Büchern.[79] Was im *Menschen in der Revolte* den Namen ›Gott‹ trägt, scheint nur eine Art notwendige Stadtmauer für die metaphysische Schmährede zu sein. – Der zweite Gegenstand der Revolte ist in letzter Konsequenz der Stalinismus. »Metaphysisch« ist der innere Kreis, wo das Herz der Revolte noch richtig schlägt, »historisch« ist die Pathologie, die gegenwärtige »Hölle« derer, die die Revolution für sich beanspruchen. Das historische Denken vom Alten Testament über die christliche Politik hin zur »deutschen Ideologie«, Hegel und Marx, verhält sich als »Illustration« zur Sache selbst der Revolte, die in der Romantik, in Iwan Karamasoff und Nietzsche dargestellt wird; von letzterem kommt die Begründung des Nihilismusbegriffs, den Camus dann mit einigen Vereinfachungen gegen seine politischen Gegner wendet, und seine Begrenzung durch das Schöpferische. Noch im Feld des Metaphysischen wirbt Camus um A. Breton als lebenden Vertreter der wahren Revolte, der sich im übrigen Camus' asketischer Ernüchterung der surrealistischen Tradition in bündiger Antwort widersetzte – »Allons donc! on a gardé le nom et supprimé la chose!« »Geht mir doch, er hat das Wort (Revolte) behalten, aber die Sache abgeschafft!«[80]– Der tragende Grundgedanke des III. Kapitels über die historische Revolte ist aber nicht bloß die Kritik am Stalinismus, an jenem Humanismus also, der durch den Terror heraufgeführt werden soll, sondern ein Prozeß um die »geschichtliche Verantwortung« für den modernen europäischen

Nihilismus – eine bewußte Fortsetzung der Schuldfrage des Nürnberger Prozesses in geistige Dimensionen hinein mit dem Ziel der Reinigung des kulturellen Erbes.[81] Nietzsche und Marx erfahren teilweise Entlastung; der eigentlich Schuldige, der die reinen Quellen verdorben hat, ist Hegel, der negative Held. In manchen seiner Züge, wie Camus ihn dem Leser vorstellt, muß er wie ein ins Monumentalische vergrößerter Merleau-Ponty, ein Urgroßvater Jean-Baptiste Clamences erscheinen[82] – der Schauprozeß, den Camus als Denker gegen ihn anstrengt, läßt die Schattenseiten des erneuerten Europa ahnen, in welches er dann durch »Mittagsdenken« die Zeitgenossen hineinretten will.

Im IV. Kapitel entwickelt Camus die »Regel« der Revolte am Nein und Ja, das die Kunst zur Wirklichkeit als Geschichte und Natur spricht. Das Naturschöne, die Landschaft, ist für Camus der wichtige positive Ansatzpunkt, der ihn von Sartres oder Malraux' Kunstlehre, aber auch von Dostojewski scheidet.[83] Die teilweise Häßlichkeit des Wirklichen andererseits ist die Voraussetzung für die menschliche Kunst, für den Übergang von Kontemplation zu Kreation. Ihr Verhältnis zur Geschichte ist strittig unter den Künstlern der Zeit; Camus spricht ungewiß von einer zweiten, außergeschichtlichen Ebene (plan, niveau), vom »zum Teil ästhetischen« Charakter der Revolte, und mit Nietzsche von der »lebenden Transzendenz« der Schönheit.[84] Die für Camus wichtigste Relation zwischen künstlerischem Schaffen und politischem Handeln ist aber die der absteigenden Entsprechung, der Analogie. Die Form dieses Denkens, das ohne Identität und Widerspruch auskommen will – was alle dialektisch geschulten Leser, einschließlich Sartres, notwendig irritieren mußte –, hat mit dem Nachwirken Plotins aus Camus' früher Zeit zu tun;[85] für die Anwendung dieses Prinzips nun auf Kunst und Politik war einer der wichtigsten Anstöße Camus' Begegnung mit der auf andere Weise neuplatonischen Theorie des englischen Romanciers E. M. Forster (geb. 1879), die er auf seine Weise variiert:

Die Revolutionäre, welche von Natur und Schönheit nichts wissen wollen, verurteilen sich selbst dazu, daß sie aus der Geschichte, die sie machen wollen, die Würde der Arbeit und des Seins verbannen. Alle großen Reformatoren versuchen, in der Geschichte das zu bauen, was Shakespeare, Cervantes, Molière, Tolstoi zu schaffen verstanden haben: eine Welt, die immer bereit ist, den Hunger nach Freiheit und Würde zu stillen, der im Herzen jedes Menschen ist.[86]

Gemeint ist die Geschlossenheit, das runde »Sein« ihrer Kunstwelten als solcher; die einen haben schon geschaffen, während die anderen immer noch zu bauen versuchen; in der Kunst ist schon erschienen, was das ewige Antlitz des Menschen ist, in der Geschichte noch nicht, und Camus läßt die Möglichkeit offen, daß es in ihr nie erscheinen wird.

Zwar geht er über den »absurden« einsamen Kunstschöpfer des *Sisyphus* hinaus; für den Künstler trägt das »Wir« der Revolte den Namen »Kultur« (civilisation); doch der Weg zu ihr hin bleibt widersprüchlich; ebenso ihre Zielbestimmung »anstelle des Richters und des Strafenden der Schaffende« – nach Nietzsche, der im selben, von Camus mehrfach so zitierten »großen Wort«[87] fortfährt, man müsse, nach der Vernichtung der Moral, »dasBöseste« heraufbeschwören, »erst den Leib hochbilden: es findet sich da schon eine Denkweise«.[87] All das meint Camus natürlich nicht, nur zeigt der Zusammenhang, wie problematisch es ist, gerade ihn gegen Nietzsches vom Machtwillen angestecktes Künstlertum als den bescheiden Einsamen auszuspielen, der »auf der Höhe unserer Zusammenbrüche« vor der Unerkennbarkeit Gottes verharrt.[88] Auch er geht aufs Ganze und will, in der Utopie wenigstens, alle Menschen nach seinem, des Künstlers, Bild umformen.

Der späte, nicht der mittlere, kunstfeindliche, Nietzsche steht im Hintergrund von Camus' Begriff von menschlicher Kunst»schöpfung«, die apollinische Form und Ewigkeit will.[89] Hinzu kommt die neuplatonische Linie, das Richtmaß der guten Einheit gegen die schlechte Totalität, von der Kunst dann analog auf die Politik übertragen, und als drittes ein romantischer, für die Revolte notwendiger, aber doch von Camus nicht ganz ernst genommener – und später wieder aufgegebener – Antitheismus des Künstlers. Ihre aktuelle Zuspitzung erfährt diese Lehre vom Kunstschöpfer in einem kurzen Exkurs über Marcel Proust. Ihn wählt Camus weniger darum aus, weil er ihm persönlich besonders viel bedeutete – Dostojewski oder Melville sind ihm näher –, als vielmehr, weil er ein französisches modernes und zugleich klassisches Exempel für »ewige« Kunst sucht; konkret darum, weil Sartre seine erste Darlegung der engagierten Literatur mit einer heftigen Invektive gegen Prousts Bürgerlichkeit verbunden hatte.[90] – Der Mensch verwirklicht für Camus sein Wesen allgemein in der Revolte; wenn er töten muß, ist er gerechtfertigt durch seine Gewissensskrupel und das Opfer seines eigenen Lebens: indem der Anarchist Kaliajew, noch innerhalb der »historischen« Revolte, als die positive Gegengestalt zum finsteren Hegel, die Bombe nur auf den einen Schuldigen wirft und Kinder, die getroffen werden könnten, schont, wird er, ohne zur Feder zu greifen, zum »Dichter«, zum Künstler also, oder auch zur »schönen Seele«. Der Künstler seinerseits jedoch, der sich durch sein Werk in der Revolte befindet gegen die Unordnung des Wirklichen und gegen den Schöpfergott, wenn es ihn gibt, verwirklicht die Bestimmung des Menschen an sich, ohne soziales und politisches Handeln: ohne es so auszusprechen, legt Camus dem Leser nahe, in Marcel Proust den eigentlichen und wahren »homme révolté«, den Menschen der Revolte verkörpert zu sehen, noch weit über Kaliajew hinaus. Die künstlerische Schöpfung erschafft die metaphysische Einheit, welcher Plotin nur durch mystisch-kontemplative Hingabe innewerden konnte;

sie bringt die Sinnenwelt, die er einst hinter sich ließ, vielmehr in neuer, menschengeschaffener Ordnung zusammen. Kunst ist für den Künstler selber die Versöhnung von Sein und Machen; sie überhebt ihn des Dilemmas von Yogi und Kommissar[91], weil schaffendes Weltbesitzen durch die Werke der Kunst ja ein Tun ist, wenn auch kein politisches.

Mit dem *Menschen in der Revolte* beabsichtigte Camus gegen die Unmäßigkeit der Zeit ein Buch des Maßes zu schreiben. Aber es ist etwas anderes geworden; auch dann, wenn man, wie billig, den problematischen Mittelmeer-Mythos des Epilogs wegläßt und sich an die Gedankenbewegung der mittleren drei Kapitel hält. Jede Verteidigung, jeder Einspruch von außen wird überflüssig angesichts des Kommentars, den drei Jahre später Camus' veränderte, tolstoische »kommunikative« Idee von der Kunst zur selbstgenügsamen, mit Nietzsche fundierten »ewigen« Kunstschöpfung des Revolte-Essays gibt. Vielleicht konnte Proust um der Ewigkeit der Kunst willen das »Für wen schreiben?« umgehen, aber Camus kann es in einer veränderten Zeit nicht mehr; seine Herleitung der Kunst ist einseitige Reaktion, Abwehr gegen die Herausforderung durch Sartres in jenen Jahren entwickelten, nicht weniger einseitigen publikums- und geschichtsunterworfenen Begriff von der Literatur.

Dennoch bleibt die Polarität der beiden so verschiedenen Leitbilder des revoltierenden Menschen, Kaliajew und Proust, bestehen. Die Revolte wohnt am Rande des Bereichs der Kunst, sie wird nicht ganz in ihn zurückgenommen. Kaliajew symbolisiert ziemlich genau das, was Camus 1952 gegen Sartre verteidigte; die Integrität der Moral im politischen Handeln, von ihren modernen und alten Gegnern seit Hegel die »schöne Seele« genannt. Aber auch ihre Verteidiger nannten sie so, zu Beginn des »Zeitalters der Revolte« in der europäischen Geschichte, dessen Deutung Camus unternimmt. Weil «das herrlichste aller Kunstwerke, die Monarchie der Vernunft«, von der Französischen Revolution nicht herbeigeführt wurde, reflektierte Friedrich Schiller seit 1793 auf die Möglichkeit einer ästhetischen Erziehung des Menschen und auf die Bildung schöner Seelen.[92] Camus kennt ihn und ordnet ihn als Dramatiker unter den »großen Romantikern« ein.[93] Die wesentlichen Themen Camus' waren bei Schiller durch die geschichtliche und politische Situation auch schon gegeben, was dazu anregen könnte, den Standpunkt von Camus' Gegenwart durch eingehenderen Vergleich mit der Tradition zu erhellen. Aber gerade die Berührungspunkte würden um so deutlicher den Abstand der Zeiten aufweisen: Schiller nimmt in der Analogie von Kunst und Politik noch die Hoffnung ernst, daß beides einmal wieder zusammenfallen wird, Camus kaum mehr; Schiller glaubt an Aufklärung und ästhetische Erziehung durch den Gehalt seiner Stücke, Camus will nur noch dem Akt, dem Vorgang des künstlerischen Schaffens eine formale »Regel« für die Politik abgewinnen; Schiller rechtfertigt im *Tell* den Tyrannenmörder, Camus läßt den seinen, darin seinen pazifistischen Anfängen getreu[94] und in der ethischen Fragestellung tragischer als Schiller, den Attentäter Kaliajew, erst durch das Opfer seines eigenen Lebens wieder in die menschliche Gemeinschaft zurückkehren.

Mit dem »mittelmeerischen Gedanken«, dem Ergebnis seines Versuches, die Regel der künstlerischen Revolte als Moral auszuwickeln, ist Camus, wie er im Rückblick erkennen muß, überwiegend gescheitert. *Der Fall* drückt keinen schrankenlosen Pessimismus aus, wohl aber die wiedergewonnene Überzeugung, daß eine gute Krise, mag sie historisch oder nihilistisch heißen, besser ist als eine schlechte ›Überwindung‹ derselben. Statt Seelenarzt ist der Schriftsteller wieder Chronist und Zeuge der durch die Kunst nicht lösbaren Widersprüche der Zeit. – Zwei bisher verdeckte Nebenlinien rücken nach dem Revolte-Essay neu ins Zentrum der Rollenbestimmung des Künstlers: zunächst der schon erwähnte, nicht parteigebundene, aber je und je Partei ergreifende »franc-tireur«, Camus' Konsequenz aus der Kontroverse mit Sartre 1952 und aus seiner politisch-journalistischen Erfahrung zu verschiedenen Zeiten. Das Scheitern von Camus' Vermittlungsbemühungen in Algerien 1956 gab in seinen letzten Jahren wieder dem Zeugentum den Vorrang vor der Parteinahme. Die andere Linie ist die, welche der im Revolte-Essay kaum nur gestreiften Bedeutung des gelebten, verstandenen und geformten Schmerzes (la douleur) für alle wahre Kunstschöpfung nachgeht, von Äschylus über *King Lear* zum späten Oscar Wilde und zu Louis Guilloux.[95] In diesem Blickwinkel kommt notwendig die Frage wieder herein, für wen die wahre Literatur da ist; Guilloux schreibt – im Unterschied zu Camus – von Arbeiterverhältnissen für Arbeiter; Wilde erkennt im Gefängnis seine symbolische Solidarität mit den anderen, weniger illustren Gefängnisinsassen, von denen Camus meint, auch ihnen könne durch Shakespeare und Äschylus geholfen werden. – Auch an den Zeitgenossen, weniger als Publikum denn als Stoff des Schreibens, entdeckt Camus nach der Enttäuschung über ihren »Nihilismus« Neues: weil sie nicht die wesenhafte Unschuld sind, wie noch die *Pest* lehrte, deshalb bedürfen sie über den Künstler-Zeugen hinaus ihres Verteidigers und Rechtfertigers. Seit 1952, ausgeprägt dann in den Texten von 1954/55, wird der Schriftsteller zum Advokaten der lebenden Kreatur, zum Gegenbild des ewigen Richters; Jean-Baptiste Clamences stummer Gesprächspartner im *Fall*, der verstehen und nicht verurteilen will, entpuppt sich darum am Ende als symbolisch zu verstehender Rechtsanwalt aus Paris.[96]

Überwinder des Nihilismus und Retter der Verlorenen, Chronist und Zeuge, dann wieder Verteidiger und Rechtfertiger der Kreatur; Camus scheint um glanzvolle Rollen des Schriftstellers inmitten seiner

Zeit nie verlegen zu sein. Alle weiß er alsbald künstlerisch fruchtbar zu machen, und der Übergang von der einen zur anderen fällt ihm eigenartig leicht. Es bleibt zu bestimmen, in welchem Sinne es tatsächlich Rollen sind, die er bewußt spielt – so, daß er jedesmal auch anders könnte. Camus' Wandlungsfähigkeit hat mit seiner Idee von den Zyklen oder Stadien zu tun, in welche er nicht nur sein Denken, sondern auch seine Schriftstellerrolle dem Publikum gegenüber hineinplant. Drei weitere Stadien seines Werkes, die dem des Absurden und der Revolte folgen sollten, hat er namentlich benannt: das »Urteil«, die »zwiespältige Liebe« und die »korrigierte Schöpfung oder das System«.[97] In keinem einzelnen Zyklus gibt sich Camus den Lesern ganz, nur alle zusammen sollen seine Wahrheit enthalten; das eigentliche und größte Kunstwerk sollte bei ihm – wie er selber es von den Romantikern sagt – die Entwicklung des Lebens des Künstlers selber werden.[98] Den Gedanken der Stadien hat Camus, wie aus seinen Tagebüchern hervorgeht, wenigstens zum Teil von S. Kierkegaard aufgenommen[99], den, wie Camus, in einem Spiel mit Standpunkten und Pseudonymen die Kommunikation mit dem Publikum seiner Zeit beschäftigte, das er überlisten mußte, um es indirekt in die Sache, die er kommunizieren wollte, hineinzuziehen. Aber die Denkentwicklung in Stadien, die Kierkegaard dem Leser vorstellt, hatte mit seiner eigenen nur entfernt zu tun. Camus dagegen identifiziert sich gründlicher mit den sich widersprechenden Rollen; man wüßte nicht, was er nebenher ohne Maske, direkt, wie Kierkegaard in seinen *Erbaulichen Reden*, noch sagen sollte. Er nennt sogar seine längst vorausgeplanten Zyklen, wo ihr Wahrheitswert in Frage gestellt wird, »Konfession«, persönliche Lebenserfahrung: eben das ist ihr neues Paradox und ihre Fragwürdigkeit.[100]

Zu den »Stadien« auf der einen und den »Rollen« auf der anderen Seite geben Camus' zum Teil schon veröffentlichte Tagebücher, besonders der Jahre 1948–1953, wichtigen Aufschluß, wenn man sich in ihre Eigenarten wie Stichwortverfahren, aphoristische Verallgemeinerung des Persönlichsten, konfessorischen Gebrauch des Zitats eingelesen hat. »Sich aufopfern für die Menschheit: man wünscht, nach Sainte-Beuve, bis ans Ende die applaudierte Rolle zu behalten«; dies eine Zitat faßt stellvertretend zusammen, welcher Konflikt Camus schon während der Entstehung des *Menschen in der Revolte,* also seines am meisten positiven Buches, innerlich bewegte, und was er dem Prinzip zuliebe verheimlichen mußte.[101] Die Fülle der Andeutungen fordert dringend dazu auf, in Camus' zu seinen Lebzeiten publizierten Texten ein regelmäßig wiederkehrendes Thema, das aber in anderen Kapiteln als denen der Kunsttheorie abgehandelt wird, dennoch im »existentiellen« Zusammenhang mit dieser zu verstehen: das Problem des Schauspielers. Caligula, der »Künstlertyrann«, macht Theater im Theater; im *Sisyphus* ist der Schauspieler neben dem Künstler einer der idealen Helden des Absurden; im *Menschen in der Revolte* taucht er als schreibender romantischer Dandy wieder auf, der seiner in der inneren Dispersion nur noch im »Scheinen«, im Provozieren vor dem Publikum gewiß wird; den man gegen seinen Willen zum »Modell« und »directeur de conscience« erhebt; schließlich ist der Held von *Der Fall* ein tragischer Schauspieler, »comédien« hier auch im Sinne von Komödiant.[102] – Von der Konstanz der Schauspielerproblematik aus bekommt auch die Stadienplanung eine Art innerer Notwendigkeit; dem Publikum wird eine Denk-Entwicklung vorgespielt, die, wie A. Nicolas wahrscheinlich macht, bei Camus nicht stattfindet oder längst abgeschlossen ist.[103] Der Autor spielt ein ernstes Spiel mit seinen Lesern, von denen er sich abhängig weiß, selbst dort, wo er sich ihrer ›annimmt‹. – Bei Camus ist der Konflikt andauernder als bei anderen, aber doch ist er kein unverständlicher Einzelfall; auch Sartre und Aragon erkennen nachträglich in den *Wörtern* und in der *Mise à Mort*, daß der »engagierte« und der »realistische« Schriftsteller je in ihrer Positivität auch etwas von Rolle und Beliebigkeit hatten, daß sie also auch anders gekonnt hätten – was sie doch gerade vorher so heftig bestritten.

Camus' Spiel mit den Stadien und Rollen ist einsam und ebenso tragisch, wie er es an den Romantikern deutet. Es gibt keine einfache, mit Händen zu greifende Wahrheit über Camus, die dieser hinter seinen wechselnden Masken arglistig verbergen würde; allenfalls die fraglich gewordene Rechtfertigung der Kunst selber in den letzten beiden Jahrhunderten. Das Thema Sein und Scheinen, wobei das letztere kein simples Lügen der Dichter ist, behandelt der selbe Kierkegaard, an dem Camus sich inspiriert, ausführlich; auch der böse Genius Hegel, dem Camus zuschiebt, er habe die »Philosophie des Scheinens« aufgebracht, hätte einiges dazu zu sagen.[104] Und nicht immer ist in der Literatur Spiel und Schein kontradiktorischer Gegensatz zu Ursprünglichkeit und Echtem: wie man von Aragon sagen kann, er sei in manchen seiner besten Werke Epigone, ebenso muß erwogen werden, ob Camus als Künstler über das hinaus, was er gelegentlich von anderen für die Bühne bearbeitete, nicht mit einem gewichtigen Teil seines Herzens ein Interpret und »adapteur« war; einer, der am ehrlichsten dort ist, wo er die Intuitionen anderer, besonders Dostojewskis und Nietzsches, nur erneuert und für unsere Zeit aktualisiert hat.

4. » . . . den Leidenschaften der Zeitgenossen Form geben«

Ebenso deutlich wie das Thema der Schauspielerei läßt sich jedoch in Camus' Entwicklung eine Grenze der Beliebigkeit der Sujets der Kunst aufzeigen – Dinge, bei denen er auf ungespielte Konflikte stößt, die ihn festhalten. Die eigene schwere Krankheit ist ein solcher[105] und die frühe Erfahrung von der Realität gesellschaftlicher Interessengegensätze, dann der Zweite Weltkrieg und die Teilnahme am bewaffneten Widerstandskampf. Camus war mit dabei, obwohl er vor dem Krieg Pazifist gewesen war; nun beginnt ein langer und hartnäckiger Monolog in seinem Gewissen über die Rechtfertigung der Gewalt und um ihre Begrenzung. Hierher gehört die von Malraux in seinem Nachruf auf Camus beobachtete »Gerechtigkeitsbesessenheit«[106], hierher die tragische Passion des Moralisten, der sich mit Chamfort verwandt weiß[107] und der sich selber die Überwindung des Nihilismus der Zeit durch »Schöpfung« nicht ganz glaubt. Mag der hochgemute Ausgang des Revolte-Essays mit seiner künstlerischen »Regel« für die Widersprüche der Politik fragwürdig sein, so ist es doch sein Ausgangspunkt nicht. Im Krieg schon hatte Camus, nur scheinbar noch in der Zeitlosigkeit des Absurden geborgen, erfahren, daß heute die Kunst an den »weltlichen Tumulten« nicht mehr vorübergehen kann, sondern in sie hineingezogen wird.[108] Auch nach dem Ende des Krieges ließ die Infragestellung der Kunst nicht nach. 1945 notiert Camus, daß er nicht als materiell begünstigter Künstler friedlich existieren kann, ohne damit die wesenhafte Forderung der »Freiheit« für die anderen, sozial schlechter gestellten Zeitgenossen zu verleugnen. Marxismus und Christentum sind ihm unannehmbare Wege.

Was tun zwischen beiden? Etwas in mir sagt mir und überzeugt mich, daß ich mich von der gegenwärtigen Epoche nicht loslösen kann ohne Feigheit... ohne meine Wahrheit zu verleugnen. Ich könnte es nur tun, oder auch ein relatives Engagement übernehmen, wenn ich Christ wäre. Als Nichtchrist muß ich bis ans Ende gehen. Bis ans Ende gehen bedeutet, sich für die Geschichte entscheiden im absoluten Sinn, und damit für den Mord an Menschen, wenn der Mord für die Geschichte notwendig ist. Andernfalls bin ich nichts als ein Zeuge. Da liegt die Frage: darf ich ein bloßer Zeuge sein? Anders gesagt: habe ich das Recht, nur Künstler zu sein? Ich kann es nicht glauben...[109]

Camus ist auf anderem Wege schließlich doch zu dem gesuchten »relativen« Engagement gekommen, und zwar durch die besondere Weise, in der er seine Ungetrenntheit von der Zeit, sein Zeuge-Sein für die Freiheit aller und für die Widersprüche des geschichtlichen Kampfes um diese Freiheit verstanden hat. Die Literatur ist in ihrer Zeugen-Funktion gerechtfertigt vor den Ansprüchen der menschlichen Gesellschaft, wenn sie sich an das hält, was das unausweichliche Thema der Zeit ist, die »politischen Leidenschaften«; im *Menschen in der Revolte* schreibt Camus dazu:

Eine schöpferische Kunstepoche ist dadurch gekennzeichnet, daß die Ordnung eines Stils auf die Unordnung der Zeit angewandt wird. Sie bringt die Leidenschaften der Zeitgenossen in Form und in Formeln. Es genügt also nicht mehr für den Künstler, Mme de Lafayette zu wiederholen... Heute haben die kollektiven Leidenschaften das Übergewicht über die individuellen Leidenschaften bekommen ... das unausweichliche Problem ist es, die kollektiven Leidenschaften und den historischen Kampf durch die Kunst zu meistern. Der Gegenstand der Kunst hat sich, den Klagen der Epigonen (pasticheurs) zum Trotz, von der Psychologie auf die conditio humana ausgedehnt. Wenn die Leidenschaft der Zeit die ganze Welt aufs Spiel setzt, dann will die Kunstschöpfung das ganze Schicksal meistern.[110]

Das Schicksal soll durch Form gemeistert werden, was Camus auch die neue »Klassik« nennt; sie bleibt freilich in der Anwendung auf die kollektiven Leidenschaften undeutlich. Kaum werden die Revolutionäre sich durch die Lektüre politischer Romane mit der Welt so versöhnen lassen wie die Leser und Leserinnen des 17. Jahrunderts durch das heroische Vorbild der *Prinzessin von Cleve* zure Meisterung ihres Liebesschmerzes aufgefordert wurden.[111]

Doch bleibt der Formbegriff für das Ganze des Gedankens sekundär. Die Ausdehnung des Gegenstands der Kunst von der Psychologie auf die conditio humana redet nicht dem philosophischen Roman im allgemeinen das Wort, sondern, wie Camus andernorts präzisiert, der »Politik, in ihrem reinsten Sinn. Den Menschen hat die – hoffende oder zerstörerische – Leidenschaft für seine conditio erfaßt«[112], für die Verhältnisse, in denen er sein Menschsein realisieren muß. Malraux' Grundthema klingt, vielleicht bewußt, an; Aragons Gedanken über das nur in seiner Politik faßbare Lebewesen Mensch liegen nahe. Wichtig für Camus' eigene Entwicklung ist daran, daß seit der Résistance allein diese Bindung an den bedrängenden politischen Zeitstoff – also nicht die Lehre von der menschlichen Schöpfung und nicht die Philosophie der Revolte – ihm auf Dauer den Boden und das relative Gleichgewicht verschafft hat, durch welchen die Literatur praktisch ihre Rechtfertigung fand und ermöglicht wurde. Das so bestimmte vorgegebene Objekt entfaltet dabei dann auch die Macht, die Probleme der gesellschaftlichen ›Rolle‹ des Künstlers zu relativieren und an die Peripherie zu bringen.

Die kollektiven politischen Leidenschaften sind zunächst die, die man in ihren Vertretern bekämpft, wie den Nationalsozialismus, dann diejenigen, die einen selber ergreifen, wie die Résistance; allgemeiner dann in ihrem doppelten, pervertierten oder positiven Aspekt, die soziale Revolution. »Mettre en forme les passions des contemporains« – Camus hat die Formel unter dem Druck der politischen Ereignisse gefunden, sie gehört mit den Entwürfen der *Pest* als einer »Chronik« der Zeit zusammen und mit der Entdeckung der Tradition des klassischen französischen Romans. Aber der Gedanke ist älter als die Formel, seine wesentlichen Elemente sind schon 1938/39 da: der politische Stoff bedarf seiner künstlerischen Rechtfertigung durch die Form; »Geschichte« macht das Zusammenleben der Menschen zur »Galeere«, aber die Kunst gewinnt durch den »roman d'actualité« dem eben vergangenen Aktuellen seine inaktuellen, will sagen ewigen menschlichen Probleme ab. Camus' frühe kommunistische Parteizugehörigkeit war zu kurz, als daß sie, wie bei Aragon und Malraux, literarische Früchte aus der »adhésion« hätte tragen können. Er ist schon außer der Partei, als er sich, 26jährig, in der Literaturspalte des ›Alger républicain‹ 1938/39 zu den Problemen des politischen Romans äußert. Dabei gibt er sich betont souverän: manchen Autoren, wie Aragon, sei die »adhésion« schädlich, anderen aber nützlich vom Standpunkt der Kunst aus, so bei Nizan und Malraux, aber auch bei Bernanos in den politischen Streitschriften.[113] Doch mit Bedacht stellt Camus immer gleich die Gegenbeispiele auf, die beweisen sollen, wie unnötig der großen Kunst die »adhésion« sei; Montherlant und vor allem Gide, in dessen neuer Unabhängigkeit nach dem Bruch mit dem Kommunismus Camus fühlbar auch sein eigenes Interesse mitverficht.[114] Nie erscheint die politische Parteinahme mehr als solche, d. h. politisch, sondern immer schon abgebogen als künstlerisches Thema, als Quelle der Inspiration. Ohne »künstlerische Qualität« kann kein revolutionäres Kunstwerk bestehen. Camus findet solche Qualität bei den beiden sozialistischen, nicht kommunistischen Autoren A. Chamson (geb. 1900) und I. Silone (geb. 1900). Chamsons Roman *La Galère* (1939) nimmt im Zeugentum von der jüngsten politischen Geschichte, nämlich den blutigen Manifestationen vom Februar 1934, Formprobleme der *Pest*-Chronik vorweg.[115] Silones Roman *Brot und Wein* (1936), dessen Held entdeckt, daß er kein Kommunist mehr ist, findet darum Camus' besonderes Interesse, weil er die »adhésion« oder das revolutionäre Engagement in der Krise zeigt;[116] Camus nimmt hier aus der Distanz des Lesers und mit dem nur begrenzten Stoff seiner eigenen Erfahrung das vorweg, was Malraux zur gleichen Zeit in der *Hoffnung*, und Aragon zwanzig Jahre später in der *Karwoche* als den entscheidenden Wendepunkt, die Krise des engagiert politischen Romans erfahren haben.

Doch Camus' abgekürzter Weg an das Ziel des überlegenen, die politische Hoffnung kritisierenden Zeugen ersparte ihm die gelebte eigene Erfahrung mit der politischen Parteinahme nicht. Er wurde zwar nicht noch einmal Kommunist, aber Widerstandskämpfer im Krieg, er wurde zum Handeln gezwungen und in die politischen Leidenschaften der Zeit hineinverwickelt. Sein eigenes Leben war es nun, dem er mit dem der Zeit zusammen Form geben mußte, und nun ging sein Disput mit der neuen »adhésion«, die Engagement heißt, in einem vertieften, beteiligteren Sinn weiter. An Sartres erstem Roman bemängelte Camus 1938 das fehlende Gleichgewicht von »Gedanke« und »Bild«; nach dem Krieg blieb sein Urteil über den nun politisch gewordenen Sartre das gleiche: es fehlt die notwendige Vollendung der Form. Ständig bezieht sich Camus auf das, was ihm an den bloß Engagierten mißfällt; ihre Formlosigkeit gibt ihm den Anstoß zu seinem Begriff einer neuen Klassizität und der »Scham«, des Abstandes, den die

Kunst auch vom menschlichen Leiden haben soll. Selbst Malraux, der ihm vor dem Krieg die Norm gewesen war, ist ihm nun zu wenig »Schöpfung« und zu viel »Reportage«. In makabrem Vergleich beschreibt er 1947, während er selber letzte Hand anlegt an die kunstvolle Pest-Chronik, die weitverbreitete neue Richtung in ihrem Unterschied zum klassischen Roman:

Die Abenteuer der früheren Schriftsteller hatten es fast immer mit der Liebe zu tun. Aus Achtung vor dem Partner und aus Rücksicht der Welt gegenüber transponierten sie das Wirkliche. Heute dagegen geben Männer den Erfahrungsstoff ab, die niemand achtet, und schreibt man von ihren wilden Umarmungen, welche man Krieg oder Revolution nennt. Wozu also noch die Scham? Soll das Fleisch doch bluten, dazu ist es schließlich da.[117]

Camus übergeht bewußt den tieferen Grund des Hasses auf Form und Vollendung bei den Engagierten, der darin liegt, daß sie durch ihre Bücher den begonnenen geschichtlichen Kampf offenhalten und anfeuern wollen. Er weiß wie sie, daß die Vollendung der Form das Verhältnis der Zeitgenossen zur Geschichte eher ausgleicht und versöhnt, und eben dies ist in der Pest-Chronik gegen Sartre seine Absicht, sein persönliches Engagement. Gerade die geschichtliche Zeitlage treibt Camus im Widerspruch in die platonische Ewigkeit des Mythos, in die zeitlose Geschlossenheit der Archetypen, was Sartre 1952 als das Fremde, seinem Engagement Feindliche an ihm herausspürte.[118] Im Doktor Rieux entwickelt Camus die spannungsreiche Gestalt des modernen »Zeugen« der gelebten politischen Gegenwart so, daß er sie alsbald auf eine bestimmte geschichtliche Tendenz hin festlegt: der Zeuge ist Chronist, er verwandelt das Gelebte in abgeschlossene, wenn auch nahe Vergangenheit; die menschlich-ewigen Probleme erfordern, wie vordem bei Chamson, daß der beschriebene politische Konflikt aufgehört hat, aktuell zu sein. Dabei ist kein Unterschied zwischen dem Künstler und dem geschichtlichen Menschen Camus zu denken, beide haben die gleiche Sehnsucht nach dem Überschaubaren, nicht ungewiß in die Gegenwart Weiterlaufenden. Die Résistance war, wie sie Camus im Rückblick betrachtet, eine gute Sache. »Und was ist in der Geschichte eine gute Sache (cause)? Eine, die sich selbst genügt.«[119] Eine, die nicht durch anderes, was sie geschichtlich bewirkt oder auslöst, ihren positiven Sinn wieder verlieren kann. Nicht für den Gegenstand, wohl aber für Camus' von Sartres grundlegend verschiedenes »Engagement« dem Stoff der Zeit und ihren Leidenschaften gegenüber ist damit die Weiche gestellt. Was für Camus die Konturen des Gegenstands sind, wird der Vergleich mit den französischen Romanciers seiner Generation, mit der Tradition, auf die er sich beruft, und mit dem »neuen« Roman, der nach ihm kommt, verdeutlichen. Die Absage an das kämpfende Engagement in der Kunst ist klar, aber ebenso ist es vorweg auch die gemeinsame Grundvoraussetzung mit Sartre, daß der politische Gegenwartsstoff Gestalt bekommen *muß,* so oder so: nur dann versteht man

Camus' Werk seit 1945, die Allegorie der *Pest*, die historische Transposition der *Gerechten* und die »berechnete Konfession« des *Falls* adäquat, wenn man erkennt, daß jedesmal nahe politische Wirklichkeit verhandelt wird.

Daran, ob es ihnen gelingt, den politischen Leidenschaften der Zeit Form zu geben, mißt Camus das schriftstellerische Werk seiner Zeitgenossen, er erhebt es schließlich zur Grundforderung an die Literatur, die Kunst der Sprache überhaupt. Auch Sartre lehrt einen solchen Hauptgegenstand allen Schreibens, ein Wovon, dem niemand ausweichen kann und nennt es »die Freiheit«, als einen Begriff der Vermittlung von Anthropologischem und Politischem.[120] Aber Camus' Bestimmung erscheint allgemeiner, sachgemäßer und tragfähiger. *Der Fall* ist mehr als *Die Wörter*, »Freiheit« ist weniger als Passion, Leidenschaft: vielleicht ist es gerade die Grenze von Sartre als Romancier und Theaterautor, daß er für die *Un*freiheit der Menschen, welche »Leidenschaft« mit ausdrückt, keine künstlerische Sprache, sondern eher nur eine philosophische Polemik bereit hat.[121] Camus hält beides zusammen: neben der politischen, nicht immer vernünftigen Leidenschaft zugleich die Freiheit und Verantwortlichkeit des Individuums; wie am nachdrücklichsten das von Sartre bewunderte Werk *Der Fall*, die Idee des richtenden Büßers zeigt.[122] – Die Leidenschaften unserer Zeit sind nach Camus politisch und kollektiv, man findet sich in ihnen vor, aber die zwangsweise Solidarität ist nicht immer ein Positivum. Eine Weise, sich ihrer zu erwehren, ist die Literatur, das freie, bewußte und apollinische Formgeben, ausgeübt am bedrängenden Wirklichkeitsstoff der Zeit.

In dem Maße wie der Künstler seine Zeit zum Objekt nimmt, behauptet er seine eigene Existenz als Subjekt ... in eben dem Augenblick, wo der Künstler sich entscheidet, das Schicksal aller zu teilen, behauptet er den Platz seiner Individualität.

Die Form schafft das Bedrängende nicht aus der Welt, es besteht weiter; Camus lebt trotz mancher provozierender Äußerungen in diesem Sinne nicht in der »ironischen Hinnahme« der ihn umgebenden Zeit.[123]

Was seine Differenz zu Sartre ausmacht, gilt fast ebenso für Camus' Verhältnis zum Romancier Malraux, dessen Stoff ja auch nichts anderes war als die politische Leidenschaft der Zeitgenossen, von ihrer positiven Seite genommen. Nur kommt Malraux kaum dazu, diesen distanzierten Blickpunkt des Zuschauers einzunehmen. Er sieht die anderen und sich selber nur von innen, wo die Leidenschaft nicht nur Leidenschaft, sondern Wahrheit, einziger Zugang zum »banalen Geheimnis des Menschen« ist. Weil trotz der vielen sukzessiv verkörperten ›Rollen‹ die Künstler-Subjektivität, sobald sie in Aktion tritt, für Camus weniger problematisch ist als für Malraux oder Sartre, darum ist sie auch nicht exklusives und tiefsinnigstes Thema seiner Theorie.

Dieses ist eher im Wovon seines Schreibens, im Wirklichkeitsstoff zu finden. Er ist objektiv, wenn auch nicht so unverrückbar wie Aragons ›Wirkliche Welt‹ es war, vor der letzten Krise; politische Leidenschaften sind bei Camus keine nach naturwissenschaftlicher Analogie faßbaren Mechanismen; keine nur verengt subjektiven Ansichten eines in sich vollkommen vernünftigen Geschichtsprozesses. Auf ihn ist Camus ohnehin zeitlebens schlecht zu sprechen; den allumfassenden ›Prozeß‹ kennt er nur als Requisit der unvernünftigen, fanatisch sich selber rechtfertigenden politischen Leidenschaft.[124] Was er gelten läßt und an den Tag bringt, sind bestimmte in der Zeitgeschichte wirksame Triebfedern (ressorts), zu welchen zum Verständnis der französischen Gesellschaftsentwicklung für ihn neben dem Sozialismus als eigene Kraft auch noch der Unglaube (irreligion) gehört.[125]

Wie seine unmittelbaren Zeitgenossen, so lassen sich auch Camus' Vorbilder im Feld des Romans vom Prinzip der dargestellten Leidenschaft der Zeitgenossen aus übersehen. In seinen letzten fünf Jahren sah Camus die Hauptaufgabe, die Epik, die er erreichen wollte, im wesentlichen noch vor sich. Die Größe der gesetzten Aufgabe ließ ihn die Schwächen seines zurückliegenden Werkes sehen: daß er bisher nur »unwirkliche«, mythische Gestalten geschaffen hatte, wie sie nicht »in der Welt« sind, daß er folglich noch kein Romancier sei.[126] An diesem Wendepunkt hält seine ausführliche Einleitung zu Martin du Gards Werken 1955 wichtige Überlegungen und Unterscheidungen fest. »Visionäre« und »Schöpfer« nennt er zwei verschiedene Familien von Romanciers; zu den ersteren gehören Faulkner und Kafka – an ihm, dem einst Bewunderten, äußert Camus nunmehr heftige Kritik, seine Ausdrucksmittel seien monoton, willkürlich allegorisch, bei aller unersetzbaren »geistigen Erfahrung«. Zu den »Schöpfern« zählen H. Melville, mit welchem Camus wahrscheinlich auf dem Umweg über J. Giono bekannt wurde, und Martin du Gard.[127] Ihre Krönung aber findet die Polarität, wie kann es anders sein, bei Dostojewski und Tolstoi, welch letzteren auch Martin du Gard als sein direktes Vorbild betrachtet hat. Mit seinem Meister teilt Martin du Gard »den Geschmack an den Menschen, die Kunst, sie in ihrer sinnhaften Undeutlichkeit (obscurité) zu schildern und ihnen zu vergeben«, alle »Probleme« kommen erst nachher, nach der in sich selber soliden Wirklichkeitstiefe und -dichte der menschlichen Kreatur, welche dem Roman seinen Bestand gibt. Dies alles stellt Camus als notwendiges Korrektiv »unserer zeitgenössischen Literatur« entgegen, welche sich im Schattenhaft-Visionären auf Dostojewskis Spuren verliert – Camus spricht weitgehend gegen sich selber. Und doch kann die der Zeit gemäße Literatur auf Dostojewskis Erbe nicht verzichten:

Denn es ist sehr wohl möglich, daß der wirkliche Ehrgeiz unserer Schriftsteller ist, eines Tages, nachdem sie sich *Die Dämonen* assimiliert haben,

Krieg und Frieden zu schreiben. Am Ende eines langen Wettlaufs durch Kriege und Verneinungen haben sie, selbst wenn sie es nicht eingestehen, immer noch die Hoffnung, die Geheimnisse einer universalen Kunst wiederzufinden, welche in Demut und durch beherrschtes Handwerk des Schreibens endlich wieder Personen in ihrer Sinnenhaftigkeit (leur chair) und in ihrer erfahrenen Zeit (durée) zum Leben erwecken würde... Behalten wir auch die Möglichkeit des Genies im Auge und daß es einem Künstler kraft seiner Überlegenheit oder Unverbrauchtheit gelingt, jeden Druck zu verzeichnen, den er von außen erleidet, und das Wesentliche des Abenteuers unserer Zeit zu verarbeiten. Seine eigentliche Bestimmung wäre dann, in seinem Werk ein Bild dessen zu fixieren, was erst in der Zukunft sein wird, und so ausnahmsweise die Kraft der Prophetie und die Vollmacht der wahren Kunstschöpfung in eins zusammenfallen zu lassen.

Um nicht seine übrige Theorie zu dementieren, wonach die Künstler notwendige Feinde der Propheten und Visionäre sind, weil aus der Zukunftssehnsucht nichts als Unmenschlichkeit kommt[128], spricht Camus von der »Ausnahme«, die doch offenkundig das Ideal ist, das er sich selber als Romancier gesetzt hat, und das zu erfüllen ihm nicht die Zeit blieb.

Der Roman soll über Dostojewski hinaus, aber doch in keiner Weise hinter ihn zurückfallen; jede sachgerechte Formgebung der zeitgenössischen Leidenschaften bedarf der »zusätzlichen Dimension« Dostojewskis, der Sünde und der Heiligkeit; des »Metaphysischen«, das nichts anderes ist als das »Soziale« unter einem anderen Blickwinkel betrachtet, welches Camus bei den Zeitgenossen wachhalten will.[129] – Noch mehr als bei Malraux ist Dostojewski bei Camus in allen Büchern mit anwesend; Meursault ist Kirillow, Rieux Iwan Karamasoff, Clamence der Kellerlochmensch; wie beim späteren Malraux hat Dostojewski bei Camus die Funktion, den Glauben an die Absolutheit oder die versöhnende Macht der menschlichen Kunstschöpfung in der Schwebe zu halten durch seine Stoff- und Problemgebundenheit, sein metaphysisches Desinteresse an Kunstmetaphysik. Weiterhin aber ist er für Camus zugleich der »Prophet«, was im Schlechten dahin führt, daß alle Probleme der Gegenwart in Dostojewski hinein zu versinken drohen, im Guten aber vielmehr dahin, daß Camus ihn nach den Maßstäben seiner Gegenwart neu versteht und aktualisiert: nicht um die metaphysisch-religiöse Dimension an sich geht es, sondern darum, daß sie den Stoff der Zeit in seiner Tiefe durchdringt, die Konflikte des modernen revolutionären Gewissens, wie sie bei Shakespeare oder bei Äschylus so noch nicht vorkommen konnten.[130] Weil Dostojewski, der Zeuge dessen, was politisch neu war in seiner Zeit, gemeint ist, darum interessieren die *Dämonen*, der Roman von der nihilistischen Versuchung der Revolution, mehr als die große Synthese der *Brüder Karamasoff*. Camus wollte nicht beim nur »philosophischen« Roman stehenbleiben, sondern ihn – mit tolstoischer Orientierung – überschreiten in Richtung auf ein tieferes Bild der ihn umgebenden Zeit und Gesellschaft in der Vielfalt ihrer Themen.

Als Kriterium für die französische Literatur vergangener Jahrhunderte stößt Camus' Definition von der Formung der Leidenschaften einer Zeit auf Schwierigkeiten. Man wüßte nicht, ob etwa Stendhal und Balzac schon zu den Schilderern der kollektiven oder noch zu denen der individuellen Leidenschaften gehören. Von Bedeutung ist allein, daß für Camus die bloß privaten Leidenschaften ihre Aktualität verloren haben und daß eine Literatur, die sich heute mit ihnen begnügte, in seinen Augen nur noch Imitation, pastiche, sein kann. Für Sartre, Malraux, Aragon und andere französische Romanciers, die seit 1930 zu schreiben begonnen haben, packt seine Definition zu; sie gibt ein Thema, von welchem aus die ganze Geschichte des politischen oder engagierten Romans in dieser Zeit abgehandelt werden könnte. – Wie aber steht es mit den jüngsten Entwicklungen des Romans in Frankreich, und in welchen Formen des Erzählens hätte Camus' eigenes Werk weitetrgehen sollen? Seine späten Bemerkungen über den Nouveau Roman sind ungeduldig;[131] sie klingen ähnlich wie das, was er seit 1945 über die »Sackgasse« des amerikanischen Romans gesagt hatte, damals gegen seine Kritiker, die bemüht waren, ihn auf der Höhe der Modernität des *Fremden* festzuhalten. Sein neu aufgenommener Dialog mit der tolstoischen Tradition führte ihn aus der Enge seines »mythisch-intellektualistischen« Stadiums heraus, freilich hätte er auch bedeuten können, daß Camus in seinem nächsten Roman, der wieder von der geistigen und politischen Gegenwart Europas handeln sollte, nun entschlossen unmodern, herkömmlich realistisch in der Schilderung der kollektiven Leidenschaften der Zeit geworden wäre. *Der Fall* weist freilich in andere Richtung, so, als ob Camus auch in Zukunft in den Formen und Techniken des Erzählens keine Askese geübt hätte; auch ist er bei der moralischen Verurteilung des »inhumanen« amerikanischen Romans nicht stehengeblieben, seine Bewunderung für Faulkner hinderte ihn daran. – Sartres Verquickung der Lehre vom Engagement mit der Reduktion der erlaubten Erzählerstandpunkte im Roman bis auf einen, das »Mittendrin« der Situation, hat Camus nach anfänglichem Nichtverstehen so subtil wie sonst kaum einer unter den Zeitgenossen parodierend gekontert: der Metaphorik der Galeere und des großen »Ob-man-will-oder-nicht« antwortet das Dunkel im Bauch des großen Fisches der Solidarität, von dem der Maler Jonas verschlungen wurde; der engagierten Entrüstung über die Terrassen, die den Chronisten der *Pest* inspirierten, entspricht die Flucht nach links unten, ›la chute‹ oder ›der Fall‹, der böse Blick aus der bürgerlich-intellektuellen Hölle unserer Zeit.[132]

Den Neuen – Sarraute, Simon, Robbe-Grillet – wirft Camus vor, sie nähmen die Form wichtiger als den Gehalt (le fond), also Formalismus; was sicher nur halb stimmt: auch bei ihnen kommt der Zustand der Zeit und Gesellschaft mittelbar vor, allerdings nicht in der Gestalt der kollektiven Leidenschaft, die an einem ansprechbaren, der Verantwortung fähigen Gesamtsubjekt festhält. Der ›Gehalt‹, das sind bei Camus die bewußten metaphysischen und sozialen Hintergedanken, welche die Neuen so nicht haben, und deren Anwesenheit auch in Camus' ›modernsten‹ Büchern wie im *Fremden* begegnet, zu dessen Technik in einem veränderten Sinn er hätte zurückkehren können. Geblieben wäre die seit der *Pest* formulierte Bindung an die Zeitgenossen; hinzugekommen wäre nun in neuer Bewußtheit und Bescheidung, nach dem Verzicht auf die positive »Rettung der Verlorenen« unter den Lesern, die kritische, infragestellende Moral des Chronisten, der weiß, daß die Formgebung als solche die Widersprüche der Zeit nicht überwindet, sondern nur an den Tag bringt. Die Fragen sind jene, welche als ›Dimension Dostojewski‹ auch den Zeitgenossen Camus' durch seine vermittelnde Adaption gestellt bleiben sollen – aber nicht im Pathos der Antigone, sondern in der Weisheit und der Ironie des Odysseus. Auf die vielfältige symbolische Bedeutung dieses griechischen Sagenhelden, der Camus nicht weniger beschäftigte als Sisyphus[133], hätte eine Literatur sich zu berufen, die das abgebrochene Werk und das Erbe Camus' verwandelt lebendig erhalten wollte. Andere Schriftstellerlebensläufe haben die Krise zum Ende; Camus hatte die seine, das Trugspiel vom Retter der Verlorenen, schreibend hinter sich gebracht und Gründe fürs Nichtverstummen gefunden: Odysseus, den Circe auf lange Jahre zum westlichen Kultursymbol verzaubert hatte, ist ihr entkommen und sitzt wieder mit im abenteuerlichen Schiff derer, die Ithaka suchen ...

V

Korrigiertes Engagement und Zeit der Zeugen

1. Für wen schreiben und wovon schreiben: zwei Richtungen in der Korrektur des Engagements

Nicht warum, sondern für wen man schreibt, sei die tiefere Frage an den Schriftsteller heute, verkündete Aragon 1933 und berief sich dabei auf André Gide, der diese Verschiebung der Fragegewichte schon etliche Jahre früher, in einem bedeutend weniger politisierten Zeitklima im Jahre 1919 vorgenommen hatte. Die Untersuchung des Literaturbegriffs dreier französischer Schriftsteller ging entsprechend dem Kommunikationsaspekt, der Publikumsfrage, der gesellschaftlichen Funktionsbestimmung der Literatur mit besonderem Interesse nach. Ein Ergebnis solchen Verfahrens war, daß, je gründlicher man dem ›Für wen?‹ nachgeht und es zum Schlüssel des ganzen Problems erhebt, man um so mehr entdeckt, daß es eine isolierbare Antwort darauf nicht gibt und daß eine dritte, am kürzesten als ›Wovon schreiben?‹ formulierte Frage wachsend Gewicht und Dringlichkeit auf sich zieht. Der Literaturbegriff der drei Autoren kann nicht ohne die Wirklichkeit, den Stoff, der sie inspiriert und den sie in Kunst verwandeln, angemessen verstanden werden. Aragon inspiriert die wirkliche Welt, was außen und objektiv vorgegeben ist in seinen Gesetzmäßigkeiten. Malraux umkreist als ständiges und unerschöpfliches Thema die Humanität, das was innen, subjektiv ist und allem Außen, bis hin zu Revolution und Krieg, seine Farbe gibt und es antreibt. Camus sieht sich im Innen und im Außen um, aber nicht mit der einseitigen Gründlichkeit der anderen beiden; ihn läßt die subjektive Seite der Außenwelt, die Agitation der Subjekte, wo sie objektiv und fremdartig wird, kurz, die »Leidenschaft der Zeitgenossen« zur Feder greifen.

An ihren Stoffen sind sie zu erkennen und zu unterscheiden. Dem Satz aus der Einleitung, daß Aragon, Malraux und Camus als Schriftsteller notwendig der äußeren geschichtlichen *Zeit* bedürfen, um sich zu individualisieren, ist nun am Ende hinzuzufügen, daß sie sich an ihrer Zeit auch in der Tat *individualisieren* — so sehr, daß fast alles Gemeinsame in Händen zerrinnt, und daß es schwer halten würde, alle ihre Verschiedenheiten wieder in einem einheitlichen Netz einzufangen. Doch andererseits wäre es absurd gewesen, manche der gefundenen Ergebnisse, etwa zu dem Alterswerk von Malraux und Aragon, zu unterdrücken, weil sie in kein solches Netz passen. In der Fülle verschiedener und gegensätzlicher Antworten bleiben immer noch genug gemeinsame Fragen, auf die sie sich beziehen. Aber auch diese gemeinsamen Fragen und Problemstellungen bei verschiedenen Autoren können implizit bleiben, müssen nicht am Ende der Untersuchung in gewaltsam-konstruktive Formeln gepreßt werden; der interessierte und spezialisierte Leser findet sie in den einzelnen Kapiteln ohnehin. Dies gilt auch etwa für die verschiedentlich angeklungene Dialektik von 18. und 19. Jahrhundert innerhalb des Literaturbegriffs heutiger Autoren, welche sich als geeignet erweisen könnte, manche verengte, speziell westdeutsche Fragen aufzulockern, zu erweitern und so auf dem Umweg über Frankreich vielleicht sogar das Verständnis für die Literatur des anderen Deutschland zu vergrößern. Das einzige, was am Ende nicht ungesagt bleiben kann und explizit gemacht werden muß, sind von den gemeinsamen Zügen ihres Literaturbegriffs die, von welchen anzunehmen ist, daß sie einer anderen Untersuchungsmethode als der hier eingeschlagenen nicht ohne weiteres auffallen werden. Sie führen zu dem im folgenden zu erläuternden Begriff einer ›Zeit der Zeugen‹. Der Übergang vom ›Für wen‹ zum ›Wovon schreiben‹ als der wichtigste Zug und zugleich als die zeitgemäße Verlängerung der Fragenliste in Sartres Essay wurde schon genannt.

Die methodische Beschränkung auf dieses neue Fragenpaar ist sich ihrer Einseitigkeit bewußt. Die Vertreter des Nouveau Roman halten die Verlängerung hin zum ›Wie schreiben?‹ für lebensnotwendig für die Literatur; wir werden wenigstens am Rande auch darauf kommen müssen. Auch das totgesagte ›Warum schreiben?‹ hat im Lauf der Jahrzehnte neue Akzente angenommen; das ›Warum *nicht* schreiben‹ wird beim späten, an der Notwendigkeit der Literatur zweifelnden Sartre neu abgewogen:[1] die Nachwelt wird nicht nur europäisch sein; Afrikaner und Asiaten, aus Ländern, in denen die Kunst des Lesens und Schreibens erst noch zum Allgemeingut gemacht werden muß, werden als künftige oder schon unerkannt gegenwärtige Leser Gericht halten über die Bücher, die heute geschrieben werden. Nicht mehr die Widersprüche der eigenen begrenzten Industriegesellschaft, sondern die zur gleichen Zeit sich entwickelnden Probleme der außereuropäischen Welt werden mit entscheiden, was Bestand hat und was Evasion war. – Auch dieser beherzigenswerte pessimistisch-prophetische Gedanke kann bei der hier anzudeutenden ›Korrektur des Engagements‹ allenfalls ein begleitender ferner Horizont sein. Für alle drei untersuchten Autoren ist, auf den kürzesten Nenner gebracht, Engagement *weniger* als Literatur. Aber bei dieser negativen Berührungslinie bleibt es nicht. Eine Reintegration, Vervollständigung und Korrektur des Engagements zu dem Punkt hin, wo es Literatur wird, setzt vielmehr von denen, an welchen sie gezeigt werden soll, voraus, daß sie möglichst nahe daran bleiben, gleichsam in Tuchfühlung mit ihm. Auch sie haben

Fragen wie etwa die vom Engagement so weit abliegende nach der ›Seinsweise‹ sprachlicher Kunstwerke – Camus und Malraux fragen nach der »création«, Aragon nach der Wirklichkeit des Poetischen –, aber dies allein reicht ihnen nicht aus, das zu begründen, was von uns der Kürze halber ihr Literaturbegriff genannt wird; das Sein der Literatur erledigt für sie, im Unterschied zu vielen Formen der Kritik und Wissenschaft heute, nicht die Problematik ihres Engagements. Wenn die Korrektur bei dem Übergang, auf der Schwelle zwischen dem ›Für wen‹ und dem ›Wovon‹ stehenbleibt, so unter der stillschweigenden Annahme, daß beide Fragen auch für die Literatur vergangener und zukünftiger Zeiten relevant sind – daß Autoren, welche, beide Fragen als ›falsch gestellt‹ von sich weisen, über bestimmte Grenzen nie hinauskommen, und der Literatur im Ganzen nichts sehr Großes oder Neues hinzufügen werden.

Das ›Wovon‹ ist für die Zeit und für die Autoren, die untersucht wurden, die geschichtlich bedeutsamere, nach dem radikalen ›Für wen‹ wieder die neue Frage; um diese Erkenntnis auszuführen, wird die Korrektur in zwei Schritten vor sich gehen: der erste geht von den Texten und einzelnen Autoren, einschließlich Sartres, zu bestimmten allgemeinen Momenten schriftstellerischer Haltung hin, der zweite führt von diesen allgemeinen Momenten und der Bewegung zwischen ihnen zurück zur französischen Literaturgeschichte der Jahre 1930 bis 1960 und zu den Elementen eines erweiternden Epochenbegriffs der ›Zeit der Zeugen‹ als Korrelat zur Zeit oder Generation der Engagierten. – Von den drei allgemeinen Momenten, welche im ersten Schritt hergeleitet und definiert werden, sind die ersten beiden, Engagement und »direction de conscience« der Leitfrage ›Für wen schreiben?‹ und das dritte, Zeugentum, der Leitfrage ›Wovon schreiben?‹ zugeordnet. Die Definition aller drei Momente am Schluß der Herleitung, jeweils in vier Punkten, beantwortet in möglichst strenger Parallelität zwei Doppelfragen zu jeder Schriftstellerhaltung, nämlich 1. ihren Publikumsbezug: a) die Haltung des Autors, b) die erstrebte Ausrichtung der Leser und 2. ihren Gegenstands- oder Stoffbezug: a) die Darstellungsweise, b) das Verhältnis zur politischen Geschichte.

2. Engagement – »direction de conscience« – Zeugentum: Momente im Wandel schriftstellerischer Haltung

Engagement heißt in Sartres Philosophie zunächst ein vorfindliches Gebundensein des Menschen an einen anderen oder an eine Situation, dann die Bindung an diese Situation aus eigenem freien Entschluß. Die so benannte Bewegung des Subjekts als verantwortliche Selbstwahl wird alsdann normativ zum Ansatzpunkt der Moral: meine jeweilige Entscheidung »engagiert« mit meiner Zukunft die der ganzen Menschheit, und von allen Menschen ist das Engagement in der Übernahme ihrer jeweiligen Situation zu fordern.[2] – In Sartres Essay *Was ist Literatur?* von 1947 soll allein die Prosa, nicht die Poesie engagiert werden; in ihr sind die Wörter Zeichen, durch welche der Schriftsteller eine »Aktion zweiten Grades«, das »Handeln durch Enthüllung« vollzieht. Der Leser, vor welchem diese Enthüllung geschieht, wird zum Mitverantwortlichen für die Welt. Grund, letztes Warum für das Schreiben ist das Bedürfnis des Menschen, sich notwendig zu fühlen in der Welt. Im Werk wird der Autor objektiv, aber doch nicht an sich, sondern nur insofern er gelesen wird: »Kunst gibt es nicht, außer für und durch den Anderen«; der in seiner Freiheit angerufene Leser kann dem Werk die Existenz verleihen oder verweigern. Das Kunstwerk ist als solches Freiheit; die ästhetische Freude des Anschauenden macht es ihm darum unmöglich, in der Welt die Unfreiheit, die Unterdrückung des Menschen durch den Menschen zu wollen: um der Kunst willen also muß die politische Freiheit, die Demokratie verteidigt und erkämpft werden.[3]

Sartres 250 Seiten umfassender Essay hat vier Teile. Der von Aragon überlieferten Verbindung der Fragen ›Warum schreiben‹ und ›Für wen schreiben‹ ist ein neuer Rahmen gegeben, in dem zuvor beantwortet wird, was »Schreiben« ist, und ein vierter angehängter Teil ausführlich die »Situation des [französischen] Schriftstellers im Jahre 1947« analysiert.[4] Doch die Hauptsache, das was das ›Engagement‹ neu bezeichnen will, ist, wie bei Aragon vordem, die Art der Verbindung, der Konnex zwischen dem ›Warum‹ und dem ›Für wen‹, der Publikumsfrage. Nach den ersten beiden philosophischen Teilen wird der dritte, »Für wen schreibt man?« geschichtlich.[5] Die überwiegend soziologische »Dialektik der Literatur« entfaltet sich in marxistischer Terminologie durch verschiedene Etappen der französischen Kulturgeschichte; Hegelsche Konzepte wie Negativität und absolute Negation, unglückliches Bewußtsein, die Spannungspaare konkret/abstrakt, zeitlich/geistig dienen dazu, das wandlungsreiche Verhältnis des französischen Schriftstellers zur jeweiligen Gesellschaft, seine Freiheit in der Situation – wie er sie gebrauchte und mißbrauchte – zu bestimmen.

Lebendig wird das Bild nach der Klassik, zu Beginn der Aufklärung: »Das 18. Jahrhundert bleibt in der Geschichte die einzigartige Möglichkeit (chance) und das bald wieder verlorene Paradies der französischen Schriftsteller.« Alles ist in Bewegung, ein neues bürgerliches Publikum erschließt sich neben dem überkommenen aristokratischen, eine tiefere Solidarität der deklassierten Intelligenz mit den Unterdrückten beginnt. Die aufsteigende Klasse hat ihre eigene Ideologie noch nicht fertig ausgebildet; indem die kämpfende Literatur ihre Autonomie gegenüber den bisherigen Autoritäten entdeckt und sich mit Geist und Geistigkeit ineinssetzt, nützt sie in ihrer abstrakt-allgemeinen Kritik dem Bürgertum. Als bestimmte Negativität ist sie konkrete Ausübung der Freiheit; die politische Gegenwart wird von ihr nach dem Zusammenbruch der religiös gedeuteten Ewigkeit neu als Wirkungsraum möglicher Aktion erfahren, »das Geistige ist auf der Straße«. Der Schriftsteller lebt gefährlich; die Prügel, die Voltaire bezieht, gehören mit zu seinem neuen Ruhm. Jedes Buch ist eine Tat und unmittelbare Vorarbeit für die Revolution: nur in diesem Jahrhundert wird klar, was bei Sartre besagen soll, daß die Literatur ihrem Wesen nach immer ein Anruf, Appell an die Freiheit des Lesers, und zwar Anruf zum politisch-revolutionären Handeln sei.[6] – So war die Literatur schon nahe daran, zu sich, das heißt: zur vieldeutigen und bedeutungsschweren »Freiheit« zu kommen, doch das folgende bürgerliche 19. Jahrhundert brachte es anders; für die Sache der Literatur war es in Frankreich Niedergang, »Verrat« und »Sündenfall«. Sartre blickt in ihm dem Feind ins Auge, alledem nämlich, was dem Schriftsteller der Gegenwart die Rückverbindung zu den gesunden Traditionen des 18. Jahrhunderts versperren will. Anstelle der begrenzten Negativität ist die absolute Negation der Gesellschaft durch die Literatur getreten, welche im gleichen Atemzug die Gefangene eben dessen wird, was sie negiert. Im analytisch-atomistischen Individualismus hat sich die abstrakte Auffassung des Menschen verhärtet; die Schriftsteller unterliegen den beiden Mystifikationen entweder eines unparteilich-bezeugenden Realismus oder einer neuerlich sakralen Auffassung ihrer Kunst, die sich anstelle der ausgebliebenen Wirkung auf die gesellschaftliche Gegenwart mit einem Mythos der Kontinuität über die Grenzen und durch die Jahrtausende der Vergangenheit hindurch schadlos hält.[7]

Sartres philosophischer Begriff des Engagements erfährt nirgendwo so konkrete Bestimmung und Ausrichtung wie im Engagement der Literatur, und hier wiederum ist es die Behandlung der Publikumsfrage, historisch und für die eigene Gegenwart, von welcher man ausgehen muß, will man das Engagement nicht mehr als persönliche Eigenheit Sartres, sondern als Beschreibung einer Struktur sehen, die sich bei anderen französischen Schriftstellern, wenn nicht der Bewußtheit und dem Wort, so doch der Sache nach aufweisen läßt. Es kann nicht verwundern, daß gerade hier der französische Existentialismus seine Fortentwicklung weg vom deutschen Wurzelboden bei Heidegger besonders deutlich vor Augen führt:[8] unwiderruflich ist die eine Entscheidung gefallen, daß der französische Schriftsteller in Erkenntnis seiner geschichtlichen Situation nur *gegen* die Bourgeoisie sich engagieren kann, aus der er gewöhnlich herstammt, und *für* das Proletariat und seine Emanzipation, an welcher das zukünftige Schicksal der Literatur hängt. Auch dann muß er schreibend im Klassenkampf Partei ergreifen, wenn ihm, wie Sartre 1947, die kommunistische Politik inakzeptabel und das Arbeiterpublikum als bloß »virtuelles« unerreichbar ist.[9]

Das eigentliche, ungelöste Problem in der Haltung des Engagements ist, wie es der späte, skeptisch gewordene Sartre autobiographisch und individualpsychologisch in den *Wörtern* 1963 unter die Lupe nimmt, daß es von einer subjektiven Wunschsynthese ausgeht, welche den Unterschied nicht erträgt, daß ein Schwert ein Schwert und eine Feder nur eine Feder ist. »Ich war ein Schriftsteller-Ritter, man schnitt mich entzwei . . .«: aus dieser unerträglichen Wunde sei alles entstanden. Der Vergleich aber etwa mit der Entwicklung Malraux' läßt auch diese Zurücknahme ins Individuelle mit Vorsicht betrachten.[10] Wobei freilich die ständige Versuchung des Engagements bestehen bleibt: daß seiner Synthese die Kraft fehlt, weil die Entzweiung, aus der sie hervorgeht, nicht gründlich genug war; weil sie es umgangen hat, den Unterschied, der revolutionäre Aktion und Literatur auseinanderhält, in ganzer Tiefe zu erfassen.

Engagement: Elemente zur Definition

»Appell«: Die Frage ›Für wen schreiben?‹ wird Schlüssel des Literaturbegriffs überhaupt. Zusätzlich wird ein ganz bestimmtes Bild vom Leser – bei Sartre orientiert am Bürgertum des 18. Jahrhunderts, das eine Parole suchte für seine noch unformulierte Ideologie – zur Norm gesetzt. Der Leser ist der Freiheit, des Engagiertwerdens oder der inneren »adhésion« fähig; er steht mit dem Autor auf gleicher Stufe, durch dessen Appell er zur Weltverantwortung aufgefordert wird, zur politischen Aktion, zur Praxis und zum Machen, nicht zum besitzendhabenden Sein.

Klassenkampf: Engagement ist *nicht* die formale Entschiedenheit für irgend etwas. Kein Schriftsteller kann sich heute für Antisemitismus, für Ausbeutung oder für die Verherrlichung des Krieges engagieren. Engagement ist nur möglich in Blick auf Freiheit, Solidarität und Brüderlichkeit aller Menschen. Die Entdeckung bestehender kapitalistischer Verhältnisse, welche hiervon die Mehrheit der Gesellschaft ausschließen – durch Aragon, Malraux und Camus in den dreißiger Jahren – und die Résistance als politischer Befreiungskampf gegen den Faschismus sind die beiden Wurzeln für die Formulierung des Engagements in Frankreich; Sartres Thema und Problem bleibt es, zwischen beiden die notwendige Verbindung zu suchen. – Sekundär fordert Sartre als thematische Bestimmung eine Literatur des »Machens«, der Produktion und der Praxis als Antwort auf die bürgerliche Literatur des Verbrauchens und Habens.

Subjektivität: Der Engagierte strebt in die Objektivität des Klassenkampfes; das Engagement aber ist zunächst eine Bewegung des Subjekts in seiner Einzelheit, ist ausgeübte Freiheit und willentlich übernommene Situation. Die umgebenden bürgerlichen Verhältnisse fordern vom Schriftsteller zunächst die Absage, dann erst den analysierend-differenzierenden Blick. Wer statt dessen seinen Frieden mit dem Bestehenden schließt, ist vom Engagement aus zunächst »Verräter«, dann erst Produkt seiner Verhältnisse. – Bei Malraux ist das Subjektive 1932–1937 in der Theorie der »adhésion« formuliert; bei Camus erscheint anfangs dasselbe Wort, später geht es in seinen neuen Begriff der »Revolte« ein; bei Aragon – der immer weiß, daß »Realismus« im kapitalistischen Land nicht das gleiche sein kann wie in der Sowjetunion – ist das Subjektive der Künstlerhaltung im Adjektiv »sozialistisch« eingeschlossen. – Sekundär verbindet sich damit bei Sartre die Forderung der subjektiven modernen Erzähltechnik im Roman, die Sicht aus der Situation, ohne höhere Standpunkte und zuschauende »Zeugen«.

»Geschicklichkeit«: Verstehbar wird das Engagement nur als schockartige, leidenschaftliche Reaktion beim Schriftsteller auf einen überzeitlich-innerlichen, abstrakt-humanistischen Begriff von Literatur. Ihn bekämpft er bei sich, bei den schreibenden und lesenden Zeitgenossen mit letzter Schärfe, um seine eigene geschichtliche Freiheit und Wirklichkeit gegen die überkommene Entfremdung zu gewinnen und doch zugleich die Literatur vor ihren Verächtern zu retten. Verworfen wird jede hoffende Ausschau des Schriftstellers auf die Nachwelt, aber auch der Bibliothekshumanismus, der nur mit toten, klassifizierten Autoren kommunizieren will. Dennoch bleibt die Dialektik von Relativem und geschichtlich neu enthülltem Absolutem in jedem Engagement des Autors und Lesers: Geschichtlichkeit ist Situation und Entscheidung, nicht Prozeß.

Mit *»direction de conscience«* soll eine zweite, verdeckte Linie aufgezeigt werden, die in der Frage ›Für wen schreiben?‹ von den Anfängen an mitgegeben ist. Verdeckt wird sie gerade durch das Engagement, durch den Zug, den die Publikumsfrage 1933 bei Aragon, 1947 bei Sartre angenommen hat, und den sie bei Gides erster Formulierung der Frage 1919 so höchstwahrscheinlich nicht hatte. Beide Richtungen begrenzen, ergänzen und konturieren sich wechselseitig. »Direction de conscience«, ein Ausdruck aus der kirchlichen Sprache, der um die Jahrhundertwende auf das Verhältnis von Autor und Leser übertragen wurde, als psychologisch-kommunikative Funktion, ist kaum übersetzbar. Seel-Sorge ist zu eng, weil in »conscience« mehr Gewissen, Bewußtsein und Intellekt beteiligt ist; von Führung, gar Führer, kann man auf deutsch noch nicht wieder reden. Verführung paßt eher – und in der Tat spielt bei den »directeurs«, die sich immer nur mit einem Teil Ironie als solche verstehen, etwa bei Gide, die Abwendung, Lösung der Leser aus dem Christentum heraus eine wichtige Rolle.

Camus kommt auf das Ambivalente, Fragwürdige am »directeur de conscience« in seinem Revolte-Essay beiläufig zu sprechen. An der Aufklärungsliteratur des 18. Jahrhunderts, Sartres historischem Hauptargument für das Engagement, zeigt Camus geringes Interesse, oder vielmehr, er sieht in ihr alsbald, in *Rameaus Neffe* von Diderot, in der wilden und abgründigen Genialität neue Probleme, die nach dem Erfolg der Revolution und der aufgeklärten Religionkritik auf den Künstler zukommen werden. Die Revolution leitet über zur Revolte des tragikomischen Dandy, der Flucht in den Schein. Aber, so fährt Camus fort,

zur gleichen Zeit eröffnet der Dandy eine Ästhetik, die noch über unsere Welt herrscht, die der einsamen Kunstschöpfer als der erbitterten Rivalen eines Gottes, den sie verurteilen. Von der Romantik an wird die Aufgabe des Künstlers nicht nur sein, eine Welt zu erschaffen oder die Schönheit um ihrer selbst willen zu preisen, sondern auch noch die, eine Haltung zu bestimmen (définir une attitude). Der Künstler wird dann zum Modell, er empfiehlt sich zum Vorbild: die Kunst ist seine Moral. Mit ihm beginnt die Zeit der directeurs de conscience.

Camus spricht hier als Historiker mit ironischer Distanz, aber doch zugleich, wie die Anspielung auf den Antitheismus zeigt, von den ungelösten Problemen seiner eigenen Künstlergegenwart. Die Nachchristlichkeit der Kunst ist weiterhin problematisch. Auf den folgenden Seiten handelt Camus von der durch Iwan Karamasoff verkörperten Verwerfung des persönlichen Heils im Namen der Gerechtigkeit und der Moral. Iwan solidarisiert sich mit den Verdammten aus der »vraie compassion« heraus, aus wahrem Mitleiden:[11] all dies führt in die Mitte von Camus' eigenem, wenigstens zeitenweise, schriftstellerischen Selbstverständnis, der sich in der *Pest* der verlorenen, nachchristlich-religiösen Gewissen der Zeitgenossen annehmen wollte. »Direction de conscience« ist ein vergleichsweise gedämpftes Wort für die pathetische Sache, die sich für Camus damit verbindet: die Dimension Dostojewski oder die Aufgabe, die Religion zu kritisieren und doch zugleich in der Verwandlung festzuhalten.

Auch bei Malraux klingt in den Passagen, die dem Thema der »direction de conscience« zuzuordnen sind, Dostojewski mit, wenn auch in anderer Weise. Das psychologische Problem steht im Vordergrund. Malraux führt auf die Wirkungsweise französischer Schriftsteller unseres Jahrhunderts bei ihrem Publikum zurück, genauer zu dem, was für ihn als jungen Leser von 21 Jahren die bestimmenden Eindrücke waren. Von Maurras und Barrès ist die Rede, im Zentrum jedoch steht André Gide, mit dem Malraux später ein lebenslanger Dialog verbindet. Im frühesten Text, 1922, schreibt er:

Man muß Gide vielleicht nicht als einen Philosophen betrachten. Ich glaube, er ist etwas ganz anderes: ein directeur de conscience. Das ist ein bewundernswerter und eigenartiger Beruf; doch viele junge Leute wollen gerne geführt sein (être dirigés). Es ist kein Geringes, ein Mann zu sein, der den

Geisteszustand einer Epoche schafft. Gide hat den Kampf zwischen unseren Begierden und unserer Selbstachtung gezeigt, den ich die innere Unruhe (trouble intérieur) nenne ... Bei der Hälfte von denen, die man heute »die Jungen« nennt, hat er das geistige Gewissen (conscience intellectuelle) wachgerufen.

Ein solcher Schriftsteller muß selbst kein asketischer Heiliger sein, er gleicht vielmehr den predigenden Mystikern des Mittelalters, welche die Menge ihrer Jünger durch Achtung, nicht durch Furcht an sich banden.[12] – Später hat Malraux in der Zeit des Spanienkrieges die Ansprachen der revolutionären Schriftsteller an die Massen, welche diese kaum gänzlich verstehen konnten, mit den Kreuzzugspredigten Bernhards von Clairvaux verglichen, und noch in den *Anti-Memoiren* verfolgt ihn dieser Gedanke mystisch-spontaner Kommunikation durch die Literatur.[13]

Auf Gides Funktion für die Leser kommt Malraux 1935 wieder zu sprechen, zu der Zeit, in welcher er selber analog die Rolle vor dem jugendlichen Publikum einnimmt, die er vordem durch Gide passiv an sich erfahren hatte. Der epochemachende Unterschied zwischen Gide und Nietzsche, so erklärt er, liege darin, daß Zarathustra-Nietzsche in keiner Weise der »namenlosen Menge seiner Jünger« bedarf, um seiner selbst gewiß zu werden; Ménalque-Gide dagegen hat seinen Jünger Nathanael ebenso nötig wie dieser ihn. Gide sei der »Rechtfertiger« seiner wirklichen Leser, »die ihre eigene Hochherzigkeit (générosité) in Klarheit denken wollen«; er führt sie, indem er ihnen in ihrem Sein und Verhalten ein gutes Gewissen gibt.[14] – Das Geheimnis der »direction« ist also zugleich ihre Grenze. Der Autor leitet seine Leser nicht an ein beliebiges Ziel, sondern nur an das, zu welchem sie ohnehin disponiert sind; ein Substrat muß da sein, das zum Bewußtsein geweckt werden kann. Die *Conditio humana* richtet sich an Leser, bei welchen die Frage, was mit einer Seele anzufangen sei, wenn es weder Gott noch Christus gibt[15], schon da ist; die späteren Bücher waren für außerbürgerliches Publikum, Massenleser und kommunistische Arbeiter gedacht, die leben lernen und ihre eigene unerkannte menschliche Größe verstehen wollten, – Malraux' tiefe Enttäuschung mußte dann eben daher kommen, daß die Nichtintellektuellen diese Frage gar nicht, oder doch nicht in der Form haben: daß sie vom Roman Amüsement und Zerstreuung, nicht Metaphysik erwarten.

Mit der willigen und bewußten Anhängigkeit des Meisters Ménalque von seinem Jünger Nathanael beschreibt Malraux eine der Grundintuitionen Gides; die gleiche, die dieser 1919 Aragon gegenüber dadurch zum Ausdruck brachte, daß er meinte, zu wissen, für wen man schreibe, sei wichtiger als zu wissen, warum. – Auch Sartre sieht sich genötigt, in seinem Literatur-Essay Gides tiefe Wirkung auf die verschiedenen Generationen seiner Leser irgendwie zu deuten; wie, ergibt sich zunächst schon aus der langen Vorgeschichte, die er dem Problem gibt: die eine negative Funktion des »clerc« reicht vom Mittelalter bis auf Julien Benda, die andere, positive, führt als die notwendige Dialektik von »Zeitlichem« und »Geistigem« in der Literatur hin zur kämpfenden Aufklärung, wo der Schriftsteller zugleich »guide et chef spirituel«, geistiger und geistlicher Führer war.[16] Aber Gide im 20. Jahrhundert hat ja eben keine politische Revolution bewirkt, und so beschränkt sich Sartres Urteil auf das Negativ-Abgrenzende, daß Gides Leser zwar in ihrer Tiefe getroffen, aber auch isoliert werden; es bleibt ein Akt des Innenlebens, ein »ohnmächtiger Appell an den guten Willen der Menschen«, während doch alles darauf ankommt, die Leser zu einer aktionsfähigen Solidarität zu verbinden, welche der neue, andere Appell des Engagements erzeugen soll.[17] – Der geschichtliche Unterschied zwischen beiden ist nun aber – wie man Sartres Gedanken zu Ende führen muß –, daß Gide sein bescheidenes Ziel erreicht hat, Sartre aber das seinige, ambitiösere, nicht. Es sei denn, man wolle den Erfolg des Engagements in dem durchaus nicht politisch-aktiven »trouble intérieur« sehen, den Sartre durch seine frühen Dramen und Romane in der damaligen französischen und außerfranzösischen Jugend wirksam verbreitet hat. Aber eben damit wäre ja dem aktiven Engagement seine Spitze abgebrochen und das bewiesen, was die Linie Gide – Malraux – Camus so wahrscheinlich macht: daß das Engagement innerhalb der Publikumsfrage der französischen Literatur einen Ausbruchsversuch aus der traditionellen, von Gide verkörperten unpolitischen »direction de conscience« darstellt; das diese »direction« das Engagement wie ein Schatten verfolgt und es am Ende wieder zu verschlucken droht.

Und nicht nur war die »direction« in der Literatur vor dem Engagement da; es scheint auch, daß die Jahre des Kalten Krieges, welche unmittelbar auf Sartres literarische Situationsanalyse folgten, diese besonders schnell überholten und antiquierten. Der äußere Kampf läuft leer, die ›inneren‹ Fragen der Moral und des Gewissens werden akut. Drei anspruchsvolle Werke antworten fast im gleichen Jahr auf die Herausforderung der Zeit: die *Kommunisten*, die *Stimmen der Stille*, der *Mensch in der Revolte*. Aragon geht blind in das von Sartre vorhergesagte Partei-Verhängnis, zeigt aber gleichzeitig, welches Problem auch bei Sartre ungelöst bleibt: wo die Hoffnung, der Optimismus herzunehmen sei, der notwendig ist, nicht um dialektische Philosophen, wohl aber um ein Arbeiterpublikum revolutionär zu erhalten. Malraux umgekehrt sieht mitsamt seinen Lesern durch die archaisch-irrationale Kunst dem Dämonischen ins Auge, um es ›innerlich‹ zu überwinden, zu entgiften, d.h. um den vorhandenen Pessimismus so zu metamorphosieren, daß er nicht wieder als Terror in die Politik ausbricht. Camus schließlich treibt durch moralisch-metaphysischen Eigensinn Sartre so gut er kann in die Enge: die Geschichtsdialektik im Engagement radikalisiert sich und tut Verzicht auf »ungeschichtliche« Moral; womit das Engagement aufhört, für die Literatur der human-zuverlässige Kompaß in der geschichtlichen Situation zu sein, der es doch hatte sein wollen.[18]

»Direction de conscience«: Elemente zur Definition

Überlegenheit: Der »directeur« selbst wird von niemandem dirigiert; er schreibt auch nicht für seinesgleichen, denn die brauchen ihn nicht. Dies verbindet ihn mit der von Aragon 1935 aus Moskau importierten Theorie des ›Seeleningenieurs‹. Er schreibt vielmehr für Unmündige jeden Alters über Konflikte, Rätsel und Verwirrungen, die er selber geklärt und hinter sich hat. Er verlangt also nicht Leser im vollkommenen inneren Gleichgewicht mit fertigem Sinn für das »eigentlich Künstlerische« — er sieht in den Herden- und Massenmenschen weniger die Defizienz als die Möglichkeit; nicht, was sie sind, sondern was sie werden können. Er hält nicht fest an der fiktiven, für Sartre mit dem Engagement unlösbar verbundenen Voraussetzung, daß die Freiheit des Lesers psychologisch und intellektuell die gleiche sei wie die des Autors. Wird sie es je, zu Ende der erweckenden Lektüre, dann hat der »directeur« seine Rolle ausgespielt. Diejenigen von Camus' Lesern, welche seine moralischen Maßstäbe an seine eigenen Bücher anlegen und seine positive Erlösungslehre durch Kunst und mittelmeerisches Denken verwerfen, sind nicht die ungelehrigsten . . .

Gewissen: Der Traum des Engagierten ist, seine Zeit zur Revolution zu mobilisieren, wie im 18. Jahrhundert glücklichen Angedenkens. Der Traum des »directeur« ist, seiner verworrenen Zeit »conscience«, mehr im Sinn von Gewissen als von Bewußtsein, zu geben, das sie in ihrer äußeren Geschäftigkeit und Aktivität verloren hat. Der Engagierte warnt vor falscher Innerlichkeit und Tiefe, der »directeur« warnt vor Oberfläche und Äußerlichkeit. Der Engagierte stärkt beim Leser die Freiheit des politischen Handelns, der »directeur« legt der spontanen Aktion moralische Bremsen und religiöse Hemmungen an. Der Engagierte ist ein wenig Kommissar, der »directeur« hat — wie der »clerc« bei Benda positiv, bei Sartre negativ — eine Tendenz zum Yogi. Der Engagierte will zuerst die Welt verändern, der »directeur« zuerst das Leben des Einzelnen.

Positivität: Der »directeur« übersetzt allgemein Wahrheit in konkrete Weisung, Ermutigung, Rechtfertigung. Leben — und nicht kämpfen — lehren wollen Malraux und Camus, schließlich auch Aragon mit seiner Liebesdidaktik. Sein Wirkungsmedium ist eine begrenzte Sphäre des Vertrauens diesseits des engagierten Kampfes. Er gründet keine Partei, sondern schafft — politisch folgenlose — »Kommunion« mit den Lesern, deren Konflikte er sich annimmt. Bernhard von Clairvaux, nicht Sokrates und die Aporie, ist bei Malraux das Vorbild des »directeur«.

Seine Ermöglichung ist in den westeuropäischen Lesern eine ethisch-religiöse Schicht des Bewußtseins, die ihre Prägung immer noch von christlichen Fragestellungen her hat.

Generationsbezug: Die Innerlichkeit geht beim »directeur« nicht so weit, daß er auf die anderen, die Nebenmenschen als *Leser* verzichten könnte. Vom absoluten »clerc« unterscheidet ihn, daß er Vermittlung, und nicht nur Anschauung, Kontemplation des Absoluten ist; Vermittlung überwiegend an die jüngere Generation seiner jeweiligen Zeitgenossen. So wenig wie für den Engagierten ist für ihn die Nachwelt das Wesentliche oder der Blick auf die realen Leser Verrat an der Kunst. Was er schreibt, kann der Autor in gewissen Grenzen adressieren und abzwecken, sein Werk steht ihm nicht fern und hoch über seiner sich vor der Zeit verantwortenden Schriftstellerperson.

Vom *Zeugen* und seinem überwiegenden Interesse am Stoff des Schreibens, vor aller engagiert guten Absicht und der Frage nach den Lesern spricht Aragon ausdrücklich 1959.[19] Er wünscht sich den Roman eines Zeitgenossen, der die Hintergründe des OAS-Terrors zur Zeit des Algerienkrieges, seinen geschichtlichen Zusammenhang mit dem Phänomen des Faschismus an den Tag bringen würde und dennoch ein Roman, nicht ein Werk der Geschichtsschreibung wäre. Er zitiert Friedrich Engels, dem zufolge Zolas Romane schwächer seien als die Balzacs, weil Zola seine Parteinahme innerhalb des Wirklichen zu wichtig genommen habe, während Balzac politisch zwar das Falsche wollte, aber doch das Richtige, die objektiven gesellschaftlichen Zusammenhänge zu zeigen verstand. Darin eben war Balzac »témoin«, Zeuge, und mit ähnlich unklarer Parteinahme nach ihm der viel aktuellere Tomasi di Lampedusa in seinem historischen, aber doch zugleich durch die politische Gegenwart, durch den »unnachahmlichen Akzent des Zeugen« bestimmten Roman *Der Leopard.* Ihn stellt er durchaus nicht zufällig dem künstlerischen Mißlingen eines Zeitstücks über Algerien und den Faschismus entgegen, das er soeben im Theater gesehen hat, Sartres *Eingeschlossene von Altona* (1959), in denen viel Engagement und gute Absicht, aber zu wenig Zeitwirklichkeit sei. – Für Aragon ist dabei nicht die Verteidigung der gar nicht oder politisch falsch engagierten Künstler die Hauptsache; eher schon das Problem der Transposition: daß der historische Roman zum notwendigen Umweg zur Enthüllung der Gegenwart werden kann, wofür Lampedusa, genau wie er, Aragon selber die Tradition Stendhals beansprucht, mehr noch als die Balzacs. Aragon weist im aktuellen Disput indirekt aber deutlich auf das Thema der *Karwoche* zurück, deren Held, der Maler Géricault, im letzten Kapitel nach langer Meditation über die Anderen, die nicht die Hölle sind, nach dem Abschied von einem falschen, überholten politischen Engagement sich entschließt, für ein neues, richtigeres, das er ahnt, nicht etwa zu kämpfen, sondern allenfalls als Künstler zu zeugen. Der wirkliche Géricault (1791–1824) hatte gegen den Einspruch der klassizistischen Malerei die »verrufene Aktualität seiner Zeit auf die Leinwand gebracht« und für sein Zeugentum auch das Recht gefordert, Hoffnungsloses und Häßliches, die leidende Kreatur zu malen. Der späte Aragon leitet daraus mehr und mehr sein Recht ab, das von den Menschen selbst, auch von denen des eigenen revolutionären Lagers verursachte Leid zu zeigen, wenn auch nur in der Transposition.

Camus hat früher, schon zu Ende der Résistance-Jahre, über Zeuge und Zeugentum im Blick auf die Haltung des Künstlers zu seiner Zeit reflektiert. Tagebucheintragungen von 1945 zeigen, wie eng und existentiell für Camus das Zeuge-Sein mit der Problematik der scheinbaren, von Sartre und den Marxisten gelehrten Notwendigkeit des totalen Engagements in der Geschichte zusammenhängt: läßt sich das Zeugentum rechtfertigen, dann ist das Engagement in der Politik für den Künstler keine absolute, sondern nur noch eine relative Notwendigkeit. »Der Künstler ist der Zeuge der Freiheit« lautet der provozierende Titel eines Vortrags Camus' 1948, in dem er, trotz äußerer Konvergenzen, die entscheidende Begründung von Sartres Engagement der Literatur verwirft.[20] Doch seine eigentliche Antwort, die Genese und Rechtfertigung des Künstlers als Zeugen seiner Zeit, *nachdem* er in deren Kämpfen alles mitgetan hat, was mitzutun war, ist in der *Pest* die Gestalt des Arzt-Chronisten, dessen Identität im Epilog enthüllt wird. Chronist ist ein verfremdetes Synonym für Zeuge; der Autor erklärt am Ende, warum nur ein Beteiligter am Tun und Leiden der Zeitgenossen von ihnen und für sie alle sprechen kann, wie aber andererseits dies Zeugentum unabhängig von allem Tageskampf notwendig sei, – zeugen, um nicht zu jenen zu gehören, die schweigen über die »Art von Verbrechen«, welche die Pest, ohne Allegorie also der Krieg und der Nationalsozialismus, darstellen. Camus denkt den Zeugen immer in einem Gerichtsprozeß, zwischen Richtern, Anklägern und Verteidigern – eine der zeitlebens bei ihm offenen Fragen bleibt, gerade von der Zeugenhaltung aus, inwieweit er die »Verbrechen« der Geschichte politisch, aus der Verantwortung von Menschen, oder aber metaphysisch-theologisch verstanden wissen will.

Die *Pest* erhielt noch 1947 in Sartres Literatur-Essay Lob für die Fülle aktueller Themen, die sie zur künstlerischen Einheit gebracht habe.[21] Eines der aktuellen Themen ist gerade der Zeuge, bei dessen Beurteilung sich aber zwischen Sartre und Camus ein tiefer Kontrast bemerkbar macht. Aragon 1959 kann es, Camus 1947 muß gewußt haben, was er mit der positiven, rehabilitierenden Rede vom Zeugen tut: für Sartre ist der »reine Zeuge«, wo immer er in der Geschichte auftaucht, ein Verräter an der Sache der Literatur. Sprechen ist Handeln, was genannt wird, hat seine Unschuld verloren, der Engagierte hat »den unmöglichen Traum aufgegeben, von der Gesellschaft und der conditio humana ein unparteiisches Bild zu malen«. – Camus und Aragon haben den Traum so vollständig nicht aufgegeben und halten ihn für konstitutiv in der Literatur; auch Malraux ist in seinen Romanen die Erkenntnis der conditio noch wichtiger als die revolutionäre Parteinahme. – Sartres Angriff richtet sich, wie zu erwarten, gegen den bürgerlichen Realismus des 19. Jahrhunderts, von dem ihm allerdings nur die Franzosen, und bei ihnen nur Flaubert und Maupassant, der Auseinandersetzung wert erscheinen:

> Andere erklären sich zu unparteiischen Zeugen ihrer Epoche. Aber sie bezeugen vor niemandem; sie erheben Zeugnis wie Zeugen ins Absolute, sie präsentieren dem leeren Himmel das Gemälde der Gesellschaft, die sie umgibt. Die überlisteten, transponierten, zur Einheit gebrachten und in der Falle eines künstlerischen Stils gefangenen Ereignisse des Weltalls werden neutralisiert und sozusagen in Klammer gesetzt; der Realismus ist eine ἐποχή –

eine Ausschaltung der gelebten Alltagswirklichkeit.[22] Der perhorreszierte Schriftstellertyp sammelt unverbindlich Impressionen, geht auf Reisen und guckt der Welt ins Fenster, statt in sie einzutreten: diese Reihe von Vorwürfen trifft das von Camus und Aragon mit dem Zeugen Gemeinte nicht mehr, sie sind in die Welt und Zeit, ins Relative eingetreten; und sie bezeugen mindestens ebensosehr vor den Zeitgenossen wie vor dem Absoluten, der Nachwelt. Die andere Reihe trifft eher und bleibt aktuell: Kunst als Neutralisierung des Ereignisses, Zuwendung zur fernen oder nahen Vergangenheit ihrer Abgeschlossenheit, Abschließbarkeit wegen. Formal, erzähltechnisch ist das neue Zeugentum eher traditionell, auf der Linie Martin du Gards, Tolstois oder Balzacs. Was es von dieser Tradition des Romans trennt, sind nicht nur die Quantitäten – Camus und Malraux bleiben in der Linie Stendhals, nicht Balzacs; auch Aragon kann nur begrenzt die Rivalität mit den Zyklenromanen aufnehmen –, sondern eben dies von Sartre von der anderen Seite her aufgeworfene Problem, daß dieser große, abschließende Abstand von den Dingen der Zeit sich so nicht mehr rechtfertigen läßt wie ehedem; im Leben des Romanciers noch weniger als in seiner Erzählweise.

Zeugentum: Elemente zur Definition

Dialog: Der Leser wird weder belehrt über Dinge, die ihn persönlich bedrängen, noch wird an seine direkte Aktion, sein freies Engagement appelliert, sondern er wird zur Mitbeurteilung, zur »interrogation« über Sinn und Widersinn der Zeitgeschichte aufgefordert, die nicht in jedem Moment eine Parteinahme ermöglicht. Der Zeuge verläßt sich auf halbwegs fertige, mündige Leser, auf ein begrenztes Publikum von

Intellektuellen oder Gebildeten – die zum Teil ihrerseits im Alltag ihres Berufes mit sozialer und politischer Meinungsbildung beschäftigt sind. Er schreibt für die Zeitgenossen, aber auch für die Nachwelt, diesen Teil seiner Wirkung läßt er offen. Im Gegensatz zur zeit- und beziehungslos ›freien‹ Literatur trägt er dennoch Sorge dafür, seine Kritik an Verhältnissen oder an deren Veränderung unbrauchbar für diejenigen zu machen, die sie gern direkt annektieren würden: der späte, selbstkritische Aragon bestätigt nicht den Antikommunismus; Camus bestätigt 1951 in seinem Revolte-Essay nicht die Politik Trumans.

Moralische Geschichtserinnerung: Der Zeuge hält auf seine Weise die politische Geschichte an, indem er das rastlose Weiterschreiten der Zeitgenossen hin zur tätigen Zukunft stört durch Erinnerung der nahen, von ihnen gelebten und gemachten Vergangenheit. Er ist engagiert gegen das Vergessen. Krieg, Revolution und deren Folgen sind ihm nicht allein objektiv-massive Fakten, sondern Taten bestimmbarer, verantwortlicher Täter; nicht nur umfassender, allgemeiner Prozeß, sondern auch »eine Art von Verbrechen«, an dem der Moralist, im französischen Wortsinn, seinen neuen Gegenstand der Reflexion hat. Im Unterschied zum »directeur« gibt der Zeuge sein Urteil nicht allein und direkt, sondern in dem künstlerisch Gestalteten eingebaut und aus ihm hervorgehend. Der Zeuge darf seiner Zeit, die er in ihrer Verantwortlichkeit zeigt, nicht fremd sein; er sieht sie als Mitspieler von innen und als Zuschauer von außen; an dem, was er bezeugt, ist er selber vor- und außerliterarisch aktiv beteiligt.

Objektivität: Von der Möglichkeit, durch subjektives Engagement des Schriftstellers Verhältnisse zu verändern, denkt der Zeuge pessimistischer, von der Fähigkeit, im situierten Rahmen gesellschaftliche Verhältnisse ›neutral‹ und objektiv zu sehen, denkt er optimistischer als der Engagierte. Für ihn sind zwar manche der überkommenen Ansprüche des Gesellschaftsromans und des Epischen tot, nicht aber ›der Realismus‹ als künstlerische Problemstellung im ganzen. Selbst in der bürgerlich-westlichen Welt gibt es noch politische und ideologische Bewegungen, die neu gesehen und gezeigt werden müssen, die noch nicht bei Balzac und Zola ›inventarisiert‹ sind und die darum den Rückzug in die gebrauchte oder mißbrauchte Freiheit des künstlerischen Subjekts verbieten.

Bindung an die Zeit als Stoff: Der Zeuge als Romancier sieht sich vom bestimmten Gegenstand seiner Zeit gefordert, um an ihm, durch ihn hindurch seine künstlerische Freiheit zu gewinnen. Sein Geheimnis ist nicht die Verfremdung eines alten Wahren durch eine neue Form, nicht das literarische Stilleben: bei ihm stößt der Vergleich zwischen den verschiedenen Künsten, Maler und Schriftsteller, auf seine Grenze. Kommt der Zeuge mit der Zeit im Roman nicht zurecht, so ändert er nicht seine Literaturtheorie, sondern verstummt – Beispiel Malraux; auch der Erfolg beim revolutionären Publikum, die gelöste Funktionsfrage ist ihm kein Ersatz, wenn er sich am Zeitstoff scheitern sieht – Beispiel Aragon mit dem Torso der *Kommunisten*. D. h., er ist an den ›Gehalten‹ der Kunst wesenhaft interessiert, die Eigenart des Künstlerischen sucht er weniger im Gegensatz zur Erkenntnis als vielmehr in einer spezifischen Erkenntnisart, durch das Besondere, Zeit-Typische, worin die Kunstwerke ihre Seinsweise haben.

3. ›Zeit der Zeugen‹ Frankreich 1930–1960: Elemente für einen erweiternden Epochenbegriff

Drei unterschiedene Momente schriftstellerischer Haltung wurden hergeleitet und in Definition gebracht. Man könnte versucht sein, von ihrem Miteinander geradewegs zu einem zeitgemäßen Begriff von der Literatur, wie sie sein soll, aufzusteigen: überall, wo diese Merkmale bei Schriftstellern anzutreffen sind, ist Gegenwart, wo sie fehlen oder wo keine Bewegung zwischen ihnen in Gang kommt, ist Vergangenheit. Aber solche allgemeine Folgerung wäre kaum zu verantworten. Eben um ihr zu entgehen, wird nunmehr die Bewegung der drei Momente, die ja nur Veranschaulichung eines weniger anschaulichen Prozesses sein soll, von der Allgemeinheit wieder in die konkrete nationale und zeitliche Begrenzung zurückgenommen: Frankreich 1930–1960. Die Momente sind theoretisch-typisierend und in ihrer Reinheit unwirklich. So ist der »directeur de conscience« zwar geeignet, als Hilfslinie einen Hintergrund des ›Für wen schreiben?‹ aufzudecken, durch welchen die engagiert-politische Ausrichtung der Frage von Aragon bis Sartre Kontur bekommt; aber kein einziger französischer Autor wäre ganz darin zu erfassen; auch Camus, dem »Gewissen seiner Zeit«, wäre Unrecht getan, wollte man ihn nur auf diese Funktion reduzieren. – Die anderen beiden Momente haben mehr geschichtliche Verifizierbarkeit. Man kann sie als Polarität, komplementär zusammengehörende Hälften in jedem einzelnen Schriftsteller denken; aber Sartres Polemik, die Antithese, die er zwischen Engagement und Zeugentum aufbaut, läßt erahnen, daß das wirkliche Verhältnis komplizierter ist. Camus' Gedanken über den Widerstandskämpfer und Chronisten Rieux, Aragons Held Géricault andererseits lassen vermuten, daß zwischen gelebtem Engagement und Zeugentum ein notwendiges Nacheinander liegt, zunächst im je einzelnen Leben des Künstlers, aber möglicherweise auch in der objektiven Abfolge zweier Zeiten oder Epochen der französischen Literatur unseres Jahrhunderts. Zeugentum setzt Engagiertgewesen-sein als Vorstufe, als relativiertes Moment voraus; Engagement ist unfertiges Zeugentum, Zeugentum ist die Spätform des Engagements.

So erscheint es sinnvoll, am Abschluß einer Studie über Aragons, Malraux' und Camus' Literaturbegriff den möglichen Zusammenhang zwischen ihren individuellen Schriftsteller-Lebensläufen und einem noch unformulierten Epochenbegriff der französischen Literatur anzudeuten. Die Basis dreier Autoren ist zu schmal, um die gesamte gelehrte Literaturgeschichtsschreibung in Frage stellen, gar revidieren zu wollen: die Absicht ist bescheidener. Im Kernstück wird es sich darum handeln, den kritischen Dialog mit Sartre abzurunden, genauer, mit fünfzig Seiten im letzten Teil seiner literaturtheoretischen Essays, auf denen er es unternimmt, die Zeit des Engagements und die französische Schriftstellergeneration, zu welcher es gehört, geschichtlich zu situieren.[23] Das Problem dieser Ortsbestimmung ist es, welches – unter der oben begründeten Voraussetzung, daß Engagement eine Struktur ist, die, obwohl erst bei Sartre formuliert, bei anderen und vor ihm schon da ist – neu aufgenommen werden soll; und manche von Sartres *geschichtlichen* Thesen und Alternativen – die ihrerseits von den Gegnern des Engagements, auch in der Literaturgeschichtsschreibung allzu bereitwillig aufgenommen werden – können revidiert und korrigiert werden.

Sartre hegt gegen jede Art periodisierender Epochenbetrachtung noch einen besonderen, im gewöhnlichen wissenschaftlichen Skrupel nicht enthaltenen Argwohn: er liest ›Epoche‹ immer auch im etymologischen, durch Husserl in der Philosophie erneuerten Wortsinn von Anhalten, In-Klammern-setzen, Abschließen.[24] In der Literatur macht er eine entsprechende Haltung den Schriftstellern ihrer jeweiligen Zeit gegenüber zum Vorwurf – weil sie nicht mehr mittun wollen, entweichen sie in die große Überschau. – Aber auch die Zeit der Engagierten und der Zeugen hat objektiv dieses Odium des nicht mehr ganz Aktuellen an sich. Was Aragon und Sartre 1959/60 einander zu sagen haben über Engagement und Zeugentum, wirft zwar rückwirkend Licht auf die von beiden durchgetragene Grundhaltung, ist aber dennoch fürs Ganze eher ein Abgesang: ein 63jähriger belehrt einen 55-jährigen, wie er über Algerien und den Faschismus hätte schreiben müssen; aber der Belehrte hat seitdem, in den letzten zehn Jahren, ohnehin kein politisches Zeitstück mehr geschrieben, sondern nur *Die Wörter*, die eher aufs Konto der Selbstkritik des Engagements gehören; der Belehrende ist in seinen späteren Büchern zwar Zeuge geblieben, aber in einem verwickelteren Sinn als es die klaren Definitionen von 1959/60 und die *Karwoche* zu fixieren schienen. Beide wissen vollkommen, daß sie damit am ganz anderen Fortgang besonders des französischen »neuen« Romans, auf den wir noch zurückkommen werden, nichts ändern. Malraux schreibt keine Romane mehr, Camus ist tot: der Streit um Engagement und Zeugentum ist nicht mehr französische literarische Gegenwart, sondern Epoche, im mehrfachen Sinn. – Die Fragen über die *Anfänge* dieser Zeit, das Jahrzehnt 1930 bis 1939, sind noch ungeklärter. Angesichts des tiefen Einschnitts des Zweiten Weltkriegs und der Résistance könnte man eine Kontinuität in den möglichen Schriftsteller-Haltungen überhaupt bestreiten; doch gerade Sartres Essay annektiert für seine, die engagierte Generation, die Werke und die Geschichtserfahrung dieses Vorkriegsjahrzehnts. ›Engagement‹ war damals, dem Worte nach, noch ein Monopel des Denkens, und zwar zunächst des christlich-personalistischen um Em. Mounier und die Zeitschrift »Esprit«.[25] Für Zeuge und Zeugentum könnten Ansätze in Aragons Literaturkritik seit 1935, in der Camus' seit 1938/39 namhaft gemacht werden. Ohne die Wörter dafür ist in Malraux' und Aragons Romanen beides lebendig, in friedlich komplementärem Nebeneinander. Vereinfachend gesagt: das kommunistische Engagement als Lebenshaltung, Zeugen- und Zuschauerhaltung im Roman, der überwiegend Steigerung des geschichtlichen Bewußtseins, politische Anthropologie und sekundär erst Appell zur Tat ist. Doch diese Differenzierung projiziert schon eine spätere Entwicklung – wie das Zeugentum schrittweise auch die Lebenshaltung unterwandert – und die spätere geschichtliche Fragestellung Sartres in dies Frühere hinein, in welchem sein Essay gerade alle Fäden unweigerlich auf seine Art des Engagements zulaufen sieht, gleichermaßen als Erzähl- wie als Lebenshaltung.

Als die unmittelbare Vorgeschichte seiner eigenen Generation betrachtet Sartre jene Autoren, die gegen 1918 erwachsen wurden und zu schreiben begannen. Ihr Bild ist bestimmt vom Surrealismus, von den letzten Exotisten Morand und Drieu la Rochelle, der als Faschist endete. Und schließlich von einer Gruppe humanistisch-sozialistischer Autoren der Mittelklasse wie J. Prévost und A. Chamson, für deren politische und moralische Haltung Sartre Sympathie hat, die er aber, mitsamt ihres kleinbürgerlichen Publikums, durch die neue, »tragische Epoche« des Krieges als überholt ansieht. Die ausführliche Auseinandersetzung mit dem Surrealismus, der die Welt abstrakt in großen Widerspruch auflöst, anstatt sie zu verändern, schließt mit dem Vorwurf, die Surrealisten seien Quietisten wie alle anderen auch. Ihre Annäherung an das Proletariat vermittels der KP sei, weil nicht tief genug angesetzt, mißlungen; Bretons politische Entwicklung wird kommentiert, Aragon bleibt ungenannt.[26] – Den Übergang zum ›Wir‹ der eigenen Generation macht Sartre, nach weiteren Anmerkungen zu einzelnen Erscheinungen der Zeit, darunter einer Invektive gegen die »geschichtliche Distanz« im Zeitroman[27], – wie sie auch Aragon bis zu *Aurélien* in allen seinen Romanen praktiziert hat – mit allen jenen, die gegen 1930 »mit Bestürzung ihre Geschichtlichkeit entdeckten«, auch wenn sie, wie Sartre, erst kurz vor Kriegsbeginn zu schreiben anfingen. Die Weltwirtschaftskrise, dann Hitlers Machtergreifung, der Spanienkrieg und verschiedene fernöstliche politische Konflikte bewirkten eine Erschütterung, welche zugleich die Welt klein werden und die Franzosen ihre politische Bedrohtheit erkennen ließ.

Die Geschichtlichkeit überflutete uns; in allem; was wir berührten, in der Luft, die wir atmeten, auf der Seite, die wir lasen oder beschrieben, selbst in der Liebe entdeckten wir etwas wie einen Geschmack von Geschichte, das heißt einer bitteren und zweideutigen Mischung von Absolutem und Hinfälligem (...) wir konnten nicht machen, daß wir Schweizer, Schweden oder Portugiesen gewesen wären. Das Schicksal unserer Werke selbst war mit dem Schicksal des bedrohten Frankreich verbunden ...[28]

Malraux wird, um jeden Zweifel auszuschließen, in einer Anmerkung genannt als zu eben dieser Generation gehörig; durch die Kriegsliteratur habe er schon seit seinem ersten Roman gezeigt, was die geschichtliche Stunde geschlagen hatte, allen übrigen voraus, die sich noch im Frieden wähnten.[29] Auch Camus ist Vertreter dieser Generation. Daß Aragon, obwohl acht Jahre älter als Sartre, auch noch zu ihr gerechnet werden muß, ergibt sich aus dem inhaltlichen Kriterium, der Entdeckung der Geschichtlichkeit um 1930. Bei Aragon hat sie sogar noch später stattgefunden als bei Malraux; seine surrealistische Vergangenheit bewahrte ihn nicht vor ihr; er ist die Brücke zwischen den beiden künstlich unterschiedenen Generationen.

Dann erklärt Sartre weiter, daß literarisch die neue Zeit der »Literatur der Grenzsituationen« (situations extrèmes), der Wiederentdeckung des Absoluten inmitten der geschichtlichen Relativität und des nicht auflösbaren, absoluten Bösen die Erfahrung des Krieges im eigenen Lande, Besatzung und Résistance voraussetze. Man spürt, wie er seinen individuellen Schriftstellerlebenslauf aufs engste mit der politischen und literarischen Zeitenwende verknüpft, wo nicht identifiziert. Von der gedrängten, pathetisch unterkühlten Schilderung der Zeitumstände geht er unerwartet zur Erörterung der Romantechniken über, mit welchen die französischen Schriftsteller dieser ungewöhnlichen Zeit gerecht werden könnten: jede geordnet chronologische Erzählweise, das Beschreiben der Ereignisse vom höheren Blickpunkt aus, und vor allem, wie Sartre nicht müde wird zu betonen, jede Autor-Haltung, die Zeugen oder Zuschauer voraussetzt, ist tot. Perspektivismus und begrenztes Blickfeld der Personen je in Situation ist alles. Nur Kafka und die Amerikaner sind noch geeignet, den Franzosen eine Ahnung zu geben, wie dieser durch die politische Geschichte enthüllte Aspekt des Absoluten und der conditio humana sprachliche Gestalt annehmen könne.[30]

Dieser für das Verständnis von Sartres Essay wesentliche Gedankengang hat manche Implikationen, die sich anfechten lassen. Sartre spricht im Namen des ›Wir‹ der Generation auch dort, wo er dem Engagement über den Publikumsbezug hinaus eine weitere, nämlich erzähltechnische Bestimmung gibt. Er kämpft auf zwei Ebenen, gegen das distanzierte Erzählen ebenso wie gegen das politisch distanzierte Leben; für beides dient ihm der Krieg, die geschichtliche Zeitenwende als Argument. Er lobt von Camus die *Pest*, aber eben sie stellt seine

Deduktion in Frage: in ihr ist just nach dem Krieg und in einem Buch über ihn der »interne Erzähler«, der von Sartre verworfene Zeuge in neuer Nachdrücklichkeit vorhanden, während er im 1939 geschriebenen *Fremden*, der Sartres modernen Forderungen ganz entspricht, noch fehlte. Der Grund für diese Entwicklung bei Camus ist, wie schon angedeutet, nicht nur erzähltechnisch, sondern wesentlich thematisch, ›gehaltlich‹ bestimmt. – Sartre läßt weiterhin mit Krieg und Widerstand eine Literatur der Grenzsituationen beginnen, die alle privaten Themen veralten läßt: ein Liebesroman wie der von 1942/43 geschriebene und von Sartre im gleichen Essay als Werk »freier«, nicht parteiversklavter Kunst gelobte *Aurélien*[31] findet in diesem geschichtlichen Schema keinen Platz. Der Autor Aragon war im Résistance-Kampf nicht weniger engagiert und wußte nicht weniger von den Gefolterten und den Geiselerschießungen als Sartre, aber sein tieferes Verhältnis zur politischen Katastrophe kann sich – neben aller ›engagierten‹ nationalen Lyrik – nur auf Umwegen, transponierend und assoziierend ausdrücken. – Schließlich insinuiert Sartre, die äußersten anstelle der »mittleren« Situationen seien erst durch den Zweiten Weltkrieg in die französische Literatur gekommen: Malraux, auf den er sich beruft, beweist das Gegenteil. Zusammen mit Camus veranschaulicht er auch das Fragwürdige an Sartres Ansatz, als hätte erst Kafka solche Anstöße gebracht, ohne Dostojewski als den Haupturheber der Grenzsituationen im französischen Roman bei seinen Zeitgenossen auch nur zu erwähnen.

Solche die französische Literatur betreffende Ungenauigkeiten und Verzeichnungen lassen vermuten, daß es Sartre mehr auf die andere Seite ankommt, auf die vorliterarische, geschichtliche Konstellation, durch welche seine Generation beim Schreiben sich bestimmt weiß. Aber eben hierbei ergibt sich ein noch größeres Problem. Trifft für die übrigen Vertreter seiner literarischen Generation die Verhältnisbestimmung von Vorkriegs- und Kriegsjahren zu? Haben sich für sie die Akzente und Gewichte, wie sie sich seit den dreißiger Jahren von der internationalen und der französischen Politik bestimmt sahen, ebenso entwickelt wie für Sartre? Und letztlich: kann das Engagement, wie Sartre es 1947 formuliert, überhaupt als ihre Hauptantwort auf die geschichtliche Konstellation angesprochen werden; gibt es nicht anderes, für ihre Antwort ebenso Spezifisches, wie eben das verworfene Zeugentum? Stünden Engagement und Zeugentum tatsächlich in dem geschichtlichen Verhältnis wie Sartre es darlegt, und nur in ihm, dann bleibt – um eine der wichtigsten Orientierungen zu geben – unverständlich, wie ein Buch wie die *Hoffnung* von Malraux 1937 überhaupt geschrieben werden konnte. Sartre begnügt sich, was die Stoffe, das ›Wovon‹ der Bücher seiner französischen Zeitgenossen angeht, mit dem allgemeinen und gewiß richtigen Hinweis auf die Grenzsituationen, auf die Literatur der »großen Augenblicke« (grandes circonstances). Im näheren Detail der Themen aber hätte er gerade auch das wieder entdecken können, was er nur in der geschichtlichen Haltung der Autoren und in den Erzähl*formen* diskutiert: das problematische Verhältnis von Engagement und Zeugentum auf dem bewegten Hintergrund der weltgeschichtlichen, ausländischen wie französischen Entwicklungen.

Der Zeuge, so wurde oben formal definiert, ist im Unterschied zum Engagierten und »directeur« überwiegend vom ›Wovon schreiben‹ bestimmt; das ›Wovon‹ ist die Zeit in ihren Widersprüchen und Konflikten: ist also der Wandlungsprozeß von Engagement zu Zeugentum ein objektiver, epochemachender, dann muß er notwendig auch als Stoff und Thema in den Büchern der Betroffenen seinen Platz haben. Zu den beiden unterschiedenen Ebenen Zeugentum, bzw. Engagement ›im Leben‹ und ›als Erzählhaltung‹ kommt also noch die dritte hinzu: ›als Stoff der Bücher‹. *Pest* und *Karwoche* deuteten schon an, was damit gemeint ist; Malraux' *Hoffnung*, vielleicht der entscheidende Prüfstein für Sartres historische Ortsbestimmung des Engagements, gesellt sich dazu. Da aber die drei Autoren mit Sartre einig sind darüber, daß die Themen eines einzelnen Werkes jeweils das gesamte, schrittweise gewordene Verhältnis eines Künstlers zur Zeitgeschichte voraussetzen, enthüllt sich auch der Sinn dieser drei Bücher am besten in einer knappen rückblickenden Überschau je über das gesamte, frühere und spätere Romanwerk ihres Autors. Eine gewisse Weitung des Blickes über die dargestellte Haltung des Schriftstellers bzw. Künstlers hinaus hin zum modernen Intellektuellen, dessen Sonderfall er ist, vor allem bei Malraux, erweist sich dabei als nützlich. Die leitenden Fragen sind, um sie nochmals anders zu wiederholen: 1. die Kritik am Zeugen als Lebenshaltung vom revolutionären Engagement aus, 2. die Kritik am Engagement als Lebensmöglichkeit vom objektiven Gang der Geschichte aus und 3. die Verwandlung der Zeugenhaltung aus einer Erzählposition im Roman *neben* dem gelebten Engagement in eine Erzähl- *und* Lebenshaltung *nach* dem Engagement.

Malraux' Romane beginnen 1927/28 mit der gezielten Entwertung alles bürgerlich, stoisch, buddhistisch oder christlich kontemplativen Lebens; eben dies Werturteil will die Gestalt Garines und der aktivistisch-herausfordernde Titel »Les Conquérants«, *Die Eroberer*, ausdrücken. Aber vom zweideutig-passiven Weisen Bao-Dai führt die Entwicklung 1933 zum alten Gisors in der *Conditio* und 1937 zum alten Gelehrten Alvear, zu Scali und zu Garcias Formel von der Verwandlung weitestmöglicher Erfahrung in Bewußtsein in der *Hoffnung*; desselben Garcia, den Malraux noch Gides Absage an den Kommunismus als »unmoralisch« verurteilen läßt. Auf der *Altenburg* (1942/43) verlieren die reinen Zeugen, die Gelehrten, vorübergehend wieder an Prestige darum, weil sie den Ersten Weltkrieg, der vor ihnen lag, nicht ahnten, und weil sie im Zweiten, in welchem Malraux schreibt, eine geringe Hilfe sind. Der aktive Intellektuelle Vincent Berger, der Leben in ihr allzu friedliches Kolloquium bringt, verkündet aber zur gleichen Zeit dem aufmerksamen Leser das aktuelle Scheitern seines revolutionären, dürftig als »Turanismus« verkleideten politischen Engagements; er verkörpert, wo nicht als Künstler, so doch als Mensch eine Verwandlung vom Machen zum Erkennen, vom Engagierten zum Zeugen. – Im selben Buch gibt der wirkliche Malraux sich Rechenschaft über den Abgrund, der ihn von den Nichtintellektuellen trennt, für die er hatte schreiben wollen, um ihnen ihre menschliche Größe zu enthüllen; der Roman überhaupt als Mittel zur Erkenntnis ›des‹ Menschen verfällt radikaler Skepsis; die bewußt ›entfremdete‹ Betrachtungsweise der Ethnologie, in der *Hoffnung* erst geheimnisvoll angedeutet, setzt sich durch. – Die Entwicklung von Malraux' gesamtem Romanwerk ist dabei einfach zu überschauen: die erstmalige bloße Entschiedenheit gegen die Zeugen oder Weisen für die Eroberer, in deren Dienst die »ethische Kunstschöpfung« des Romans stand, erweitert sich zum Dialog zwischen beiden – zum Dialog jedoch nicht am friedlich-neutralen archimedischen Punkt, sondern etwa im Kriegsgefangenenlager von Chartres 1940 oder schon früher, mitten im Spanischen Bürgerkrieg 1936, im zerbombten Madrid, kurz vor dem zu erwartenden Einzug Francos. Professor Garcia, der Mann der großen revolutionären Synthese, der noch alles rechtfertigend zu erklären versteht, ist der gleiche Typ des linken Intellektuellen, der sich dann in den *Nußbäumen der Altenburg* durch Vincent Berger selber zum Rätsel wird. Fragen wie die des konservativen Intellektuellen und christlichen Schriftstellers Bernanos 1938, warum denn Malraux an ihm, Bernanos, die unerbittliche Aufrichtigkeit des Zeugnisses von der schmutzigen Seite des Spanienkrieges loben könne, ohne sie selber, gegen sein eigenes Lager, in gleicher Offenheit zu praktizieren, werden ihr Teil dazu beigetragen haben. Scali, der kunstgelehrte Bomberpilot und andere Teil des wirklichen Malraux, beginnt, Erfahrung in Bewußtsein, überhaupt Machen in bezeugtes Sein zu verwandeln; das revolutionär-politische Engagement, aus dem er sich schrittweise löst, erhält nachträglich einen anderen, innerkünstlerischen Sinn.[32] Der Scali von 1937 ist der ältere Bruder des Zeugen und Chronisten der *Pest* von 1947, des Zeugen und Malers Géricault, der 1958 in der *Karwoche* langsam aus der Betäubung eines notwendigen und zugleich falschen politischen Engagements erwacht.

In Camus' Entwicklung bis hin zur Gestalt des Arzt-Chronisten Rieux ist die Kritik der Zeugen- und die Verteidigung der Engagiertenhaltung gebrochener, weniger einheitlich als bei Malraux. Noch während seiner kommunistischen Parteizugehörigkeit entsteht 1935/36 nicht nur das politisch engagierte Kollektivwerk *Revolte in Asturien*, sondern auch der Ur-*Caligula*, dessen an Nietzsche, nicht an Marx orientierte politische Aktivität zwar jede konservative Haltung bekämpft, aber keine sozialistisch-revolutionäre begründet. Doch schon 1938/39, knapp nach seinem Austritt aus der KP und dem Abschied vom Agitationstheater, weiß Camus, wie der Chronist im zeitgeschichtlichen Roman die in der Wirklichkeit noch offenen Konflikte zu runden und zu versöhnen hat und beurteilt die Kommunisten Malraux und Nizan, die Sozialisten Chamson und Silone dementsprechend. Meursault, der *Fremde*, bringt seine absurde Wahrheit in eine zwar gehaßte, aber nicht veränderbare bürgerliche Weltordnung hinein; nicht, was er tut und daß er tötet – wie Garine, Malraux' erster fiktiver Held –, sondern was er durch sein Nichttun, Nichtmitspielen, sein hartnäckiges Verstummen bezeugt, ist entscheidend. Die folgenden Jahre bringen aber neben und nach der Entdeckung des Absurden durch den Krieg und die Résistance den Zwang zum Engagement, zur Aktion und zur Gewalt. Nebeneinander im Eroberer-Kapitel des *Sisyphus* und im Maria-Martha-Konflikt des *Mißverständnisses* verkündet Camus 1942/43 die Unmöglichkeit des kontemplativen Lebens in unserer Zeit, auch für die Künstler, und das notwendige Schuldigwerden durch die Tat. Doch schon in der *Pest* 1947 hat er Eile, den Widerstandskämpfer, der nicht nur Mikroben bekämpfte, als Chronisten seiner Zeit und seiner eigenen geschichtemachenden Aktivität alsbald wieder in den künstlerischen Zeugen dessen zu verwandeln, was gewesen ist. Auch unter diesem Blickwinkel ist der fünf Jahre später erfolgte Bruch mit Sartre, der im Namen des Engagements die revolutionäre Aktivität um jeden Preis durchhalten will, und sei es der eines mittelbaren Stalinismus, schon vorgezeichnet. Aber eben weil es so schnell gegangen war mit dem Zusichkommen des Zeugentums, weil die darstellend zu verallgemeinernde Geschichtserfahrung soviel begrenzter war als die Malraux' – es ging einzig um nationale Befreiung, nicht um Klassenkampf und um die Krise der revolutionären Hoffnung –, darum mußte sich der Konflikt auf anderer Ebene später wiederholen. In seinem Verhältnis zur Zeit, in den Jahren des Algerienkriegs, erfährt der Zeuge jetzt nicht nur seine Würde, sondern auch seine Begrenzung darin, daß der moderne »Eroberer« und Revolutionär, wie hassenswert er dem Künstler auch weiterhin erscheinen mag, diesem dennoch manche Gewissensfrage zu stellen hat.

Bei Aragon verläuft die Linie in seinen Romanen, wenn auch zeitlich verschoben und an ganz anderen Figuren aufgehängt, ähnlich wie bei Malraux. Während er selber 1934 bis 1944 im antifaschistischen Kampf bis aufs äußerste engagiert ist, erst politisch-journalistisch, dann in der Résistance mit Waffe und Feder zugleich, gibt er als Romancier mehreren tatenlosen ›Zeugen‹ im negativen Sinn Gestalt. Mercadier durchschaut die Macht des Geldes über das Humane in den bestehenden

Verhältnissen, aber er nutzt sie aus, anstatt etwas dagegen zu tun; der melancholischere Aurélien weiß aus seiner doppelten Einsicht in die Unmenschlichkeit der Nachkriegszeit nach 1918 und in die Unmöglichkeit der absoluten Liebe keinen aktiven, geschichtsverändernden Nutzen zu ziehen, sondern reklassiert sich großbürgerlich und wird Kollaborateur der Vichy-Regierung. Später, in den *Kommunisten*, gibt es nur noch Parteigänger oder Engagierte, im Bösen wie im Guten. Auch Urteile über verschiedene Schriftstellertypen werden gefällt, die sich neutral halten wollen, im entscheidenden Augenblick aber politisch zu Verrätern werden: Sartre könnte sich in seiner Analyse der Situation von 1947 zugleich bestätigt und parodiert finden. Aber nicht nur das; von Aragons extremer Parteiposition aus ist der gleiche Sartre, der die neutralen, gemäßigten Zeugen unter den Schriftstellern so bitter bekämpft, selber einer von ihnen und eine Verlängerung des bürgerlichen Pessimismus ... Der einzige, der in diesem Roman als verstehend-neutraler Zeuge fungieren könnte, der radikal-sozialistische, alte Rechtsanwalt Watrin, wird schließlich vom Autor dadurch problematisch gemacht, daß er aus dem gemeinsamen politischen Unglück in die Liebe, in den ›Egoismus zu zweit‹ entflieht.[33] – Danach aber ziehen andere Jahre und weltpolitische Ereignisse ins Land, Aragon überschreitet die Schwelle der Sechzig; die Parteigänger füllen zwar immer noch die Bühne im Roman, aber sie laufen, wie die Restaurations-Aristokratie, in der verkehrten Richtung oder, wie im Frühsozialismus, einem unbestimmteren, offeneren Ziel entgegen. Die Zeugen, genauer ihre Entstehung und Rechtfertigung im parteiischen Gang der Geschichte, sind neues Thema; was Engagement schien im Leben des Malers Géricault, entpuppt sich am Ende als Beschaffung von Stoff für das Malen. Künstlerromane sind direkt die *Karwoche* und die *Mise à Mort,* die von der Unordnung des Jahrhunderts nicht anders handeln kann, als indem sie den zersprengten Fragmenten der Individualität des realistischen Schriftstellers nachgeht; auch im *Fou d'Elsa* und in *Blanche ou l'Oubli* geht die Lagebestimmung des Poeten und Linguisten in seiner Zeit weiter; ein Ende der Fehden Aragons und speziell seines Zeugnisses *gegen* das stalinistische Engagement, das einst das seine gewesen war, ist nicht abzusehen.

Drei Schriftstellerlebensläufe sind, selbst wenn sie im Entscheidenden parallel laufen, nicht genug, um einen Generations- und Epochenbegriff in der französischen Literatur auf sie zu bauen; und doch sind sie mehr als nur *eine* solche Lebensentwicklung, die sich unter dem Eindruck der politischen Geschichte normativ zur französischen ›Situation‹ des Schriftstellers erklärt, wie bei Sartre. Sartres individuellem Weg soll aber damit auch nicht seine geschichtliche Existenzberechtigung entzogen werden; vielmehr soll die Situation aus dem Miteinander beider gegenläufigen Wege, vom Zeugentum zum Engagierten und umgekehrt, erweitert werden, um so das Bild des übergreifenden Prozesses zu gewinnen. Dieses Bild müßte dann an den anderen, weniger theoretisch reflektierenden und vielleicht auch weniger bedeutenden Vertretern der gleichen französischen Generation verifiziert werden. – Dreimal war also der Anlauf des Schriftstellers zum politisch-geschichtlichen Engagement im Leben zu beobachten und dreimal folgte darauf, an verschiedenen Zeitpunkten beginnend, die Gegenbewegung hin zur Zeugenexistenz. Aber auch diese zeitliche Verschiebung ist nicht so gravierend, wie sie auf den ersten Blick erscheint. Die Anfänge des Wandels und der Krise im Engagement liegen bei allen nahe beieinander gegen Ende der dreißiger Jahre: Camus formuliert sein Zeugenethos erst 1947, nach der Résistance, gleichzeitig mit Sartres Engagement-Forderung; aber schon 1937, im Jahr der *Hoffnung*, hatte er seine Lehrjahre in der KP, in der Kunst mit dem ›Agitationstheater‹, abgeschlossen. Aragon spricht sich erst 1958, nach dem XX. Parteikongreß der KPdSU, über den Zeugen aus, aber die Krise im Leben des »realistischen Schriftstellers« Célèbre hat, der *Mise à Mort* zufolge, schon 1938 stattgefunden; damals ist er angesichts der politischen Entwicklungen in ein gutes, ein böses und ein neutral-beobachtendes Personfragment zerfallen. Zur Zeit der Moskauer Prozesse also, und als Malraux mit der Partei brach, um einer gleichen inneren Spaltung zu entgehen. Zum Höhepunkt hat sie Aragon erst um 1950 gebracht, aber während seiner parteilichsten Jahre überfiel ihn dann das »andere Drama«, welches ihm die Überholtheit seines ungebrochenen, naiven Partei-Engagements enthüllte.

Von den politischen Ereignissen, die das geschichtliche Verhältnis von Engagement und Zeugentum bestimmen, ergibt sich dadurch ein anderes und genaueres Bild als das von Sartre gezeichnete. Klar ist für alle die tiefe Wirkung des Krieges und der Résistance als nationalem und antifaschistischem Befreiungskampf; klar ist auch die sehr viel geringere Wirkung des letzten Kolonialkrieges in Algerien (1954 bis 1961) und sein Zusammenhang mit einem französischen Faschismus. Sartre schreibt ein engagiertes Stück darüber, Aragon erklärt, wie man als Zeuge darüber schreiben *müßte*; Malraux protestiert mit Sartre gegen die Folterungen und setzt im übrigen auf de Gaulles Politik; Camus, der am meisten Betroffene, versucht auf der politischen Ebene verschiedenes, resigniert schließlich und beruft sich dabei auf Mozart. Das eigentlich Ungeklärte und durch Sartres geschichtliche Situationsbestimmung mit neuer Unklarheit umgebene ist im ganzen Zeitraum 1930–1960 das Verhältnis der französischen Schriftsteller zum sowjetischen Kommunismus. Bei Sartre erscheint es so, als würde die – auch von ihm verworfene – stalinistische Politik erst nach 1945 für die französische Literatur relevant; in den dreißiger Jahren kehrt er fleißig vor der eigenen Türe, behauptet und bekämpft viele innerfranzösische Kontinuitäten, durch die aber weder Malraux noch Aragon, selbst Camus nicht, in ihrer damaligen Fragestellung nach Engagement und Zeugenhaltung hinreichend zu verstehen wären. Die von Sartre so heftig bekämpfte Zeugenhaltung kommt bei seinen Zeitgenossen nicht aus unüberwundenen Relikten des 19. Jahrhunderts, sie ist, wenn auch nicht ausschließlich, so doch wesentlich als ein Teil der nicht nur französischen Absage an den Kommunismus, des »Abfalls vom roten Gott«, zu begreifen, von dem J. Rühle am Ende von *Literatur und Revolution* schreibt. Sartres Engagement hält sich, mit anderen Worten, 1947 nur dadurch am Leben, daß es das, was für die Zeugen nicht nur in Frankreich in die Grundlegung und Bedingung des Engagements gehört – den Zustand der weltrevolutionären Partei – in den Anhang, unter die taktischen Durchführungsbestimmungen versetzt und zur Grundlage das erhebt, was für die Zeugen der Anhang ist: die begriffliche und subjektive Bestimmung des Engagements, unter Voraussetzung seiner geschichtlichen Möglichkeit.[34]

Alle die verwickelten grundsätzlichen Fragen, welche 1947 Sartres Engagement, vor dem Krieg die kommunistische »adhésion« und der französisch-sozialistische Realismus erfolgreich aus der Welt zu schaffen schienen, sind eines unruhigen Tages in neuer Dringlichkeit für den französischen Schriftsteller wieder da. Wie ihre im Westen lebenden Kollegen Orwell, Hemingway, Spender und Koestler, wie ein Jahrzehnt früher Istrati und Silone – auf den Camus sich beruft – bleiben sie nach dem Abfall von der kommunistischen Hoffnung in ihrer orthodoxen Gestalt Sozialisten, sie werden »Liberale eines neuen Typs«[35] – oder stärken doch, wenn sie wie Aragon in der Partei bleiben, nach bestem Können deren liberalen und national-eigenwilligen Flügel. Das Thema, das Sartre 1948 so einprägsam *Die schmutzigen Hände* nennt, das bei Aragon später noch tragischer durch Ödipus, den in der Politik Unschuldig-Schuldigen, verbildlicht wird, ist nicht nur, wie bei Sartre, ein Sujet unter anderen, sondern die beklemmende Hauptsache und damit zugleich die Gegebenheit, welche dem früheren einfachen Engagement den Boden entzieht, und welche auch den jahrzehntelangen Rückzug in die »Stimmen der Stille« motiviert. Die durch den Kommunismus Hindurchgegangenen anderer Länder haben gelernt, daß man »gegen den Teufel kämpfen muß, ... der sich auf Gottes leerem Thron breit macht«;[36] für Frankreich kann man es den neuen Ton moralischer Zeitgeschichts-Erinnerung und -Bezeugung nennen. So und nicht anders ist es gewesen – der Kampf, das entschiedenste Engagement, das in den Zeugen überlebt, ist nicht eines gegen greifbare Feinde, sondern gegen die Mystifikation und das Vergessen des Unrechts, das im Namen der guten Sache geschah. Aufklärung wird konservativ, hartnäckig beharrend gegen den – nicht nur, aber auch – revolutionären Obskurantismus; die Warnung vor den Tücken der Kontemplation hält nicht mehr vom gründlichen Hinsehen ab; ein taktischer Fatalismus greift Platz. Weniger als die Veränderung interessieren jetzt die Bedingungen, unter welchen allein sie sinnvoll wird. Im Ethos des Künstlers bekommt der Wahrheitswille den Vorrang.

Eine der Funktionen dieses Zeugentums weist am Engagement vorbei in die Rolle der »direction de conscience« zurück. André Gides umstrittener, unerbittlicher Reisebericht aus der Sowjetunion 1936 kann auch – obwohl er sich durch seine Ungeschütztheit von einem anderen, nur an Politik und wenig an Moral interessierten Publikum annektieren ließ – in der Reihe der Traktate Ménalques für den Jünger Nathanael gesehen werden. Aragons späte Publikationen stellen an das eigene kommunistische Lager, von der Wahrheit, von der Kultur und vom Individuum aus, ähnliche kritische Fragen wie die Gides. Aber Aragon versucht, anders als Gide und genau wie Malraux und Camus, das, was er kritisiert, auch zu verstehen. Malraux schreibt über das China Mao Tse-tungs 1967 auch, aber nicht nur, von den umgebrachten, totgeschwiegenen und von der offiziellen Geschichtsdarstellung hinwegretuschierten Freunden des einstigen gemeinsamen Kampfes. Der junge Camus sah sich, anders als der alte Gide, nach der Distanzierung vom Kommunismus 1937 genötigt, dennoch Marx zu lesen und als Schriftsteller in der Zeit des Ost-West-Gegensatzes von sozialer Theorie und Praxis einiges mehr zu wissen als der »reine Künstler« Gide, auf den er sich doch beruft. Malraux ließ 1937 in der *Hoffnung* den noch engagierten Garcia sagen, daß die Kritik der revolutionären Politik im 20. Jahrhundert nicht mehr rein moralisch sein dürfe, sondern erklären und Psychologie haben müsse[37], in direkter Anspielung auf Gides Büchlein, das von beiden zu wenig hatte. Der Schluß vom Besonderen aufs Allgemeine wäre demnach: künstlerisches Zeugentum nicht als meinungslose Widerspiegelung, aber auch nicht mehr als reiner Protest der Moral und des Gewissens, sondern als fragende, moralische Erinnerung des politischen Zeitstoffes.

Bei Aragon wäre dabei, um das Neue seines Spätwerks zu markieren, die Moral-Seite zu betonen – das praktische Dementi seiner 1957 in letzter Verwirrung behaupteten Verachtung der »hommes de conscience«. Bei Camus wäre umgekehrt, um die Distanz zu Gides Position oder zu der von J. Bendas »clerc« zu markieren, der Zeitstoff zu betonen: die kollektiven politischen Leidenschaften der Zeit waren ihm nicht nur Feld der gelebten, vom Gewissen diktierten Stellung- und Parteinahme. Camus' eigenes Gewissen wird ihm als Künstler erst dort interessant, wo es ihm Zugang gibt zum widersprüchlichen Gewissen und Bewußtsein der Zeitgenossen – etwa dem modernen, dialektisch-spröden Intellektuellentyp Jean-Baptiste Clamences. Die »politische Moral« des Künstlers ist die Moral seines künstlerischen Umgangs mit dem politischen Stoff; der Stoff ist es, welcher der Künstlerperson ihre Wirklichkeit verleiht. Erst indem er die Zeit, »das Schicksal aller«, zum Objekt nimmt, konstituiert er sich als Subjekt und Individualität, sagt Camus.[38] Für Aragon oder Malraux würde wohl jederman anerkennen, daß sich von ihrer politischen Moral nur so, auf diesem Umweg handeln ließe; nur von Camus ist dies, gerade von Westdeutschland aus, umstritten. Wenn man demnach, wie hier vorausgesetzt, an Camus die Züge für die wichtigen hält, die ihn als Zeugen in der Auseinandersetzung mit dem Engagement eine geschichtliche Front, eine französische Familie mit Malraux und Aragon bilden lassen, dann ist damit zugleich das betont, was ihn trennt von jenen früheren und späteren französischen Autoren – Gide oder Ionesco –, für welche die Objektivität der Kunst allein aus der subjektiven, persönlichen Wahrheit des Einzelnen und seiner Parteinahme für sie kommt, und nicht aus dem Zeitstoff selber.[39]

Zeugentum im umrissenen Sinn kann praktisch nur eine Angelegenheit westlicher Autoren sein, die sozialistischen Länder geben, auch bei Tauwetter, kaum die dafür notwendige Freiheit. Es ist auch eine speziell französische Angelegenheit, mit Bezug auf eine bestimmte politische Geschichte – so können, um ein naheliegendes Beispiel zu wählen, die französischen Zeugen manche schwierigen deutschen Fragen: wohin die kommunistisch engagierten deutschen Schriftsteller nach 1945 aus dem Exil hätten heimkehren, welche Einstellung zur DDR sie hätten einnehmen, wie sie 1953, 1956 oder 1961 hätten reagieren sollen, schwerlich beantworten.[40] – Ist das Zeugentum solcherart zweifach festgelegt in der politischen Geographie, so erhebt es doch andererseits durch sein ›Wovon‹, das es bezeugt, Anspruch auf die ganze Welt, die östliche einschließlich. Aragon beschäftigt, wie gezeigt, im Spätwerk mehr die transponierte sowjetische Politik als der Fortgang der französisch-kapitalistisch wirklichen Welt, deren zusammenhängende Erforschung im Roman er mit der Katastrophe 1940 enden läßt. Malraux sah schon zur kommunistisch-engagierten Zeit sein Feld und seine Künstleraufgaben anderswo als in der Kritik heimischer Zustände, von denen er nur den kolonialen Aspekt ins Blickfeld nahm. Camus huldigt im *Mißverständnis* der böhmischen Heimat des geliebten und gehaßten Kafka; noch wichtiger wird für ihn, daß das Land Stalins und der Oktoberrevolution zugleich das Land Dostojewskis ist und umgekehrt. Wenn er mit den *Dämonen* dessen Kritik der nihilistischen Revolution 1959 für die Bühne adaptiert, wenn er in den *Gerechten* seine eigene Résistance-Problematik mit dem Ethos der russischen Anarchisten von 1905 verbindet, will er damit beidemal auch die weltpolitische Gegenwart geschichtlich interpretieren. Er kann sich, wie er 1955 formuliert, die der Zeit gemäße, allgemeingültige, ›universale‹ Kunst nur durch eine wechselseitige Anregung der bestehenden westlichen und östlichen Gesellschaft denken.[41] – Die Zeit der Zeugen bezieht sich so auf den Weltzustand im ganzen, sie kann nicht um des eigenen Hauses willen das des Nachbarn vergessen. Brecht hat gezeigt, wie das Schreiben über den Apfelbaum das Schweigen über den Anstreicher, das Schreiben über den Anstreicher aber das Schweigen über den Apfelbaum und vieles andere bedeutet; auch Sartres Engagement hat dieses Thema orchestriert. Die Dialektik von Schreiben und Schweigen geht aber mit den Zeugen noch einen Schritt weiter, den Sartre und Brecht zwar auch erfahren, aber weniger nachdrücklich formuliert haben: auch das Schreiben über das gesellschaftlich vor Augen Liegende – die französischen Verhältnisse – kann Schweigen über das die Zeit wirklich Bestimmende, kann Flucht sein. Die Empfehlung an westliche Schriftsteller, französische oder deutsche, sie sollten nur immer der eigenen Gesellschaft ihr eigenes häßliches Lied vorspielen, ist zwiespältig. Die Literatur konnte in der sich beschränkenden ›konkreten‹ westlichen Gesellschaftskritik in einem veränderten Zustand der Welt nicht im alten Geleise fortfahren, ohne daß sie eben dadurch zu etwas anderem geworden wäre: man kehrte anders vor der eigenen Tür, als in Nachbars Haus, dem Scheine nach, alles blitzte und blankte – unter welchem Vorzeichen die apokalyptische Beleuchtung Aragons früher Romane mit strikt westlichem, französischem Stoff, besonders die *Reisenden der Oberklasse*, zu lesen sind –, als nun, da man erfährt, daß der Nachbar allen, die sich in *seinem* Haus um reinigende Negativität bemühen, weiterhin den Mund verbietet und sie zur eigentlichen Quelle der Unsauberkeit erklärt.

Auf die Verbindung der geschichtlichen Erfahrung der Résistance mit einer bestimmten modernen Technik des Romans folgt in Sartres Essay unmittelbar ein zweiter Gedankenschritt, der für den kritischen Dialog mit den Autoren seiner Generation noch wichtiger ist, weil er die beiden Linien des ›Wovon‹, das allgemeine Thema des Schreibens und das der politischen Haltung des Schriftstellers wieder konvergieren läßt. Mit dem Begriff einer »Literatur der Praxis« will Sartre resümieren, was Literatur in seiner Zeit und Situation für alle französischen Schriftsteller sein müsse. Sie sei das Gegebene, la donnée, zu der sie alle, so oder so, Stellung beziehen müßten.[42] Und doch wird ihre Gegebenheit, die Sartre aus dem industriellen und geistigen Wiederaufbau Frankreichs nach dem Kriege und aus einer neuen »Handwerks«-bewußtheit der Schreibenden ableitet, von den anderen durchaus nicht so empfunden, wie bald noch zu zeigen sein wird. – Die Erörterung des Begriffs führt Sartre fort von den geschichtlich-politischen Bedingtheiten hinein in die inneren Bereiche der anthropologischen Kategorien, welche Sartres Philosophie ausmachen, dorthin, wo die eigentliche Entscheidung gegen den Zeugen für das Engagement gefallen ist: in der Zuordnung von Haben, Machen und Sein; genauer, im unversöhnten Gegensatz von Haben und Machen, Hexis und Praxis. Die engagierte Literatur ist dabei, wie nicht anders zu erwarten, der Praxis zugeordnet. Ihr allgemeines Thema soll es werden, »die Relationen des Seins mit dem Machen in der Perspektive unserer geschichtlichen Situation« zu zeigen, während alle bisherige Literatur sich wesentlich an die Relation von Sein und Haben hielt. Der Gegensatz ist einschneidend; Sartre gibt dies zu erkennen durch sein Eingeständnis, die Literatur der Praxis werde die der Hexis nicht übertreffen, vielleicht hinter ihr zurückbleiben, kein sehr langes Leben haben und in jedem Fall nicht geeignet sein, das ganze Wesen der Sprachkunst, die »totale Literatur« zu verwirklichen, die einer anderen Zeit in einer sozialistischen Zukunft vorbehalten sein müsse.[43]

Die weisen Einschränkungen hindern Sartre aber nicht daran, zur ungebrochenen Polemik gegen die bürgerliche Literatur des Verbrauchens, des Habens und Sichaneignens fortzuschreiten. Wie im geschichtlichen Teil seines Essays genügt es ihm wieder, aus dem weiten Bereich der angeblich überholten Literatur nur anerkannt mittelmäßige Vertreter – die Realisten des ausgehenden 19. Jahrhunderts in ihren Nachwirkungen bis auf Barrès, Duhamel, Valéry Larbaud und Gide – zu attackieren. Der Literatur der Praxis gibt Sartre im vorpolitischen Bereich Hesiods *Werke und Tage*, welche »in Begriffen der Freiheit das Erzeugnis auf den Erzeuger reflektieren«, Saint Exupérys Fliegerbücher, gewisse Aspekte Hemingways und – Heideggers berühmte Ausführungen über den Hammer in *Sein und Zeit* zum Exempel. Die Beschreibung genügt, um erkennen zu lassen, was alles in der neuen Literatur, die mit der engagierten in eins zusammenfällt, kein Unterkommen mehr finden wird, sondern umgekehrt unter der überkommenen des bürgerlichen Habens gesucht werden muß. Aragons, Malraux' und Camus' von denen Sartres verschiedene Ansichten vom 19. Jahrhundert helfen hier, den Gegner zu rekonstruieren, den Sartre, ohne ihn zu nennen, miterledigt: nicht nur Flaubert und l'art pour l'art, sondern auch Balzac und Stendhal, Tolstoi und Dostojewski. Das alles ist nicht und kann nicht die der Zeit gemäße Literatur des Machens, des homo faber werden.

So enthüllen sich Welt und Mensch in Unternehmungen. Und alle Unternehmungen, von denen wir reden können, führen zurück auf eine einzige: die Geschichte zu machen (...) Wir sind nicht mehr mit denen, welche die Welt besitzen, sondern mit denen, die sie ändern wollen, und erst im Projekt, das sie ändern will, enthüllt sie die Geheimnisse des Seins (...) Die Werke, die aus solchem Interesse hervorgehen, können nicht hauptsächlich gefallen wollen: sie irritieren und beunruhigen, sie bieten sich dar als zu erfüllende Aufgaben... Sie bieten dem Leser die Welt nicht, um sie zu sehen, sondern um sie zu verändern.[44]

Jeden Leser verwandelt das engagierte Buch zum Mitverantwortlichen für das Ganze der Wirklichkeit, die Welt wird zum versinnlichten Material des Engagements; in der Scheidung von Machen- und Haben-Literatur schlägt Sartre nochmals die pathetischen Akkorde seines Leitmotivs an. Die anfängliche Publikumsfrage, über deren Bedeutung Einigkeit bestand unter den Autoren seiner Generation, treibt ungestüm vorwärts zu dem Punkt, wo ›Für wen‹, ›Wovon‹ und ›Wie‹ schreiben wieder *ein* Ding werden, im Zauberwort Praxis. Die menschlichen Relationen des Habens und Machens auch als Grundthema der Literatur aufgedeckt zu haben, ist von unbestreitbarem Nutzen für die tiefere Erkenntnis des Phänomens, ist eine dialektische Glanzleistung. Aber wieder, wie bei der Deduktion der Literatur der Grenzsituationen, ist Sartres geschichtlicher Diagnose auch hier der Glaube zu verweigern: Machen und Haben werden für die französische Literatur dann relevant, wenn man sie – gegen Sartre – nicht epochen*scheidend*, sondern epochen*integrierend*, wiederganzmachend, einführt. Der bewußte Nichtverzicht auf das Haben neben dem Machen ist für seine Zeitgenossen kennzeichnend; das, was Sartre der Kunst nur in der Vergangenheit und wieder in unbestimmter Zukunft gestatten will. Aber eine freie »Atmung« der Kultur darf nach Camus auch in dürftiger Zeit nicht unterbrochen werden.[45] Weil Literatur auch in der Gegenwart Machen *und* Haben ist, deshalb ist ihr ganzer Begriff nur dadurch zu gewinnen, daß man das Engagement aus seiner häretischen Reinheit herausführt durch die Wiedereinführung dessen, was Sartre glaubte für *seine* Epoche asketisch aus ihr herausbrechen zu können. Wenn Sartre das Zeugentum bekämpft, so darum, weil es eine Weise des Habens, des Zu-sehen-gebens, des Weltbesitzens ist, und weil der »versteinernde« Realismus, wie man fortführen muß, eine Art des Zeugentums sein kann. – Von der anderen Seite her betrachtet ist das Zeugentum aber, wie alle unsere bisherigen Ausführungen glaubhaft machen sollten, die am wenigsten luxuriöse und parasitäre Weise des künstlerischen Habens, die unauffälligste Art, seine Zeit als Acker und Besitz zu kultivieren. Zeugentum als innerkünstlerisches Korrelat und Korrektiv ist dem Machen, dem Engagement so sehr benachbart, daß er seiner zumindest *als Stoff* seiner Bücher nicht entraten kann.

Aber das Geschichte-Machen muß nicht notwendig so in den Büchern erscheinen, daß es die, für die geschrieben wird, zum Verändern animiert: *Die schmutzigen Hände,* von Sartre ein Jahr nach dem Literatur-Essay auf die Bühne gebracht, tun es bestimmt nicht. In der Kritik revolutionärer Mittel sind sie überwiegend das, was hier von uns Zeugentum genannt wird.[46] Camus und Aragon lassen in den Romanen, wo sie den Zeugen thematisieren, das Machen als einen Lichtblick, einen bloßen Rand am überwiegend blinden metaphysischen Verhängnis der Pest, am nicht ganz so blinden Prozeß der Geschichte erscheinen. Aber schließlich bekommt auch bei Aragon der Mensch nicht als Macher, sondern als von der Politik Gemachter und Veränderter, als Produkt und nicht als Produzent, das Übergewicht. Weil es sich mit der hoffnungsarmen Welt so verhält, weil die menschliche conditio und das »Heillose« zu ihr gehören, deshalb versucht die Kunst, sie wenigstens teilweise habend zu besitzen, für den Autor und für die

Leser – jetzt schon, und nicht erst in sozialistischer Zukunft. – Die Werke der Praxis-Literatur Sartres wollen aktivieren und nicht »gefallen«: die der Zeugen wollen es in gewissen Grenzen. Sie bieten den Zeitstoff verwandelt dar, durch moralisches Fragen, aber auch noch durch anderes. Deutlich schlägt der Zeuge die Brücke zu dem, was Sartre weitgehend eliminieren möchte – und wodurch er später dem Nouveau Roman die Kritik am Engagement so leicht macht –, vom ›Wovon‹ zum ›Wie‹, von der πρᾶξις zur ποίησις,, zu den nicht weiter abzweckbaren Geheimnissen der Sprachkunst selber. Weil er gut schreibt, lobt Aragon den so wenig engagierten Zeugen Tomasi di Lampedusa; und Camus benutzt die Fiktion seines Zeugen in der *Pest* ganz unverhohlen als Hintertür, um durch sie auch die »pudeur«, den Stil und guten Ton beim Schildern der Zeit zu erörtern; alles das, was er bei den reinen Engagierten vermißt.

Noch deutlicher und genauer als bei Camus und Aragon wird der Dialog um Machen und Haben in der Literatur seiner Generation zwischen Sartre und Malraux. Vielleicht war er es sogar, der Sartre zu dieser Unterscheidung angeregt hat. Schon 1943 in Sartres phänomenologischer Ontologie, *Das Sein und das Nichts,* taucht im Teil »Haben, Machen, Sein« der Hinweis auf Malraux' *Hoffnung* auf;[47] andererseits findet sich bei Malraux schon 1934 die Andeutung einer Distinktion zweier Literaturen, einer westlich-traditionellen, die sich mit den Relationen des Seins, und einer sowjetisch-revolutionären, die sich mit den Relationen des Machens befaßt.[48] Der Unterschied liegt an zwei Gesellschaftssystemen, und nicht, wie bei Sartre für Frankreich wunschweise, an zwei unterschiedenen Epochen. Wichtiger ist das andere: Malraux hält fest, daß das Machen Stoff der Bücher werden muß, läßt es aber nicht in die Leser-Relation eindringen. Erst wenn die sowjetischen Romane des Machens dem Leser erlauben, durch sie eine Welt zu besitzen, werden sie groß, werden sie Literatur sein. An der Eigenart dieses Besitzens hängt der Unterschied der Sprachkunst zur wissenschaftlichen Geschichtsschreibung und zur Erkenntnisart der Philosophie. Alle innere Umwertung durch »ethische Schöpfung« setzt vorgängig solches Besitzen voraus.[49] In der *Hoffnung*, deren Wille, die Leser 1937 noch für die spanische Sache zu aktivieren, offenkundig ist, bleibt dieser andere, zweite Sinn des Schreibens ebenso mit angelegt. Malraux, der Künstler, ist mit denen, die die Welt verändern, *und* mit denen, die sie besitzen wollen. »Möglichst weite Erfahrung in Bewußtsein verwandeln« als das beste, was ein Mann mit seinem Leben anfangen kann, setzt voraus, daß solches Bewußtsein mehr ist als verschwindendes Moment im Fortgang der Praxis; daß es seinen unverlierbaren Wert in sich selber hat. Nicht den Weltbesitz durch die Kunst beenden, sondern im Gegenteil ihn erweitern und vergrößern will Malraux durch das Thema des Machens, das ihr bisher, bei Cervantes oder Dostojewski, noch fehlte. Solches Haben kann mißbraucht werden vom Leser, wenn er gerade das genießt, was ihn vielmehr erschüttern oder aktivieren sollte. Sartre glaubt dagegen, durch seine Schreibweise die Leser oder die Zuschauer seiner Stücke eindeutig zum Verändern bestimmen zu können, aber dies bleibt ein fragwürdiges ›als ob‹; seine Wirkung gibt ihm unrecht und bestätigt eher Malraux, sein Wissen um die Mißbrauchbarkeit aller Kunst und um die Freiheit der Leser zum Verkehrten.

Umgekehrt gibt Malraux durch seine spätere Entwicklung, nach dem letzten Roman 1943, durch seine pathetischen und nicht weniger »konsequenten« Ausführungen über Kunstschöpfung als »Eroberung« Sartre in gewisser Weise darin recht, daß das Zeugentum im Roman ohne Engagement, ohne Praxis, auch nicht lang bestehen kann.[50] Jede der Teilwahrheiten ist defizient, keiner der beiden streitbaren, nach einander verlangenden Partner – nec tecum nec sine te – ist geeignet, aus sich heraus den ganzen der Zeit gemäßen Begriff von der Literatur, von ihrem Sollen und ihrem Sein, zu bilden. Weil die Literatur der Wirklichkeit des Menschen zu nahe ist, die sich in Haben, Machen und Sein abspielt, darum läßt sich ebenso wenig wie aus dem geschichtlichen Menschen aus der Literatur einer bestimmten Epoche eines dieser Elemente herausbrechen, sie braucht sie alle. Wobei freilich Sartres Frage gestellt bleibt, ob und inwieweit die Literatur vergangener bürgerlicher Zeiten ihrem wahren Begriff fremd blieb dadurch, daß sie nicht wie er das Haben, wohl aber das Machen glaubte suspendieren zu können. – Am Rande taucht auch die andere Frage auf, wo, an welchen Schauplätzen die Verbindung beider Stücke, welche noch die *Pest* und die *Hoffnung* aufweisen können, neu realisierbar wäre. Wahrscheinlich nicht in Frankreich; die afrikanische Literatur, nach der Sartre seit 1948 ausschaut, der schwarze Orpheus, hat seine Möglichkeiten, aber auch Probleme in seinem Verhältnis zur afrikanischen Politik.[51] Die Themen der *Hoffnung* andererseits, Malraux' impliziter Dialog mit Bernanos darüber, wie die Hoffnung auszulegen und welchem Stern zur großen »fraternité« zu folgen sei – im Unterschied zu Sartres Engagement 1947, das schon zu genau weiß, wo im Namen des Atheismus »Mystifikation« bekämpft werden muß –, könnten erwägen lassen, ob die eigentliche Kontinuität dieser Literatur in Lateinamerika gesucht werden kann, wo noch viele Stacheldrähte zu zerschneiden sind, oder in den USA dort, wo Martin Luther King für seine jesaianische Vision, für den Traum von gewaltloser Herstellung der Menschenwürde für Schwarze und Weiße, sein Leben ließ.

Doch dies ist anerkanntermaßen nur Spekulation, inspiriert von den offenkundig vermauerten Wegen, wo der Weg der offiziellen Weltrevolutionspartei kein literarisches Engagement mehr inspiriert, und vom politischen Fortgang der französischen Literatur nach Engagement- und Zeugengeneration, die andere Wege geht. – Wie aber will man es andererseits begründen, daß auch das Zeugentum nur Korrektiv und nicht Substitut sein kann, daß es ebenso wie das Engagement oder die Praxis ungeeignet ist, für die umschriebenen Jahrzehnte den hinreichenden, ethisch fundierten und vollständigen Literaturbegriff zu bilden? Manche Ausführungen wären dazu notwendig; aber wieder läßt sich der eigentliche Grund, der Anschauungsbeweis, wie für die Begrenztheit des Engagements so auch hier auf dem kürzesten Weg in einem Roman finden, in welchem diese neue Problematik zum Stoff geworden ist. Diesmal ist es ein Werk, das nicht der französischen, sondern der deutschen Literatur zugehört, aber von Malraux 1953 durch ein langes Vorwort gleichsam in das widersprüchliche Erbe seiner eigenen, unabgeschlossenen Romanfolge eingesetzt wurde: Manès Sperbers Trilogie *Wie eine Träne im Ozean.*[52] Dort läßt der Romancier über 1000 Seiten hin den Helden mit dem symbolisch zu lesenden Namen Faber im Gefolge der Moskauer Schauprozesse aus dem kämpfend-kommunistischen Engagement erst in das nur noch antifaschistische Engagement während des Zweiten Weltkriegs, danach dann zum nur noch kritischen Zeugentum übergehen. Er lebt in Paris, verbringt seine Zeit in Bibliotheken und schreibt – wenn auch keinen Roman, wie sein realer Autor Sperber. Mit alledem bleibt der Roman noch in dem Wandlungsprozeß, welcher in seiner Breite und Tiefe auch bei Malraux, Aragon und Camus zu finden war. Hinaus geht er über sie erst mit der entgegengesetzten Doppel-Bewegung: den Helden Faber begleitet von seinen Anfängen an ein wacher, skeptischer und altersweiser Zeuge in der Gestalt eines Wiener Geschichtsprofessors. Dieser emigriert 1938 vor dem Einzug der Hitlertruppen nach Paris; dort kommt ihm als 70jährigem angesichts des symbolträchtigen Unrechts an einem einzelnen, vom Stalinismus verfolgten Arbeiter die Fähigkeit abhanden, weiter »stummer Zeuge« zu sein;[53] bei einer unvorbereiteten und erfolglosen Hilfeleistung läßt er sein Leben. Und eine Nebenperson spricht in anderem Zusammenhang aus, was nicht nur die Existenz des Zeugen, sondern auch sein Zeugnis immer neu fraglich macht: »Die Zeugen und die Historiker – sie sprechen hinterher, das Ereignis hat sie beeinflußt, sie beeinflussen das Urteil.«[54]

Sperber hat seine Trilogie 1940 bis 1951 geschrieben. Die Kritik des Zeugen ist nur das Neben-, und seine Genese im Gang der europäischen Zeitgeschichte das Hauptresultat, das aber dennoch gebrochener, doppelgesichtiger erscheint als die spontanere, noch nicht wieder in Reflexion aufgelöste Erfahrung bei Malraux 1937, Camus 1947, Aragon 1958. Sperber ist schon wieder näher bei Sartres Essay und unterscheidet sich von ihm eigentlich nur dadurch, daß er die Kritik am Zeugen nicht ungeduldig, abstrakt-prinzipiell an einem künstlichen Gegner vollzieht, sondern an einem wirklichen, den er im Roman mit langem Atem seinem eigenen, inneren Widerspruch ausliefert und ihn daran zerbrechen läßt. Irgendwann muß sich das subjektive, engagierte Urteil wieder als solches bekennen und wird der objektive Spiegel, die ›Chronik‹ zur Verkleidung. Das Ereignis, seine reine massive Faktizität, hat den Zeugen immer schon beeinflußt – an dem um 1951 geschriebenen Ende der Trilogie steht bei Sperber eine sarkastische Kritik an der in Frankreich gerade üblichen allgemeinen Verherrlichung der Résistance.[55] Auch die *Pest,* das Buch, welches nur Chronik sein will, gibt Sperbers Kritik, daß es ein Urteil beeinflussen will und vom Ereignis beeinflußt ist, noch ihr Recht: geschichtlich, für die erste Generation ihrer Leser, hatte sie die heimliche Funktion, nachträglich zu beweisen, daß eine Sache, für die Autor und Leser sich mit Waffengewalt eingesetzt hatten, eine gerechte Sache gewesen war.

Dies also ist oder wäre die interne Problematik, welche den Künstler-Zeugen wieder über sich selbst hinaustreiben mußte. Das Beispiel, an dem sie veranschaulicht wurde, ist nicht mehr aus der französischen Literatur: es würde schwerhalten, es dort im letzten Jahrzehnt, in den sechziger Jahren nachzuweisen. Und wenn es zu finden wäre, wie etwa bei R. Merle, der nach Kuba reist, um von dort engagiert zu bezeugen, dann dennoch nicht bei der Hauptrichtung des französischen Romans, die das Bild bestimmt. Dort verläuft die Kritik an Zeugentum und Engagement in anderen, weniger internen Bahnen, wenn auch nicht, ohne beiden aus der Distanz zu neuen Konturen zu verhelfen. Die Praxis durch die Literatur interessiert wenig mehr, und die Hexis als Welt-Besitzergreifung rückt die Form, das Problem des Erzählens im Roman, wieder in den Vordergrund. Aragons, Malraux' und auch Camus' Romane sind in dieser Sicht überwiegend unmodern, obgleich sie alle drei ihr Leben lang gleichsam auf der Schwelle zwischen formal Modernem und Unmodernem stehen und so auch in den Genealogien des modernen Romans gewöhnlich vertreten sind.[56] Bei allen dreien gibt es einen Rückfall von anfänglicher Modernität in traditionellere Bahnen; Aragon vor allem hat sich vom Surrealismus zum sozialistischen Realismus gewandt. Aber auch in seiner realistischsten Zeit lag formal Modernes mit der Widerspiegelung gesellschaftlicher Totalität im Streit, es kann also nicht alles nur politische Unterjochung sein. Umgekehrt bleibt auch im späten Werk die Welt ›real‹, wo nicht durch den gezeigten ökonomischen Unterbau, so doch durch die politische Zeitgeschichte, durch die der Romancier sich weiterhin bestimmt weiß, ob er will oder nicht. – Gerade hierüber aber denkt die nachfolgende französische Generation der ›neuen‹ Romanciers anders. Sie fühlen sich nicht mehr unter dem Druck bestimmter politischer Ereignisse, und in ihrer Erzählweise sind sie entschiedener neu und modern. Die vorläufig eingedämmte Tradition der subjektiven Zeiterfahrung steht wieder auf. Keine ihrer Autoritäten, Faulkner, Joyce, Proust – an den Russen, die für Camus und Malraux alles waren, zeigen sie kein Interesse

– ist durch die Generation, die sich mühsam vom Engagement zum Zeugentum durchgekämpft hat, irgendwie überwunden. An den Zeugen ist es nun, sich durch ihre unmittelbaren Nachfolger überrunden und antiquieren zu lassen. Wie unmodern ist das Unmoderne an Camus, Malraux und Aragon durch sie geworden?

Zeugen und ›neuer Roman‹ sind gleichermaßen bemüht, durch den Roman einer oder der Wirklichkeit habhaft zu werden. Aber während es für den Zeugen die unausweichliche Forderung der geschichtlichen Zeit-Objekte gab, das, *wovon* geschrieben werden mußte, geht der neue Romancier wieder einen Schritt weiter und läßt sich neu durch das *Wie* des Schreibens und Beschreibens durch die Unbilden der äußeren Zeit tragen. Das »comment écrire« ist die Hauptfrage geworden, sagt Claude Simon ausdrücklich gegen Sartre.[57] Die aus dem streitbaren Alltag gewonnene ›instrumentale‹ Ansicht der Prosa, die Camus, Malraux und selbst Aragon weitgehend mit Sartre geteilt hatten, genügt nicht mehr, das Erzählen wird sich seiner Probleme und die Sprache sich ihres fast absoluten Wertes bewußt. Aus dem Wesen der Sprache begründet M. Butor die soziale Nützlichkeit des Romanciers. Um mit den Atomen umgehen zu können, muß man erst mit den Wörtern umgehen können,

das Wort ist notwendiger als das Brot, und die Literatur, die Poesie sind es, die den Fortbestand der Sprache erlauben; ohne sie verlieren die Wörter ihre Bedeutung, das Bewußtsein vergeht, Wahrheit kann nicht mehr entstehen.[58]

Daß auf diesem Weg die Sorgen und Konflikte der Zeit, von welchen der Zeuge gleichsam an aller Sprachlichkeit vorbei sich umtreiben ließ, weniger akut werden, leuchtet ein. Das ›Wie schreiben‹ löst das pathetisch-verantwortliche ›Wovon schreiben‹ ab, und auf den Zeugen folgt, mit dem tiefsinnig-beziehungsreichen Titel A. Robbe-Grillets zu reden, der *Voyeur*.[59] Er sieht anders und anderes als der Zeuge und zieht aus der Erfahrung des inkonsistenten menschlichen Individuums weniger gesellschaftliche als seinsmäßige Folgerungen. Die Dinge, die großen und kleinen, sind wirklicher als die Menschen, und es ist noch gar nicht ausgemacht, daß dies, wie eine gutwillige marxistisch-soziologische Kritik es deutet[60], durch eine vom Autoren herbeigewünschte Aufhebung der Entfremdung je geändert werden soll.

Es ist nicht weiter verwunderlich, wenn die Neuen, wo immer sie danach gefragt werden, das Engagement der Literatur verwerfen und mit unverhohlener Genugtuung aufweisen, daß es eine Sackgasse war. Auch das Zeugentum fängt mit der Distanzierung vom Engagement an. Freilich mit keiner absoluten Distanzierung; und wie sehr die Zeugen auf halbem Weg anhalten, zeigt gerade der Unterschied zu den Neuen. Die Zeugen verbannen das Engagement zwar aus ihrer Schriftsteller-Haltung, jedoch nur, um den politisch-gesellschaftlichen Kampf, die Konflikte, die zum Engagement hingeführt hatten, als

Objekt, als notwendigen Stoff ihrer Bücher sich gegenüber zu setzen – die Neuen verwerfen aber auch als *Stoff* das meiste von dem, was das Engagement ausgemacht hatte. Butor ist noch am maßvollsten in dieser Hinsicht. – Die wirkliche Welt des neuen Romans ist kleiner geworden als die der Zeugen es war; sie hat weniger Ecken, weil vieles, was stören könnte, als bloßer Schein aus ihr hinausgefegt wurde:

Jeder aufrichtige Schriftsteller, der sich bemüht, das was ihm die Wirklichkeit zu sein scheint, mit neuem und unvoreingenommenem Blick zu betrachten, deckt an ihr je nach Maß seiner Fähigkeiten eine neue Parzelle auf (...) Indem das Werk des Schriftstellers unbekannte Aspekte der Wirklichkeit aufdeckt, durchstößt es den Schein (les apparences), fegt die überkommenen Ideen hinaus und läßt die Konventionen zerbersten ... Heute ist es weder möglich noch wünschbar, die Welt in ihrer Totalität zu enthüllen ... Aber die Totalität geht, wie man weiß, durch ein Nadelöhr hindurch. Sie dringt in den kleinsten Gegenstand ein.

So antwortet, 1960 nach dem Sinn ihres Schreibens befragt, Nathalie Sarraute.[61] Alle kleinen Objekte sind Nadelöhre, Einlaßtore des großen Allgemeinen, sie sind also in Wirklichkeit keine »kleinen« Objekte mehr: auch hieraus spricht große europäische Tradition, von Proust über Joyce bis zu Virginia Woolfs braunem Strumpf, anläßlich dessen E. Auerbach 1946, am Ende der zweitausendjährigen Geschichte abendländischer Wirklichkeitsdarstellung in der Literatur angelangt, über einen parallelen modernen »Ausgleichsprozeß« in der sozialen Wirklichkeit und im Roman, nach Zolas großem, aber nun abgeschlossenem Kampf, meditierte.[62] Im Nouveau Roman findet sich von solchem Ausgleich zweifelsohne mehr als bei Aragon, Malraux, Camus und Sartre. – Erst dort, wo man in die Zeit und Geschichte keine »Transparenz« mehr hineinfälscht, wird sie für Cl. Simon wirklich; das heißt aber auch, daß Simon und seine Kollegen zwar auf ein »in der Luft liegendes Lebensgefühl« hin befragt werden können, nicht aber auf ein positiv wandlungsfähiges, sich selber transparentes Verhältnis zur äußeren geschichtlichen Zeit.

Auch die Zeugen wußten, daß man die äußere Zeit, seine Epoche, nicht ununterbrochen, Sommer und Winter, morgens bis abends nur immer ernst nehmen kann. Nicht in allem, was sie ausfüllt, ist sie absolut und unvergleichbar. Nicht einmal 1917 bleibt für Aragon absoluter Wendepunkt der Menschheitsgeschichte. Daß die Würfel erst in einer späteren Generation fallen oder schon gefallen sind, ist nicht ganz auszuschließen, bei allem Eifer der Zeitgenossen um objektive Geschichtlichkeit, welche gerade die neuen Romanciers so gähnend langweilt. Camus nennt es das Gebet eines Weisen, nicht in einer »interessanten«, tragischen und aufgeregten Zeit leben zu müssen;[63] der neuen Schriftstellergeneration ist solche Gunst in größerem Maße zuteil geworden als noch Camus. Vielleicht können sie darum nicht anders denn als Weise auf die so ungestüm konventionellen Probleme ihrer Vorgänger herabsehen. Mit Konventionen kann man nichts anderes tun als sie abbauen; hätten die Neuen ganz recht, dann wären die Zeugen in der Tat vollkommen veraltet. Aragon gibt ihnen aus der Ferne und aus der Weisheit seines Alters aber nur halb recht.[64] Was sie überwinden, sind Konventionen der Literatur, nicht der Wirklichkeitserkenntnis. Auch er hatte einst als Surrealist geglaubt, die äußere Zeit, Politik und Geschichte, hinter sich zu haben, die er doch in Wahrheit noch vor sich hatte und dann, nach seiner Wende zur wirklichen Welt, eben weil er durch den Surrealismus hindurchgegangen war, neu apperzipieren konnte, so, wie es dem herkömmlich realistischen Blick nicht möglich gewesen wäre.

Vieles spricht für Aragons entschlossene Relativierung des Phänomens. Vielleicht wird der ›neue Roman‹ dann groß werden und seine Monotonie hinter sich lassen, wenn es ihm gelingt, als eines seiner Momente die Konflikte zu integrieren, welche den Zeugen-Roman bewegten und die in der Wirklichkeit noch nicht abgeschafft sind. Die Neuen fanden weder bei den Zeitgenossen noch bei sich selber ein Subjekt, genügend wirkliche Individualität vor, die sich als Träger des immer höher hinaufgesteigerten Bewußtseins vom Allgemeinen, von der Zeit und von der Geschichte noch geeignet hätte; finden sie das Subjekt wieder, dann werden sie vielleicht auch die abgeworfene Last, die Bleisohlen des Sozial-Wirklichen, von denen Camus spricht[65], sich wieder anlegen. Für neue Wirklichkeiten ist es gut, wenn sie neu sind, aber sie müssen auch wirklich sein. Der teleskopisch-weitsichtige Blick, der den Künstler politische Fronten für künstlerisch relevant nehmen läßt, kommt im äußeren und inneren Alltag des Schriftstellers, inmitten der »kleinen« Dinge, als Unterbrechung zwischen ihnen, vor; er ist wirklich; die Engagierten und Zeugen haben ihn nicht aus böser Willkür hereinpraktiziert, wie man uns glauben machen will. Man mag das Teleskop für das große Allgemeine, auch für ›die Zeit‹ als Epoche, eine Weile ruhen und abkühlen lassen, aber man kann es nicht definitiv aus dem Instrumentarium zur Erfassung der neuen Wirklichkeit entfernen und sich weiterhin auf seine honnêteté, seinen Wahrheitsdrang, berufen. Nicht immer haftet die Totalität unfehlbar an den ›kleinen Objekten‹. Die Selbstempfehlung der Autoren darf uns nicht hindern, zu fragen, was nun durch das Nadelöhr der Romane wirklich eingefädelt wird, wie lang oder wie kurz abgeschnitten ihr Faden war.

4. Leser und Nichtleser

Das ›Wie schreiben‹ ist dem Nouveau Roman die Hauptfrage. Das ›Wovon‹ rückt an zweite Stelle, das ›Für wen‹ fällt entweder aus oder wird ohne Tragik, in bewußter Ernüchterung beantwortet: für die Verständigen, für einige wenige. Diese erneuerte ruhige Selbstverständlichkeit fehlte der Zeit der Engagierten und Zeugen noch. Und dies, obwohl sie alle erfahren haben, daß Schreiben »für alle«, für den Mann auf der Straße, nach Sartre eine Utopie[66], nach Aragon ein bescheiden-närrischer Traum ist. Anscheinend läßt sich das Utopische für die Schriftsteller, im Unterschied von den Literatursoziologen, gerade aus der ›Für wen‹-Frage niemals ganz vertreiben. Ihr Begriff von der Literatur verlangt nach dem Kontext einer Kultur, um darin erst wirklich zu werden; Kultur dabei aber nicht als die Sammlung von Kunstdingen und inneren Werten durch einige wenige verstanden, sondern so, daß die lebenden Menschen, große und kleine, Intellektuelle und Massenmenschen, zu der Art des Zeit- und Welt-›Besitzens‹ kommen, wie die Kunst es vermittelt. Nicht in einem schönen Buch, sondern in der Kommunikation, die es in Gang bringt, vollendet sich die Welt. – Eine Zeitlang fand der Traum seine Realisierungsaussicht in der revolutionären Synthese, im Kommunismus der Schriftsteller. Danach aber hat er sich der Synthese wieder entwunden, nach der Erkenntnis, daß es wider allen Anschein noch schwerer ist, Aufklärung und Kultur im erträumten Sinn zu verwirklichen als die ökonomische Struktur einer Gesellschaft zu ändern, sie aus einer kapitalistischen zu einer sozialistischen umzuwandeln. Die erträumte Kultur schwebt über ihr, ohne Fuß fassen, ohne Wurzeln schlagen zu können. Aber auch zwischen dem Alltag der Fünften Republik samt ihrem Gebrauch der Massenmedien und dem, was Malraux in den dreißiger Jahren als umfassende, totale Kultur erträumte, klafft mancher tiefe, schwer schließbare Riß.

Sartre zufolge wohnt jedem Kunstwerk ein Appell an die handelnd-weltverändernde Freiheit des Lesers inne; andere weisen darauf hin, daß es eher nur scheidende Wirkung unter den Lesern habe und der Mißbrauch des Gelesenen immer frei steht. Solche scheidende Wirkung haben aber nicht nur die Werke, sondern auch die Theorien und Utopien der Schriftsteller: was wird das Publikum mit ihnen anfangen, wohinein sie integrieren? Dort, wo beschlossen ist, daß der gallische Hahn mit Diderot und der Großen Revolution seine geschichtliche Mission erfüllt und ihr nichts Neues, vor allem keine Einschränkungen mehr hinzuzufügen hat[67], kann es sich nur darum handeln zu beweisen, wie und wo alle Desiderate der Träumenden realisiert wurden und daß, falls jemand daran Zweifel hegt, er von spätbürgerlicher Verblendung geschlagen ist. Im westlichen Deutschland, wo man den Gang der europäischen Geschichte anders sieht, gibt es umgekehrt die erwähnten Schwierigkeiten, in den so hochgeschätzten französischen Autoren die Aufklärung, das lebendige 18. Jahrhundert, zu sehen. Camus wirkt bei seinen Lesern weniger durch utopische Kritik, durch das, was er angreift – etwa die Legitimität aller politischen Gewalt –, als durch das, was er an politisch Bestehendem rechtfertigt; durch seine Empfehlung, daß der Schriftsteller in seiner Freiheit weiterhin für einige wenige schreiben soll, nicht durch seine bittere und lähmende Entdeckung, daß er für die meisten nicht schreiben kann, auch in der westlichen Demokratie nicht.

Wie sie sich die Gründe der Unmöglichkeit der Kultur-Utopie formulieren, ob mit möglicher Auswirkung auf ihr Verhältnis zu den Nichtlesern, ob ironisch oder beunruhigt, gleichgültig oder mit Genugtuung, das bewirkt die Scheidung unter der kleinen Zahl der Interessierten, welche der utopische Rest an den Theorien, am Begriff von der Literatur beschäftigt. Autoren und Utopien sind nicht dazu da, daß man ihnen schlichterweise glaubt, sondern zum Dialog; auch dazu, um manche ihrer definitiven Worte wieder in Fragen zurückzuverwandeln. Zu jedem Schriftsteller gehört, wie G. Bernanos, der Autor politischer Pamphlete und theologischer Romane 1940 notierte, die beharrliche Frage: für wen schreibe ich eigentlich, für wen und nicht warum; und jeder wird sie bis auf weiteres, so lange sich nichts Wesentliches an Kultur und Gesellschaft ändert, als den »Stachel einer nicht wieder gutzumachenden Verwechslung«, als »aiguillon d'une méprise irréparable« empfinden.[68] – Die einen Leser halten daran fest, daß verwirklichte Aufklärung die Emanzipation ›vom Mittelalter‹ verlangt, andere dringen darauf, das Negative, wovon emanzipiert werden soll, neuerlich zu bestimmen. Gerade vom Mittelalter, nicht vom Feudalsystem, aber von den Volksmystikern, lieh Malraux sich die glühendsten Farben für seine Kultur-Utopie, seine Hoffnung, aus. Atheismus ist nicht verpflichtend für alle, und von der Nachchristlichkeit der Autoren wird sich der trennen, der ihre Utopie in andere Hoffnung, anderen Zweifel integriert. Zur Literatur gehört das, wovon geschrieben wird, zu ihr gehören die Sprache, die Schriftsteller, gedachte und wirkliche Leser verschiedener Art – auch solche, die es noch nicht gemerkt haben, daß Gott tot ist.

Bibliographischer Hinweis

Zu Kapitel I und V

a) Zum Fragenkreis französischer Literaturbegriff und Engagement ist die wichtigste Quelle J.-P. Sartres Essay *Was ist Literatur?*, erstmals als Buch Paris 1948 (vereinigt mit einem kleineren, weniger wichtigen Essay unter dem Titel *Situations II*); deutsche, nicht in allen Details zuverlässige Übersetzung: Hamburg 1958 (Rowohlt-Enzyklopädie Nr. 65).
Die beste geschichtliche Einführung in den weiteren, auch außerfranzösischen Zusammenhang der Frage nach der Literatur im 20. Jahrhundert, speziell das Warum und Für-wen des Schreibens, gibt der reich dokumentierte Essay von G. de Torre, *Problemática de la Literatura,* Buenos Aires 1951, 1958[2].
Als Pendant und Gegenstück zur ›Problematik‹ der Literatur kann die verbreitete, aber nicht unbestrittene *Theorie der Literatur* von R. Wellek und A. Warren, New York 1942, deutsch Homburg 1959, verstanden werden: obwohl in erster Linie Handbuch und Methodenlehre für den Studenten der Literaturwissenschaft, erhebt sie zugleich den – wenn auch maßvollen – Anspruch, auch für gegenwärtige und zukünftige Werke verpflichtend zu definieren, was Literatur sei und was nicht, d. h. die »Theorie« hält die weitere Bewegung des Literatur*begriffs* an.
Innerhalb der deutschsprachigen Romanistik existieren zwar viele Interpretationen der zeitgenössischen Autoren einerseits und detaillierte Untersuchungen zu den Theorien und dem Publikum der französischen Literatur im 18. und 19. Jahrhundert andererseits; der Zusammenhang zwischen beidem fand aber bis jetzt, von bestimmten Ansätzen der marxistisch orientierten vergleichenden Literaturwissenschaft abgesehen, noch relativ wenig Beachtung, vgl. o. S. 27 f. Bis an die Schwelle der Gegenwart führt im großen abendländischen Horizont mit viel Gespür für die Problematik des Wovon- und Für-wen-Schreibens E. Auerbach, *Mimesis.* Dargestellte Wirklichkeit in der abendländischen Literatur. Bern 1946, 1959[2]. Seine auch in anderen Studien niedergelegte kulturgeschichtliche Fragestellung wartet noch auf ihre schöpferische Weiterbildung.

b) Zur Situierung der Autoren in der politischen Zeitgeschichte:
Rühle, J., Literatur und Revolution. Der Schriftsteller und der Kommunismus. Köln 1960.

c) Zur Situierung in der Literaturgeschichte:
Boisdeffre, P. de, Une Histoire vivante de la Littérature d'aujourdhui (1939–1964), Paris 1964[5].
Picon, G., Panorama de la nouvelle littérature française, Paris 1960[2].
Simon, P.-H., Histoire de la littérature française au XXe siècle, 2 t. Paris 1967[3].
Albérès, R.-M., Geschichte des modernen Romans, Paris 1962, deutsch Düsseldorf 1964.
Theisen, J., Geschichte der französischen Literatur, Stuttgart 1969[2].

Zur Schnellorientierung über das Romanwerk der drei Autoren sei allgemein verwiesen auf J. Beer (Hrsg.), *Der Romanführer*, Bd. IX, Stuttgart 1958; dort zu Aragon S. 3–5 (weiter Bd. XIV, 1969, S. 2); Malraux S. 140–144; Camus S. 38–42.

Die folgenden Angaben zu den einzelnen Autoren versuchen, in begrenzter Auswahl und in jeweils drei Rubriken sowohl dem allgemein interssierten wie dem Leser vom Fach gerecht zu werden:

a) der Zugang zum Werk, speziell dem literarkritischen und -theoretischen; Hilfsmittel und grundlegende Gesamtinterpretationen;
b) Bücher zum Zusammenhang Engagement und Literaturbegriff bei den Autoren;
c) übrige Bücher, d. h. mit wenigen Ausnahmen wissenschaftliche Monographien, wobei unter b) und c) zur Vervollständigung auch jüngere Publikationen aufgenommen sind, die in der vorliegenden Untersuchung nicht mehr benutzt werden konnten.

Auf Artikel und Aufsätze wurde verzichtet; soweit sie im direkten Zusammenhang mit dem Thema stehen, erscheinen die wichtigsten von ihnen in den Anmerkungen. Alles weitere ist in den Spezialbibliographien für die französische Literatur zu finden:

Klapp, O., Bibliographie der französischen Literaturwissenschaft, Bde. I–V (1956 ff.) Frankfurt 1960 ff.

French VII Bibliography For the Study of Contemporary French Literature, Nr. 1–20 (1940 ff.) New York 1949 ff.

Dreher, S. und Rolli, M., Bibliographie de la littérature française 1930–1939; Fortsetzung 1940–1949 Drevet, M. L., Genf 1948 und 1954.

Zu Kapitel II

a) Der Zugang zu Aragons umfangreichem Werk gestaltet sich besonders schwierig. Das Verzeichnis seiner Bücher umfaßt allein an die 70 Titel. – Für seine literarischen Konzeptionen sind die zu Büchern vereinigten Essays notwendig, wenn auch nicht hinreichend:

Pour un Réalisme socialiste, 1935 (= PRS; im folgenden jeweils in Klammern die in den Anmerkungen gebrauchte Abkürzung)

La Lumière de Stendhal, 1954 (= LSt)

J'abats mon Jeu, 1959 (= Jab)

Entretiens avec Francis Crémieux, 1964 (= Crémieux).

Die für Aragon wichtige Chronologie seiner theoretischen Gedanken ist nur aus den Zeitschriften zu gewinnen, an denen er mitarbeitete bzw. die er verantwortlich gestaltet: ›Commune‹ (= Cme), Monatsschrift der »revolutionären Schriftsteller und Künstler«, 1933–1939; ›Europe‹, unregelmäßige Beiträge Aragons von 1935 bis heute; und vor allem ›Les Lettres françaises‹ (= LF), aus der Résistance hervorgegangene, von der KP unterstützte literarische Wochenschrift, deren Direktor Aragon seit 1953 ist.

Die einzige zuverlässige Aragon-Bibliographie umfaßt nur die Jahre 1919 bis 1931, sie findet sich in der grundlegenden Untersuchung zu Aragons surrealistischer Epoche: A. Gavillet, *La Littérature au défi.* Aragon surréaliste, Neuchâtel 1957. – Problematisch, aber als Versuch einer Gesamtdeutung Aragons unentbehrlich, ist das Werk des marxistischen Philosophen R. Garaudy, *Du Surréalisme au Monde réel.* L'itinéraire d'Aragon, t. 1,

Paris 1961. – Die handlichste Einführung in Biographie und Hauptwerke (Inhaltsgaben) gibt H. Juin, *Aragon* (Coll. ›La Bibliothèque idéale‹), Paris 1960.

b) Untersuchung zum Thema:

Adereth, M., Commitment in Modern French Literature. A brief study in ›Littérature engagée‹ in the works of Péguy, Aragon, and Sartre. London 1967.

c) Allgemein:

Roy, Cl., Aragon, Paris 1945 (Einführung).

Josephson, H. und Cowley, M., Aragon, Poet of French Resistance, New York 1945 (Eingeleitete und kommentierte Gedichtauswahl).

Isbak, A., Louis Aragon, Moskau 1957 (russisch; Hinweis auf zwei weitere russische Dissertationen über Aragon bei Garaudy, S. 350, 376.

Lescure, P. de, Aragon romancier, Paris 1960 (über Erzähltechnik und subjektive Zeiterfahrung in Aragons Romanen).

Raillard, G., Aragon, (Coll. ›Classiques du XXe siècle‹) Paris 1964 (Aragon als schillernder Sprachvirtuose und neuer Barrès).

Sadoul, G., Aragon, Paris 1967.

Heinrichs, V., Louis Aragons Erzählkunst in »La semaine sainte«. Eine formale, erzähltechnische und stilistische Analyse. (Diss. Köln) Düsseldorf 1968.

Zu Kapitel III

a) Für Malraux' Bücher, Aufsätze usw. existiert eine ziemlich vollständige Bibliographie in J. Hoffmann, *L'Humanisme de Malraux,* Paris 1963 (Thèse Straßburg 1959); mit Inhaltsangabe und Interpretation der Hauptwerke.

Wichtige Blöcke bilden in Malraux' literarischen Konzeptionen seine nie in Büchern gesammelten Kritiken in der ›Nouvelle Revue Française‹ (NRF) 1922–1935, sechs programmatische Reden in ›Commune‹ 1934–1937 und mehrere Vorworte zu Romanen anderer Autoren (D. H. Lawrence 1932, Faulkner 1933, Guilloux 1935, Sperber 1952).

Zitiert wurden im Text die Romane Les Conquérants (1928), La Condition humaine (1933), L'Espoir (1937) nach dem Pléiade-Band *Romans,* Paris 1947, die übrigen Romane nach den Genfer *Oeuvres complètes,* Genf 1945 (= G).

Unentbehrlich zur Malraux-Deutung ist außer Hoffmann vor allem G. Picons knapper und tiefsinniger Essay *Malraux par lui-même,* 1953, 1966[3].

b) Bücher zum Thema (überwiegend an Malraux' Theorie der bildenden Künste, nur am Rande an seiner Theorie der Literatur interessiert):

Brincourt, A. und J., Les Oeuvres et les Lumières. A la recherche de l'esthétique à travers Bergson, Proust, Malraux, Paris 1955 (Gute Einführung).

Duthuit, G., Le Musée inimaginable, 3 t. Paris 1956 (Temperamentvolle »Widerlegung« Malraux' durch einen Kunsthistoriker).

Righter, W., The Rhetorical Hero. An Essay on the Aesthetics of Malraux, London 1964.

Halda, B., Berenson and Malraux, Paris 1964.

Wilkinson, D., Malraux. An Essay in political criticism. Cambridge-Massachusetts 1967.

c) Allgemein:

Mauriac, A., Malraux ou le Mal du Héros, Paris 1946.

Frohock, W.-M., Malraux and the Tragic Imagination, Stanford 1952.

Delhomme, J., Temps et Destin. Essai sur André Malraux. Paris 1955 (Analyse von Malraux' Schicksalsbegriff in existenzphilosophischer Beleuchtung).

Gannon, E., The Honor of being Man. The World of André Malraux. Chicago 1958 (Philosophisch-theologische Interpretation des Malraux'schen Humanismus vom katholischen Standpunkt aus).

Kerndter, F., André Malraux – Die Suche nach einem neuen Menschenbild in Leben und Werk bis 1933. Diss. München 1958 (Die »Überlegenheit« des Humanisten Malraux über die Kommunisten).

Moser, Y., L'essai de constitution d'un monde dans l'oeuvre de Malraux, (Diss. Zürich) Aarau 1959.

Blumenthal, G., André Malraux, the Conquest of Dread. Baltimore 1960.

Blend, Ch.-D., André Malraux, Tragic Humanist. Ohio 1962.

Ferreira, V., Malraux, Lissabon 1963.

Vandegans, A., La jeunesse littéraire d'André Malraux. Essai sur l'Inspiration farfelue. Paris 1964 (Detaillierte und reich dokumentierte Untersuchung über Malraux' früheste literarische Versuche und seine abenteuerliche Biographie).

Fitch, B. T., Les deux univers romanesques de Malraux, Paris 1964.

Wilhelm, B., Hemingway et Malraux devant la guerre d'Espagne, Diss. Bern 1966.

Eggart, D., Das Problem der Einsamkeit und ihrer Überwindung im Romanwerk von André Malraux, (Diss. Tübingen) Bamberg 1966 (Die Irrelevanz des Politischen in Malraux' Romanen angesichts des Existentiellen).

Langlois, W. G., Malraux. The Indochina adventure. London/New York 1966.

Außerdem mehrere unveröffentlichte angelsächsische Dissertationen.

Zu Kapitel IV

a) Über Camus findet sich alles Notwendige in der reich dokumentierten zweibändigen Pléiade-Ausgabe seiner Werke: *Théâtre, Récits, Nouvelles,* 1962 (= P1) und *Essais,* 1965 (= P2), dort auch die nur wenige Lücken enthaltende Bibliographie der Aufsätze, Artikel, Interviews, usw.; Biographie und politische Verhaltensweisen Camus' durch die Jahrzehnte gehen aus den ausführlichen »Commentaires« des Herausgebers R. Quilliot hervor. Zur äußerst umfangreichen Camus-Sekundärliteratur gibt es mittlerweile drei eigene Bibliographien, siehe Klapp, op. cit.

Zur Struktur des literarischen Werkes gibt die beste Einführung G. Brée, *Camus,* New Brunswick 1959, deutsch Hamburg 1960 (mit Inhaltsangaben); zur Einführung in die Problematik von Camus' Denken ist unentbehrlich A. Nicolas, *Une Philosophie de l'Existence, Albert Camus,* Paris 1964.

b) Bücher zum Thema:

Kohlhase, N., Dichtung und politische Moral. Eine Gegenüberstellung von Brecht und Camus. München 1965 (Gute, eindringende Kritik Brechts vom etwas zu positiv geratenen Camus aus; Deutungsansatz ›Leben und Werk‹, d. h. ohne detaillierte Interpretation von Camus' literarischer *Theorie*).

Parker, E., Camus, the Artist in the Arena. Milwaukee 1965 (Beschränkt sich auf die Entwicklung von Camus' politischem Journalismus seit den revolutionären Anfängen; den Zielpunkt bezeichnet der Untertitel »Beyond left and right«). – Vgl. hierzu als Gegenstück:

Durand, A., Le Cas Albert Camus. L'époque camusienne. Paris 1961 (Kritik von links an Camus' politischem Journalismus, Streitschrift ohne wissenschaftlichen Anspruch).

Wilhoite, F. H., Beyond Nihilism: Albert Camus' contribution to political thought. Louisiana 1968.

c) Allgemein:

Luppé, R. de, Albert Camus, Paris 1951.

Maquet, A., Albert Camus ou l'invincible été, Paris 1954.

Quilliot, R., La mer et les prisons. Essai sur Albert Camus. Paris 1957.

Hanna, Th., The Thought and Art of Albert Camus, Chicago 1958.

Brisville, P., Camus (Coll. ›La Bibliothèque idéale‹), Paris 1959 (Mit Inhaltsangaben, Bibliographie und reicher Dokumentation).

Bonnier, H., Camus ou la force de l'être, Lyon 1959.

Champigny, R., Sur un Héros paien, Paris 1959 (Über den *Fremden*).

Cruickshank, J., Camus and the Literature of Revolt, London – New York 1959.

Hourdin, G., Camus le Juste, Paris 1959.

Thieberger, R., Albert Camus. Eine Einführung in sein dichterisches Werk. (»Die Neueren Sprachen«, Beiheft Nr. 8) Frankfurt 1959.

Lebesque, M., Albert Camus in Selbstzeugnissen und Bilddokumenten (»rowohlts monographien«) Hamburg 1960 (mit Bibliographie der deutschen Zeitschriftenaufsätze, Tageskritiken und Würdigungen Camus').

Simon, P.-H., Présence de Camus, Paris 1961.

Nguyen van Huy, P., La métaphysique du bonheur chez Albert Camus, Neuchâtel 1961 (Tiefsinnige, aber einseitige Deutung Camus' aus dem Streben nach der Einheit und aus den matriarchalischen Archetypen).

Thody, Ph., Albert Camus 1913–1960, London 1961; deutsch Frankfurt 1964.

Petersen, C., Albert Camus, Berlin 1961.

Gadourek-Backer, J. C. A., Les innocents et les coupables, Diss., Groningen 1963.

Greuter, E., Die Fremdheit im Werk von Albert Camus, (Diss. Zürich) Horgen 1963.

King, A., Camus, Edingburgh–London 1964.

Stuby, G., Recht und Solidarität im Denken von Albert Camus, Frankfurt 1965.

Fetzer, P., Themen naturhaften Daseins im Werk von Albert Camus, (Diss. Tübingen) Bamberg 1966.

Gay-Crosier, L'envers d'un échec. Étude sur le théâtre d'Albert Camus. (Diss. Bern) Paris 1967.

Pollmann, L., Sartre und Camus. Literatur der Existenz. Stuttgart 1967.
Grenier, J., Albert Camus. Souvenirs. Paris 1968 (Erinnerungen des philosophischen Lehrers und Freundes Camus').
Kampits, P., Der Mythos des Menschen. Zum Atheismus und Humanismus Albert Camus'. Salzburg 1968.
Schaub, K., Albert Camus und der Tod, Zürich 1968.
Außerdem mehrere unveröffentlichte angelsächsische und deutsche Dissertationen, überwiegend literarische Vergleiche und philosophisch-religiöse Fragestellungen.

Anmerkungen

Die Anmerkungen stellen, wie die Bibliographie, nur eine gedrängte Auswahl dar. Von Aufsätzen in häufig zitierten Zeitschriften (Cme, LF, NRF, Europe) werden Titel nur genannt, wo sie unentbehrlich sind. Sämtliche Zitate im Text sind eigene Übersetzungen des Verfassers; Bücher Aragons, Malraux' und Camus', von denen deutsche Übersetzungen existieren, sind im Text durch deutsche Titel kenntlich gemacht. Sämtliche französischen Publikationen, bei denen kein Ort angegeben ist, sind in Paris erschienen. – In den Hinweisen auf die wichtigste Sekundärliteratur werden die deutschen Untersuchungen mit Vorrang behandelt.

I. Mein Acker ist die Zeit

1 *Die Karwoche*, München, Ost-Berlin 1961, Übersetzung und Nachwort (S. 639–657) von H. Mayer. Die Sartre-Bezugnahme hat Aragons ausdrückliche Bestätigung, siehe Interview in Juin, *Aragon*, S. 247–250.

2 *Die Glocken von Basel*, Frz. 1934, Ost-Berlin 1948, München 1964; *Die Viertel der Reichen*, Frz. 1936, Berlin 1952, München 1962; *Aurélien*, Frz. 1934, Berlin 1952, München 1961; *Die Reisenden der Oberklasse*, Frz. 1942, Berlin 1953, München 1963.

3 Zwei Fehlinformationen: Aragon sei »Schriftsteller und Arzt«. Sein Medizinstudium hat er 1917 ohne Examen abgebrochen. Seine Frau, die russische, seit 1928 französisch schreibende Schriftstellerin Elsa Triolet (geb. 1903), sei Wl. Majakowskis Tochter: vielmehr ist sie die Schwester von dessen Lebensgefährtin Lilja Brik.

4 Hermlin: *Begegnungen*, Ost-Berlin 1960, S.267–271.

5 Der Ost-Berliner Verlag ›Volk und Welt‹ nennt ihn auf Befragen des Verfassers »wenn auch nicht Bestseller-Autor, so doch wiederum mehr als ein gutgehender Schriftsteller« (Brief vom 28. 9. 1966). *Aurélien* erschien dort 1968 in 6. Auflage.

6 Meyers neues Lexikon 1961 über Camus: »... bedeutender französischer existentialistischer Schriftsteller ... Résistancekämpfer, danach in seiner politischen Haltung schwankend, häufig offen reaktionär. Das menschliche Dasein wird in [seinen Büchern] als sinnlos gedeutet und die Bemühungen, es zu ändern, erscheinen C. aussichtslos. Damit dienen seine Bücher der Aufrechterhaltung der kapitalistischen Ordnung.« – Über Malraux, dessen Biographie erst mit seiner Wendung zu de Gaulle anfängt: »... In seinen niederdrückenden, z. T. existentialistischen Romanen [Titelaufzählung] verherrlichte er, teilweise an Nietzsche anknüpfend, abenteuerliches Draufgängertum.«

7 Curtius, *Französischer Geist im neuen Europa*, Stuttgart 1925, S. 270.

8 Übersetzung der *Eroberer* 1928 in der ›Europäischen Revue‹ von M. Clauss, vgl. u. S. 113, 205.

9 Im Pariser Exil-Verlag Carrefour.

10 Sartre, *Situations*, II 1948 (= Sit. II), S. 326, 241–245.

11 Die Fragestellung nach dem Literaturbegriff gibt notwendig ein der allgemeinen Literaturgeschichte gegenüber verschobenes Bild, auch wo sich beides, wie in P. de Boisdeffres Konzept einer »Métamorphose de la littérature française« 1950, 1964[2] berührt. Nicht bei allen bekannten Autoren der Generation findet ein bewußtes Verwandeln des Literaturbegriffs statt; bei anderen, wie M. Blanchot, überwiegt die Theorie bei weitem die Praxis. Bei den Dramatikern, Anouilh oder Salacrou, bleibt die Praxis fast ohne Theorie; Ionesco und Beckett werden erst später, um 1950, bekannt. – Die speziellen Fragen des Theaters bei Camus, der Lyrik bei Aragon können nur knapp berührt werden, ausführlicher wird die Prosa des Romans als Mitte der Praxis bei allen dreien zu Wort kommen.

12 K. Kohut, *Was die Literatur?* Die Theorie der littérature engagée bei J.-P. Sartre, Marburg 1965, 365 S.

13 Sartre, Sit. II, S. 316. Hinweise auf Camus S. 327, Malraux S. 326, Aragon S. 294.

14. So Camus P2, S. 675.

15 So Malraux 1945 gesprächsweise über die ›Temps modernes‹, nach R. Stéphane, *Fin d'une Jeunesse*, 1954 (Tagebuch), S. 68.

16 So Aragon in ›Europe‹, juin 1947, S. 82–87.

17 Sit. II, S. 235–316.

18 *A Albert Camus,* Ses amis du Livre, 1962, S. 50 f.

19 So Aragon, *L'Homme communiste* II, 1953, S. 178 (Nachruf auf P. Éluard).

20 Zu Malraux: W.-M. Frohock 1952, Ch.-D. Blend 1955, E. Gannon 1958; zu Camus: Ph. Thody 1957, G. Brée und J. Cruickshanck 1959, außerdem mehrere unveröffentlichte Dissertationen, siehe Klapp op. cit.

21 Rühle, S. 339.

22 P2, S. 1786.

23 P2, S. 1373–1374. – Im folgenden werden in der Einleitung nur noch zu solchen Zitaten Stellen gegeben, die in den Kapiteln über die drei Autoren nicht wieder erscheinen.

24 Dies im besonderen auch für die Lyrik: siehe die *Chroniques du Bel Canto,* Genf 1947.

25 Vorwort zu M. Sperber, *Qu'une Larme dans l'Océan* 1952, S. XX.

26 Bei Camus P2, S. 628 (Anekdote aus E. Dwingers Sibirischem Tagebuch)· bei Aragon: *Le Musée Grévin* 1946 (Valéry und Buchenwald).

27 Th. W. Adorno, *Prismen*, Neuaufl. München 1963, S. 26. Zum Problem siehe u. S. 104–113 anläßlich Malraux' »Kriegsliteratur«.

28 Vgl. H. Cox' sympathische, aber durchaus anfechtbare Ausführungen über Camus in *Stadt ohne Gott* (The Secular City), Stuttg. 1966, S. 84–93.

29 Siehe R. Étiemble, »Aragon et Claudel«, NRF 1960, S. 881 ff., 1102 ff.

30 G. Bernanos, *Œuvres romanesques* (Pléiade), 1961, S. 1069–1171.

31 Besprechung der *Grands Cimetières sous la Lune* in Cme No. 58, juin 1938, S. 1329–1337. – Vgl. *Les Communistes* t. 2, 1949, S. 239.

32 P2, S. 394 f. und ›Alger républicain‹ 4. 7. 1938. – Der Streitpunkt 1945 war ein zu pessimistischer politischer Artikel Bernanos', den Camus, damals Direktor der Tageszeitung ›Combat‹, zu publizieren sich weigerte. Siehe dazu seinen Brief an B. »Bulletin da la Société des amis de Georges Bernanos«, No. 45, 1962, S. 1 f.

33 Hierzu siehe u. S. 110 u. 204 Anm. 96.

34 Der Ausdruck ist von Malraux.

35 P2, S. 1079–1096.
36 *Romans,* S. 764.
37 »Écrire pour son Époque« in ›Les Temps modernes‹ No. 33, 1948, S. 2113–2121. Der Text ist um 1945/46 entstanden, siehe Kohut op. cit. S. 72.
38 P2, S. 149.
39 J. W. Goethe, *West-östlicher Divan,* Artemis-Ausg. Bd. 3, S. 335.
40 P2, S. 664–666, 677.
41 Ihrem *Begriff* von Literatur – im Gegensatz zum Wort ›littérature‹. Dem letzteren nachzugehen, ist zwar notwendig – der Vf. hat es anderenorts getan –, aber wenig ergiebig. Sie alle sprechen, wo immer es geht, lieber von »art, livres, écriture« usw., darin noch geprägt vom pejorativen Gebrauch wie in Verlaines berühmtem »et tout le reste est littérature« als Schluß des »Art poétique«. Zu Camus' affektivem Verhältnis zu dem Wort siehe *Carnets* 2 (1964) S. 35; zum bewußt negativen Wortgebrauch beim frühen Aragon siehe seine Erklärung des – auf Valérys Anregung – gewählten Revuetitels »Littérature« 1919 in Garaudy, op. cit. S. 81.
41a H. Balz, *Der Schriftsteller und seine Zeit.* Studien zur Wandlung des Literaturbegriffs bei Aragon, Malraux und Camus. LIX, 980 S. (unveröffentlichte Diss. Tübingen 1967).
42 Im Blick auf die eingangs erwähnte »ideologische« Funktion Aragons für die DDR, Camus' für die Bundesrepublik, bedarf gerade dieses Thema eines Exkurses, s. u. S. 125–127.
43 E. R. Curtius, *Büchertagebuch,* Bern/München 1960, S. 98–102; vgl. u. S. 113. – Mit alledem soll nur ein hervorstechender Zug der bisherigen deutschen Malraux- und Camus-Forschung gezeigt, und nicht pauschal verworfen werden. Die rein innerkünstlerische und existentielle Beschäftigung mit beiden müßte aus ihrer Enge herausgeführt werden vor allem durch die kulturgeschichtliche Fragestellung nach den »beiden Frankreich«, dem aufklärerischen und dem religiös-innerlichen, christlichen. Zum Problem siehe etwa »Frankreich zwischen den Weltkriegen« von H. Mayer in *Deutsche Literatur und Weltliteratur,* Ost-Berlin 1957, S. 241–267, und von ganz anderem Blickpunkt aus J. Wilhelm, »Das Problem der ›Deux France‹« in Wilhelm, *Beiträge zur romanischen Literaturwissenschaft,* Tübingen 1956, S. 15–35.
44 Sit. II, S. 116–197.
45 P2, S. 1341 u. ö.
46 Interview in ›Paru‹ No. 47, oct. 1948, S. 7–13.
47 Vgl. Aragon, *La Mise à Mort,* 1965, S. 287.
48 Zur Urfassung und späteren Korrektur siehe P1, S. 1733–1799.
49 Vgl. Cme No. 1, juillet 1933, S. 64–71.
50 Drei Ausnahmen für Jaspers: P1, S. 2051, P2, S. 595, 692.
51 Von der »Stunde [nicht Zeit] der Verachtung«, von »Behagen«, aber auch »Mitleiden« und »Gerechtigkeit« steht im *Zarathustra*: Kröneraus g., S. 9.
52 Zu beiden Etappen siehe I. Fetscher, »Hegel in Frankreich«, in ›Antares‹ No. 3, 1953, S. 3–15.
53 F. Jeanson, »Albert Camus ou l'âme révoltée« in ›Les Temps modernes‹ No. 88, 1952, S. 354–383.
54 P2, S. 521–540.
55 Vgl. *Romans,* S. 514.

56 *Les Voix du Silence* 1951, S. 538. Zu Saint-Just siehe auch das lange Vorwort 1955 in NNRF Nr. 25, S. 1–21.
57 *Romans*, S. 579–586, 690–698.
58 P2, S. 520, 541.
59 Sit. II, S. 143–154.
60 P2, S. 1119 (Nachruf auf A. Gide).
61 Sartre, *Situations* IV, 1964, S. 91 (geschr. 1952).
62 Zu Camus und Schiller s. u. S. 135 f.
63 1967 in *Blanche ou l'Oubli.*
64 *Saturne*, Essai sur Goya, 1949, S. 110. Auf welches der neu kommunistisch gewordenen Länder Malraux anspielt, ist nicht eindeutig.
65 P2, S. 658.
66 Sit. II, S. 167, 172 f., 198 f.
67 *Blanche*, S. 74–95.
68 Aragon, *Introduction aux Littératures soviétiques*, 1956, S. 14.
69 Aragon, *Littératures soviétiques*, 1955, S. 125.

II. Louis Aragon: Literatur und Wirkliche Welt

1 Eine Ausnahme: die verständnisvolle, sympathisierende Aufnahme der *Mise à Mort* durch den österreichischen Marxisten E. Fischer in: *Kunst und Koexistenz*, Hamburg 1966, S. 138–154. In der DDR wird Fischer neuerdings als Renegat behandelt.
2 Anlaß der Neufassung ist die Gesamtausgabe der »Œuvres romanesques croisés« von Aragon und seiner Frau E. Triolet, 1964 ff.
3 *Blanche* S. 95, 435.
4 Zur »Maske« siehe LF Nr. 956, 1962.
5 Die Verräter-Problematik als Ausgangspunkt bestätigt auch ein 1956, LF No. 601, publiziertes Romanfragment, in dem der Held noch der Bildhauer David d'Angers war.
6 ›Europe‹, mars-avril 1957, S. 3–9.
7 »Le discours de Moscou«, Jab S. 263–272.
8 Vgl. *Le Fou d'Elsa*, S. 211–222.
9 *Histoire parallèle des USA et de l'URSS*, 1962, von A. Maurois über die USA, von Aragon über die UdSSR (t. 2 und 3).
10 Shakespeares Kontribution zum modernen Realismus: Crémieux S. 22 f. – Zur Erschütterung durch die Sowjetgeschichte: LF Nr. 922, 1962.
11 *Mise à Mort*, S. 393–421.
12 *Blanche*, S. 231–249.
13 Aragon über Stendhals Konterbande: LSt S. 114 f.
14 Zur frühen Sprachphilosophie siehe Gavillet, op. cit. S. 124–137, zur späten, außer *Fou* und *Blanche*, bes. LF Nos. 1010 und 1011, 1964 (Wiederaufnahme von Gedanken T. Tzaras).
15 LF No. 1015, 1964.
16 *Elsa Triolet*, 1960, Auswahl und Vorwort Aragons, S. 53.
17 LF No. 956, 1962.
18 *Mise à Mort* S. 390 und die ganze symbolschwere Novelle »Oedipe«, S. 349–390. Der Dialog mit Garaudys Programmschrift *D'un Réalisme sans Rivages* 1963, dessen letztes Wort die Forderung des »réalisme prométhéen«

(S. 250) ist, durchzieht den ganzen Roman; vgl. S. 25, 51, 403 f. – Dabei ist Garaudy 1963 schon bedeutend maßvoller im Optimismus als noch 1961; siehe u., Anm. 25.

19 Zwei Ausstellungskataloge Aragons über Picassos Realismus: »Picasso, Sculptures, Dessins«, 1950/51, und »Oedipe Roi«, 1954. Aragons Kommentare zum Skandal, den ein vergleichsweise realistisches Stalin-Porträt anläßlich seines Todes von Picasso in den LF auslöste: Nos. 456–460, 462; 1953. Nicht Picasso, sondern Aragon als Herausgeber hatte den Entrüstungssturm der Parteileser zu tragen.

20 Gegen G. Raillard, *Aragon*, 1964.

21 *Mise à Mort*, S. 49. Zu *Klim Samgin* siehe Rühle, op. cit.

22 LF No. 922, 1956.

23 *Littératures soviétiques* 1955, S. 120–126; *Introduction aux Littératures soviétiques* 1956, S. 9–50; Jab S. 203–272.

24 *Les Poètes*, 1960, S. 161–163. Auch veröffentlicht als Antwort auf die Umfrage »En 1960, selon vous, à quoi servez-vous?«, siehe u. S. 199, Anm. 58.

25 Dieser ganze Abschnitt ist – außer der beständigen Bezugnahme auf Sartres Fragestellung nach dem Publikum, nach Engagement, KP und Freiheit der Kunst – wesentlich als Auseinandersetzung mit, bzw. Antwort auf Garaudys parteioffiziellen »Itinéraire« Aragons zu lesen: nach dem liebevoll analysierten Austritt aus dem Surrealismus schickt Garaudy seinen z. T. sehr tiefen Interpretationen der fünf Romane der ›Wirklichen Welt‹, bes. *Auréliens*, 40 Seiten über die scheinbar geradlinige »Entwicklung« und Erweiterung seiner Theorie des Realismus bis hin zur *Karwoche* voraus. Gerade hier aber hat ein wirklicher Itinéraire, der nicht wie der Garaudys ein Bild für die Jugend malen will (S.20), sondern eines für erwachsene Zeitgenossen, die relevanten Brüche – s. o. – und zeitgeschichtlichen, politischen Zusammenhänge aufzudecken, die Garaudys Lebensweg kaum weniger geprägt haben als den Aragons selber.

26 ›Littérature‹ nov. 1919; die Antworten: déc. 1919 S. 21–26, jan. 1920 S. 20–26, fév. S. 19–26.

27 Seine Antwort 1942: *Les Yeux d'Elsa* S. 30 f., 1954: *Les Yeux et la Mémoire* S. 139, 210; verweigerte Antwort 1963: *Crémieux* S. 21–23.

28 Erstmals Cme No. 66, fév. 1939, S. 142–150.

29 *Mise à Mort*, S. 235–293, bes. 250–257.

30 Cme No. 2, oct. 1933, S. 1 f. Die ganze Umfrage zieht sich durch die Nummern 4, déc. 1933, S. 321–344; Nos. 5–6, jan.-fév. 1934, S. 568–581; Nos. 7–8, mars–avril 1934, S. 767–788.

31 Montaigne, *Essais* II, 17. Siehe H. Friedrich, *Montaigne*, Bern 1949, S. 409–413.

32 Siehe Garaudy, op. cit. S. 213–261.

33 ›Esprit‹, die Zeitschrift des christlichen Personalismus um E. Mounier, reagierte auf die Herausforderung von ›Commune‹ mit einer Sondernummer »L'art et la révolution spirituelle«, in der u. a. der Begriff ›Engagement‹ schon eine Rolle spielt. Vgl. auch Cme Nr. 10 S. 1105–1110.

34 Aufsatz in Cme No. 9, S. 928–938.

35 Cme No. 27, nov. 1935, S. 352–356 (Besprechung L. Guilloux, *Le Sang noir*).

36 Gides Antwort erstmals in *Retour de l'URSS*, 1936, S. 102.

37 Interview in ›Comoedia‹, 8. 12. 1933. Ohne sich an der von Cme ver-

anstalteten zu beteiligen, äußert Malraux mehrfach Interesse an solchen Umfragen, siehe u. S. 95 f.

38 Besprechung Montherlant, *Service inutile,* Cme No. 28, 1935, S. 465–470; Verteidigung Gides: No. 24, 1935, S. 1442–1448.

39 Sartres Feindschaft gegen Realismus siehe u. S. 60, 160 f.

40 ›Europe‹ t. 48, 1938, S. 447 f.

41 Nach Garaudy, S. 344.

42 Zur Deutung des Titels siehe H. Mayers Nachwort zu seiner Übersetzung des Romans, in: *Deutsche Literatur,* 1957, S. 571–578.

43 *Voyageurs*, S. 566 ff.

44 *Voyageurs*, S. 397–405.

45 Siehe Anm. 35. Malraux' »antirealistische« Guilloux-Deutung s. u. S. 86.

46 Zur Verwerfung Joyces auf dem Moskauer Schriftstellerkongreß 1934 siehe G. Struve, *Geschichte der Sowjetliteratur*, München 1957, S. 305–315. Zum gegenwärtigen Stand der Diskussion in der DDR vgl. die »Aussprache über den sozialistischen Realismus« in: Weimarer Beiträge, Heft 4, 1967, S. 531–660.

47 *L'Enseigne de Gersaint*, Neuchâtel 1946, S. 17, 30.

48 Gegen H. Friedrich, *Die Struktur der modernen Lyrik,* Hamburg 1956, S. 115, 118.

49 *Les Yeux d'Elsa,* 1942, S. 30 f.

50 *Servitude et Grandeur des Français,* 1945 (Novellen) S. 127–170.

51 *Aurélien,* S. 478; Deutung Jab, S. 146.

52 »Grandeur et misère des Romanciers« unter Pseudonym Wattelet in ›Confluences‹ Nos. 21–24, 1943, S. 405–415.

53 Jab, S. 144 f.

54 Eine genaue Parallele zu solcher Assoziation ließe sich in G. Bernanos' Reaktion auf den Spanienkrieg zeigen: neben der politischen Streitschrift muß 1939 die Geschichte des vergewaltigten Bauernmädchens Mouchette die Erschütterung noch einmal ausdrücken; siehe das Interview in *Œuvres romanesques*, S. 1852.

55 Zu Malraux siehe u. S. 63, zu Gide: LF Nr. 31, 1944.

56 ›Europe‹, juin 1947, S. 82–87.

57 Essay über Rolland LF Nos. 255–260, 1949, zu Barrès und Zola siehe u. Anm. 72.

58 Siehe »La fin du Monde réel«, Postface zur Zweitfassung 1967.

59 *Blanche*, S. 112–149.

60 Siehe die makabren Andeutungen in *Mise à Mort*, S. 326.

61 *Les Communistes*, t. 3 1950, S. 331.

62 »Idanov et nous« in LF Nr. 224, 1948.

63 Aragons Nachruf diente 1950 auch als Vorwort zur französischen Ausgabe von Shdanows berühmt-berüchtigten Dekreten: Idanov, *Sur la Littérature, la philosophie et la musique*. Shdanow greift u. a. Sartres bürgerlichen Pessimismus direkt an; daß Aragon in der Polemik ohne Namensnennung mitgemeint war, ist durchaus möglich; die beiden späteren sowjetischen Dissertationen über Aragons Pessimismus bis hin zum *Aurélien* siehe Garaudy, op. cit. S. 350, 376. – Ohne das demütigende Detail spricht Aragon 1962 in der *Histoire parallèle* t. 3, S. 164 vom Vorschlaghammer (marteau-pilon) der Shdanowschen Kulturpolitik. – Auch die späteren Etappen der Liberalisierung bis 1956 folgen noch genau den entsprechenden

Moskauer Dekreten; *Herrn Duvals Neffe* 1953 (Ost-Berlin 1955) ist direkte Folge der Rehabilitierung der Satire 1952. Jeder frühere Eigensinn hätte zum Ausschluß aus der Partei geführt; Aragons »Itinéraire« ging nach 1945 dem seines Biographen Garaudy genau parallel. – Zum Ganzen der »Shdanowschtschina« siehe Rühle, op. cit. S. 104–119 und Struve, op. cit. S. 390–448.

64 Sit. II, S. 284–288.

65 ›Europe‹ déc. 1948, S. 120–123.

66 Vgl. den vor Parteipublikum gehaltenen Vortrag »Le roman et les critiques« in ›La Nouvelle Critique‹, juin 1950, S. 75–90.

67 »Postface« 1967, zitiert nach der Livre de Poche-Ausgabe t. 4, S. 409–446, S. 417–421.

68 Ebendort.

69 Sit. II, S. 294 f.

70 PRS, S. 87 und *Blanche*, S. 515.

71 »Postface«, S. 421.

72 *Avez-vous lu Victor Hugo?* (Kommentierte Anthologie) und *Hugo poète réaliste* (Vortrag) 1952; *L'Exemple de Courbet*, 1952; das Stendhal-Buch (LSt) enthält auch Essays über P. Mérimée, H. Kleist, M. Desbordes-Valmore, M. Barrès, E. Zola.

73 Titel eines Vortrags 1938, in ›Europe‹ t. 46, S. 289–303.

74 Jab, S. 13–44, 103–133; LF No. 922, 1962.

75 Vorwort zu Garaudy, *D'un Réalisme . . .*, 1963, S. 3–8.

76 LF No. 944, 1962; in Prag gehaltene Rede im Jahr des Kongresses der Kafka-Rehabilitierung.

77 LF No. 803, 1959 und 812, 1960. Siehe u. S. 159 f.

78 »Postface«, S. 418–420.

79 ›Europe‹ t. 47, 1938, S. 398–406 (»La nouvelle épopée«) und t. 48, 1938, S. 432–452 (»Le roman terrible«).

80 *Les Conférences de l'UNESCO*, Paris 1947, S. 91–106. Malraux' »beantworteter« Vortrag ebendort, S. 75–89.

81 ›Europe‹ t. 47, 1938, S. 398.

82 Übersetzt und mit wichtigen Nachworten versehen wurden von H. Mayer die *Reisenden der Oberklasse* 1953, s. o., und die *Karwoche* 1961; dieser Aufsatz auch in Mayer, *Ansichten,* Hamburg 1962, S. 155–169. Außerdem *Herrn Duvals Neffe,* Ost-Berlin 1955, Nachwort S. 175–193. Aragons Name erscheint auch in anderen Kritiken an gewichtiger Stelle, vgl. bes. H. Mayer, »Georg Lukács' Größe und Grenze« in ›Die Zeit‹ Nr. 29, 1964.

83 Vgl. die beiden vom Zweiten Moskauer Schriftstellerkongreß 1954 ausgehenden Essays: Aragon, *Littératures soviétiques,* 1955, und Lukács, *Wider den mißverstandenen Realismus,* Hamburg 1958.

84 Zum ganzen Folgenden siehe H. Mayer, *Bertolt Brecht und die Tradition,* Pfullingen 1961. – Brecht und Aragon müssen sich 1935 in Paris beim Antifaschisten-Kongreß begegnet sein, Aragon hat drei Gedichte Brechts für ›Commune‹ übersetzt (No. 25, sept. 1935, S. 13–18). Vielleicht liegt es an ihrem damaligen gegensätzlichen Standpunkt – Brecht war für marxistisch-konsequenten Klassenkampf, Aragon für offene antifaschistische Volksfront –, daß auch später kein direkter Dialog zustande kam.

85 *Les Yeux et la Mémoire,* 1954, S. 31.

86 Jab, S. 13–44; LF No. 922, 1962.
87 Garaudy-Vorwort 1963.
88 Sartre über 18./19. Jahrhundert siehe Sit. II, S. 143–186, vgl. u. S. 151 f.
89 *Mise à Mort*, S. 148.
90 Cme No. 25, sept. 1935, S. 84–88.
91 LF No. 256, 1949 (»Romain Rolland ou le Triomphe du Cœur«).
92 Gegenüberstellung des *Grand Meaulnes* mit A. Makarenkos *Pädagogischem Poem* in *Littératures soviétiques*, 1955, S. 359–392.
93 »Webster, Stendhal et Robert Merle«, drei LF-Artikel, Nos. 485–487 = LSt, S. 119–165.
94 *Blanche*, S. 483–492.
95 *Mise à Mort*, S. 403.
96 Op. cit., S. 293.
97 Op. cit., S. 52.
98 *Le Fou*, 1963, S. 200, und »Postface«, 1967, S. 419.
99 PRS (1935), S. 7–10.
100 LF No. 1015, 1964.
101 K. Marx, *Frühschriften* (Kröner), Stuttgart 1953, S. 238.
102 Nach G. Reglers Autobiographie *Das Ohr des Malchus*, Köln 1959, S. 287.
103 Cme No. 1, juillet 1933, S. 64–71.
104 Camus P2, S. 413–420.
105 ›Littérature‹, sept. 1920.

III. André Malraux: Literatur und Humanität

1 *Antimémoires* 1, 1967 (= AM), S. 12.
2 AM, S. 20.
3 AM, S. 10.
4 ›Figaro littéraire‹ No. 1122, 1967, S. 4 f. – Besser trifft das Problem, was Mauriac ebendort »cette salade de religions que Malraux tourne et retourne« nennt.
5 Interview Fig. litt. No. 1120, 1967, S. 6 f.
6 U. a. J. Delhomme, *Temps et Destin*, Essai sur Malraux, 1955.
7 Interview Fig. litt., No. 1120, 1967.
8 Siehe bes. den Übergang AM, S. 293 f.
9 AM, S. 11–17.
10 *Romans*, S. 43.
11 »N'était-ce donc que cela?« Separatveröffentlichung 1946, 19 S., als Kapitel eines geplanten Buches »Le Démon de l'Absolu«. Das genaue Entstehungsjahr ist ungeklärt.
12 »N'était-ce ...«, S. 13 f., 17. Beim »tragischen Menschen« klingt ein Gedanke Nietzsches aus dem *Willen zur Macht* nach.
13 NRF No. 256, jan. 1935, S. 148–151.
14 So, wenn auch sehr maßvoll, J. Hoffmann, op. cit., dem der Vf. wichtigen Zugang zu Malraux verdankt. Die weiterführende Frage ist die, warum der Humanist Malraux weder Maler, noch Philosoph, noch Lyriker, sondern gerade écrivain, Prosaschriftsteller, geworden ist.
15 Interview ›Nouvelles littéraires‹ No. 1283, 3. 4. 1952.
16 Siehe R. Wellek, *Concepts of Criticism*, New Haven 1963, S. 20.

17 Gegen F. Kerndter, *André Malraux – Die Suche nach einem neuen Menschenbild in Leben und Werk bis 1933,* Diss. München 1958.
18 Interview 1946, abgedr. in ›Preuves‹ No. 49, 1955, S. 9–13.
19 »Introduction à une étude structurale des romans de Malraux« in Goldmann, *Pour une Sociologie du Roman,* 1965, S. 39–180.
20 *Les Conférences de l'UNESCO,* Paris 1947 (S. 75–89), S. 80 f.
21 *Le Musée imaginaire de la Sculpture,* t. 3 1954, S. 60.
22 *Romans,* S. 174 (Nachwort zu *Les Conquérants,* 1947) u. ö. Vgl. ebendort S. 169 zum Verhältnis sprachloser und sprachlicher Kunst.
23 Vorwort zu A. Viollis, *Indochine SOS,* 1935, S. VII–XI. Zum folgenden auch NRF No. 267, déc. 1935, S. 935–937 (über Gide).
24 L. Guilloux, *Le Sang noir* mit Vorwort von 1935 (4 S.), Club du meilleur Livre, 1955.
25 ›Europe‹ t. 46, 1938, S. 301.
26 Interview in ›La Littérature internationale‹ (Moskau–Paris), Nos. 5–6, 1935, S. 126–129.
27 Bes. NRF No. 266 nov. 1935, S. 935–937 (anläßlich I. Ehrenburgs).
28 *Les Voix du Silence,* 1951, S. 640.
29 Zu Schestow siehe NRF No. 233, fév. 1933, S. 395 f.
30 Vorwort zu W. Faulkner, *Sanctuaire,* zit. nach NRF No. 243, 1933, S. 744–747 und Kritik von Guilloux' *Hymenée* in ›Europe‹ t. 29, 1932, S. 304–307.
31 Faulkner-Vorwort.
32 Guilloux-Besprechung.
33 ›Express‹, 26 fév. 1955, im Dialog mit Montherlant.
34 Interview in ›Monde‹ 18–10–1930, vgl. o. S. 196 Anm. 52.
35 Cme No. 15, nov. 1934, S. 167.
36 *Mise à Mort,* S. 405 und Jab, S. 88 f.
37 *La Métamorphose des Dieux* t. 1, 1957, S. 373. Einfluß von Th. Carlyles (1795–1881) Heldenmetaphysik ist zu vermuten.
38 Diskussion über *Le Temps du Mépris*; Stenogramm in ›LU – Revue de la Presse mondiale‹, 21. 6. 1935, S. 7.
39 *Romans,* S. 625.
40 Malraux rechnet Bernanos und sich selber zur heroisch-»kornelianischen« Tradition der französischen Literatur, siehe ›Preuves‹, No. 49, 1955, S. 5–15. Auch Bernanos äußerte sich über diese Verwandtschaft: Interview in ›Comoedia‹ 17. 10. 1935.
41 Das Zitat taucht mehrfach auf; erstmals NRF Nr. 224, Mai 1932, S. 915.
42 »La Question des Conquérants« in ›Variétés‹, oct. 1929, S. 429–437.
43 *Le Temps du Mépris* (G.-Ausg.), Vorwort S. 11–13.
44 ›LU‹, 21–6–1935, siehe Anm. 38.
45 ›Preuves‹ No. 49, 1955, S. 13. – Auch Pascal gehört notwendig in Malraux' Humanismus; ein interessanter Dialog mit H. Sedlmayr um das pascalsche Stichwort »Verlust der Mitte« am Symptom der bildenden Künste wäre detaillierterer Ausführung wert.
46 Siehe u., Anm. 104.
47 Der Gedanke, erstmals 1926 formuliert, erscheint wieder in der UNESCO-Rede, S. 75.
48 *Romans,* S. 300–303. – Im Rückblick überwiegt die Ironie angesichts der missionarischen Naivität im Bemühen um die Primitiven. AM, S. 375–473.

49 Cme Nos. 13–14, sept.–oct. 1934, S. 66–71.
50 E. Bloch, *Literarische Aufsätze*, Frankfurt 1966, S. 139.
51 Interview ›Monde‹, 18. 10. 1930.
52 Cme No. 15, nov. 1934, S. 166–174.
53 Diese Deutung ist immer noch umstritten. An Malraux' politische Engagiertheit halten sich Aragon 1938, Goldmann 1964, u. a. An dem – vorhandenen aber schwer isolierbaren – metaphysischen Sinn der »Hoffnung« halten sich Hoffmann und Picon. Bekannt ist die Anekdote von einer Absprache Malraux' mit Hemingway über ihre beiden Spanienbücher, wonach Malraux den Krieg bis März 1937, Hemingway alles Spätere behandeln sollte, was er unter dem pessimistischen Titel *For Whom the Bell Tolls* 1940 tat. Daß Malraux, hätte er *nach* Francos Sieg geschrieben, sein Buch immer noch »Die Hoffnung« genannt hätte, ist unwahrscheinlich. Vgl. auch B. Wilhelm, *Hemingway et Malraux devant la guerre d'Espagne*, Diss. Bern 1966.
54 *Romans*, S. 474.
55 *Romans*, S. 760–766.
56 Der ganze Kongreß hatte sich in Gide-Freunde und -Feinde gespalten, nachdem dieser – gegen den eigens von Malraux eingeholten Rat und trotz Spanienkrieg – Ende 1936 seine Kommunismuskritik publiziert hatte; siehe Regler, *Das Ohr des Malchus*, S. 372 ff. und S. Spender, *World within World*, London 1951, S. 238–243.
57 Beide abgedruckt in Malraux, *Scènes choisies*, 1946, S. 324–333 und 334 bis 342.
58 Aus der Abwehr gegen eine künstlich-abstrakte Vorstellung vom »Erbe« in der sowjetischen Kulturpolitik: siehe Cme No. 23, 1935, S. 1264–1266 und No. 37, 1936, S. 1–9.
59 ›Verve‹ No. 1, 1937, S. 41–48. Vgl. *Voix du Silence*, S. 624.
60 *Romans*, S. 705, Cme No. 37, siehe Anm. 58.
61 ›Europe‹ t. 37, 1938, S. 399 f.; zu 1946 siehe o. S. 63.
62 Diesen Kontext beachten weder Curtius noch Bollnow, *Französischer Existenzialismus*, Stuttgart 1965, über Malraux S. 26–35 (Aufsatz von 1950).
63 *Romans*, S. 851.
64 *Les Noyers* (G), S. 130.
65 *Les Noyers*, S. 80–90.
66 Zur Entfremdung (aliénation) siehe ›Preuves‹ No. 49, 1955, S. 8 f.
67 *La Métamorphose des Dieux*, 1957, S. 35 f. (ohne Namensnennung Schelers).
68 *Voix*, S. 446.
69 Siehe Conquérants-Nachwort in *Romans*, S. 175 f.
70 *Voix*, S. 495–528.
71 *Voix*, S. 513, 599.
72 Interview Fig. litt. No. 1121, 1967 (2. Teil).
73 Interview mit E. Glaeser, ›Die Kultur‹ No. 105, München 1958, S. 10 f.
74 Fig. litt. No. 1123, 1967 (3. Teil).
75 Sit. II, S. 245–256.
76 NRF No. 174, 1928, S. 406–408 (Besprechung *L'Imposture*).
77 ›LU‹ 21–6–1935, siehe Anm. 38.
78 Cme No. 37, 1936, siehe Anm. 58. – Zu Sartre siehe u. S. 151 f.
79 Persönliche Mitteilung von G. Picon an den Verfasser.
80 »Aspects d'André Gide« in ›L'Action‹, mars-avril 1922, S. 20.

81 Vgl. im Vorwort zu M. Sperber (o. S. 195 Anm. 25) S. XIX: »Der Wert der Frage ist nicht in der Formel, auf die man sie unnützerweise zurückführen könnte, sie ist in ihrer dichterischen Kraft. Hamlet ist die geniale Dichtung über eine banale Frage.«
82 Th. W. Adorno, »Engagement« in *Noten zur Literatur* III, Frankfurt 1965, S. 109–135.
83 AM, S. 477–559 und 560–605.
84 *Voix*, S. 623.
85 AM, S. 604 f., 566–569 und 588–590.
86 AM, S. 571–573.
87 NRF No. 249, juin 1934, S. 1014–1016 (über M. Matvéev).
88 Sit. II, S. 326.
89 Siehe Interview ›Monde‹, 18–10–1930; zu Barbusse siehe E. Triolets Bericht in *L'Écrivain et le livre*, 1948, S. 75.
90 *Romans*, S. 50.
91 AM, S. 475, 502 f.
92 Siehe »Note« S. 181 am Ende der *Voie Royale* (G) und Interview ›Monde‹ 1930.
93 Ankündigung nach der *Conditio*: »Das Thema meines nächsten Romans, der in Frankreich und Persien spielen wird, ist das Erdöl. Sehen Sie darin die Möglichkeit, das Funktionieren der großen Kräfte eines modernen Staates zu zeigen: Presse, Banken, usw. ... Er wird verschiedene Themen rund um ein metaphysisches Zentralthema umfassen.« Interview 13. 12. 1933 in ›1933 – le Magazine d'aujourd'hui‹.
94 Cme Nr. 37, Sept. 1936, S. 1–9, dort auch die beiden folgenden Zitate. Die Rede wurde vor dem antifaschistischen Schriftstellerkongreß in London gehalten.
95 *Romans*, S. 766.
96 Malraux berichtet davon 1945 R. Stéphane (*Fin d'une Jeunesse*, S. 48), er habe Bernanos' schonungslose Offenheit über die franquistischen Praktiken in Bernanos' Buch über die *Großen Friedhöfe* ... gelobt; auf B's Aufforderung, eine republikanische Replik zu schreiben, habe er, Malraux, geantwortet, daß er, weil er an vorderster Front war, die Grausamkeiten nicht zu sehen bekommen habe. »Nach einem kurzen Zögern entschloß er (B.) sich, darüber hinwegzugehen, de s'en passer.« – Bernanos mit seinem impulsiveren Temperament hat die Begegnung anders festgehalten. 1945 schrieb er davon (in: *Le Chemin de la Croix des Ames*, 1948, S. 486): »Malraux beglückwünschte mich zu dem, was er meine ›unbeugsame Aufrichtigkeit‹ nannte. ›Aber Entschuldigung, Malraux‹, sagte ich zu ihm, ›haben *Sie* es genau so gehalten wie ich?‹ – ›Das ist nicht das gleiche‹, antwortete er. ›Sie sind Christ und handeln als Christ. Ich meinerseits bin Kommunist und würde nie ein Wort schreiben, das meiner Partei schaden könnte.‹ – ›Gut‹, sagte ich, ›das ist Ihre Sache. Aber was soll ich dann mit Ihren Lobreden? Für Männer Ihrer Art kann ich nichts anderes sein als ein Schwachsinniger (imbécile) oder ein Verrückter.‹« – Die Assoziation zu Lenins Wort von den »nützlichen Idioten« liegt nahe, auch wenn Malraux bestimmt nicht so über Bernanos dachte.
97 ›Preuves‹ No. 49, S. 9. Aufgenommen bei Camus, P2, S. 1704, bei Sartre, *Situations* IV, S. 116 f.
98 *Noyers*, S. 125–143.

99 UNESCO-Vortrag und *Voix*, S. 623.
100 Über Gide: AM, S. 12 f.
101 In Brechts Stück 1939 die Replik auf des Feldpredigers nicht nur christliche Schicksalsergebenheit (»Wir sind nun einmal in Gottes Hand«): »Ich glaube nicht, daß wir schon *so* verloren sind.«
102 AM, S. 475.
103 Conquérants-Nachwort, *Romans*, S. 173 f.
104 E. R. Curtius, *Büchertagebuch*, 1960, S. 98 f., über Malraux' Entdeckung der Geschichtlichkeit in den *Noyers*: ». . . Dieser eine Satz macht mir Malraux interessanter als alles, was er vorher geschrieben hat. Es gibt Dinge, die mir näher liegen als Revolution, Folterung, Tragik. Hier geht es um anderes. Hier ist ein Bewußtseinszustand ausgesagt, der seit Jahrzehnten zu unserem deutschen geistigen Bestande gehört und den als erster Ernst Troeltsch 1922 analysiert hat . . .«
105 E. Jünger, *Strahlungen*, Stuttgart 1949, S. 49.
106 Siehe AM, S. 222.
107 So auch die bei allen ihren Qualitäten zu einseitige Dissertation von D. Eggart, *Das Problem der Einsamkeit und ihrer Überwindung im Romanwerk von André Malraux*, Tübingen 1966.

IV. Albert Camus: Literatur und die Leidenschaft der Zeitgenossen

1 Siehe Sartre »Meine Gründe« in ›Die Zeit‹, Hamburg, Nr. 44, 1964.
2 P2, S. 1071.
3 Siehe die Ansprache des Akademiesekretärs Österling, in *Les Prix Nobel 1957*, Stockholm 1958, S. 40–42.
4 P2, S. 1071–1075.
5 P2, S. 1079–1096.
6 Am 26. 11. 1954 in Genua, Abdruck in ›Quaderni ACI‹, Turin, Feb. 1955, S. 5–23. Zum Verhältnis beider Fassungen zu einander siehe L. Petroni in *Studi in onore di C. Pellegrini*, Turin 1963, S. 797–841.
7 P2, S. 1081–1085, Aragon: Jab, S. 263–272, dort auch seine folgenden Gegenargumente.
8 P2, S. 1085–1089.
9 P2, S. 164–168 und P1, S. 1466–1472.
10 P2, S. 1092–1096.
11 A. Gide, »Les limites de l'art« (1901) in *Prétextes*, 1923^2, S. 35–48. Camus über sein Verhältnis zum Theoretiker Gide: P2, S. 1340, 1117–1121, 1910. Vgl. u., Anm. 114.
12 P2, S. 1220–1313.
13 Persönliche Mitteilung von Mme Francine Camus an den Vf.
14 Dies geht vor allem aus dem noch unveröffentlichten, vom Vf. eingesehenen Tagebuch Camus 1951–1953 hervor.
15 Zu beidem siehe Quilliots Kommentare P2, S. 1609–1631, 1717–1720, 1839–1847.
16 P2, S. 1912 und P1, S. 187.
17 *A Albert Camus*. Ses Amis du Livre, 1962, S. 51 f., 58.
18 P2, S. 1094–1096. Dazu auch die Einführung S. 1079–1081.

19 P2, S. 1093.
20 P2, S. 1899.
21 P1, S. 1623 (mit Epigraph Jonas 1, Vers 12) bis 1652.
22 Seine wenig optimistische Begründung: P2, S. 1746–1749. – Camus' journalistische Aktivität seit den Anfängen 1938/39 ist der Schwerpunkt der Dissertation von S. E. Parker, »Camus. The Artist in the Arena. The Dialectics of Commitment. Beyond Left and Right«, Wisconsin 1963, vgl. Dissertation Abstracts 1963/64, S. 3342.
23 »Remerciement à Mozart«, 2. 2. 1956. Der Artikel ist, trotz seiner offenkundigen Bedeutung für das Verständnis von Camus' weiterem Verhalten, nicht in P2 aufgenommen; Quilliot vermutet wohl – und hoffentlich zu Unrecht –, er könne Camus um manche Sympathien bringen.
24 Etwa G. Stuby, *Recht und Solidarität im Denken von Albert Camus*, Frankfurt 1965, S. 199–201.
25 Wichtigster Text vom 30. 10. 1956: P2, S. 1802–1809. Außerdem die Zitate P1, S. 1099–2006.
26 P2, S. 5–13, vgl. 1179 f.
27 P2, S. 432, zu vergleichen mit der Parodie P1, S. 1545. Ein Zusammenhang, der im Rahmen von Camus' Solidaritätsphilosophie nicht unerwähnt bleiben sollte . . .
28 P1, S. 1877–1883, P2, S. 1131–1155. – Auf die Seite der direkten Zeitverbundenheit gehört auch Camus' Plädoyer gegen die Todesstrafe 1957, P2, S. 1019–1064, 1886–1891.
29 P1, S. 1965–1967 (an R. Barthes, 11. 1. 1955). Zur Genese bzw Vorgeschichte der *Pest* seit 1939 siehe P1, S. 1927–1965.
30 P1, S. 1965 f. – Eine eingehendere Interpretation der *Pest* sowie eine Begründung, warum gerade des Autors eigene Deutung die richtige sein soll, müssen wir uns hier versagen. Es geht um ein überwiegend *deutsches* Mißverständnis: aus den USA, dem Lande der New Critics, kommt dagegen eine ironische Darstellung der westdeutschen »Standardisierung« Camus' auf das, was alle gutheißen: Th. Ziolkowski, »Camus in Germany or the Return of the Prodigal Son« in ›Yale French Studies‹ No. 25, 1960, S. 132–137. Sowohl A. Noyer-Weidner, »Das Formproblem der *Pest*« (Germ.-rom. Monatsschrift 1958, S. 260–285) als auch E. Gudenschwager, »Auffassung und Darstellung des Menschen in Albert Camus' Roman *La Peste*«, Diss. Mainz, 1958, tun den politisch-konkreten Sinn gegenüber dem metaphysischen zu leicht ab. Die erste deutsche Richtigstellung siehe R. Thieberger, *Albert Camus*, 1961, S. 51 (Beiheft 8 ›Die neueren Sprachen‹).
31 *Situations* IV, 1964, S. 117 f.
32 Auf diesen Zusammenhang machen H. Lausberg, *Interpretation dramatischer Dichtungen* I, München 1962, S. 60, 82 und Stuby, op. cit., aufmerksam.
33 Nicolas, op. cit. – Zu Camus' Antwort an Nicolas s. u. Anm. 103.
34 Nicolas, S. 55–70, 185.
35 Nicolas, S. 13.
36 P1, S. 1635; vgl. S. 1910, P2, S. 668 f.
37 Zu dieser persönlichen Faszination Camus' siehe die wichtige Tagebucheintragung 1945 in *Carnets* 2, 1964 (= C2), S. 154. Sie ist der Schlüssel zur subjektiv-psychologischen Notwendigkeit für Camus, sich nach der auf-

lösenden Erfahrung des Absurden das »Klassische« als Kunst- und Lebensgerüst anzulegen, so wie er es in den Texten 1943 (P1, S. 1887–1903) und 1944 (P2, S. 1099–1109) weiter entwickelt.

38 P2, S. 196, 198.

39 Gegen J. Moltmanns Sisyphus- und Camus-Deutung in *Theologie der Hoffnung*, München 1964, S. 19 f. – Camus über Prometheus: P2, S. 438 f., 647, 839–850.

40 C2, S. 65, 81 und Brief an Elsa Triolet, 1943, zitiert in *Elsa Triolet* (Auswahl), 1960, S. 27.

41 P2, S. 1088.

42 P2, S. 1900.

43 So O. F. Bollnow, *Französischer Existenzialismus,* 1966 (Text über Camus von 1954); Stuby, op. cit., S. 135 f., 169; N. Kohlhase, *Dichtung und politische Moral* – Eine Gegenüberstellung von Brecht und Camus, München 1965, S. 107–118, 129–209.

44 P2, S. 679, 506, 601, Anm.

45 Wichtige Stellen: P2, S. 149–151, 403, 871.

46 P2, S. 485.

47 P2, S. 693 und 1713.

48 Gide, *Nouveaux Prétextes* (1911), S. 58.

49 Vgl. P1, S. 2028 f., C2, S. 328, Interview Fig. litt. 21. 12. 1957.

50 P2, S. 808–886 (8 Essays der Jahre 1939–1953).

51 P2, S. 701–704. »La pensée de midi« ist Überschrift speziell dieses Abschnitts.

52 Noch deutlicher in den Varianten zum Text, P2, S. 1658 und in der um 1954 entstandenen »Défense«, S. 1702–1716, die ohne Namensnennung auf Spenglers Thema des Faustischen anspielt; eine direkte Stellungnahme Camus' zu Spengler 1950 im Interview mit F. Rauhut in *Configuration critique* II, Camus devant la critique allemande, Paris 1963, S. 17–20; zu Camus' erster Spengler-Begegnung 1937 siehe *Carnets* 1 (1962), S. 99–101.

53 Vgl. P2, S. 735 Camus' Entrüstung über die Zweifler an Nietzsches diesbezüglichem guten Geschmack.

54 Bes. P2, S. 594–596, 702–704, vgl. C2 S. 164, 233.

55 Friedrich, *Das antiromantische Denken im modernen Frankreich,* München 1935.

56 Vgl. zum Problem W. Heist, *Genet und andere* – Über eine faschistische Literatur von Rang, Hamburg 1965, über Camus S. 112–130.

57 P2, S. 213–243.

58 P2, S. 583–592.

59 So Camus' Bild vom Künstler allgemein: P2, S. 406.

60 P2, S. 466, vgl. u. S. 146.

61 Zum Ausdruck: P2, S. 1118 f.

62 P2, S. 1092: »erleichtert« werden Millionen, »befreit« nur wenige.

63 P2, S. 1088 und 1092 (= Zitat O. Wildes).

64 Vgl. P1, S. 1687–1697, 1844 f., P2, S. 1169–1331.

65 Die Anspielung auf den Prager jüdischen Friedhof: P2, S. 34, geschr. 1936, ist u. W. noch von niemandem entdeckt worden. Der ganze Essay, S. 31 bis 39, enthält sowohl die Kafkaeske Atmosphäre des *Mißverständnisses* als auch, im Gegenzug, die »pensée de midi«.

66 P2, S. 1417–1419.

67 P2, S. 171–192, 201–211. Der Kafka-Aufsatz war 1938 der Anfang, siehe P2, S. 1410–1416.

68 Vgl. C2, S. 19 f., 39, 47, 57, 75, 90, 96, 113, 119 f.; P2, S. 664 f.

69 Zur Einwirkung der Sprachphilosophie B. Parains: P1, S. 1780–1785, P2, S. 1671–1682.

70 C2, S. 110, 129 f.; P2, S. 1425; vgl. P1, S. 1988.

71 Wichtigster Belegtext: Interview in ›Paru‹, oct. 1947, S. 7–13. – Camus' persönliches Verhältnis zum Arztberuf P1, S. 2039. Sartres Deutung des Pestarztes als »friedlichen« Schriftsteller-Archetyp: *Les Mots*, 1963, S. 95 f.

72 P1, S. 1466 f. Zu Sartre siehe u., S. 160 f.

73 P2, S. 399–406. Die Zusammenstellung Goethe–Napoleon kommt von Nietzsche.

74 C2, S. 57 f., 180.

75 Camus' Deutung beider Ebenen: P2, S. 729, u. ö.

76 Vgl. R. Thieberger, »Albert Camus, sein Werk und Künstlertum«, in ›Universitas‹ 14, 1959, S. 21–30.

77 P2, S. 1696, vgl. S. 1622–1624.

78 P2, S. 648–653.

79 Zu dieser – nicht von allen Interpreten geteilten – Deutung vgl. außer Nicolas G. Marcel, »L'Homme révolté« in ›La Table Ronde‹, fév. 1960, S. 80–94.

80 P2, S. 497–507. Breton dazu in ›Arts‹ No. 333, 16. 11. 1951.

81 P2, S. 587. Genau davor hatte K. Jaspers, *Die Schuldfrage*, 1946, den Camus gelesen hat – P2, S. 1625 –, gewarnt.

82 P2, S. 540–555; was genauerer Ausführungen bedürfte. Der ganze Abschnitt P2, S. 636–647, ist eine einzige Anklage gegen Merleau-Pontys »hegelischen« Essay *Humanisme et Terreur*, 1947, vgl. C2, S. 212. Nicht alles, was Camus gegen Hegel vorbringt, ist unsachlich, aber die Grundhaltung ist es, siehe bes. P2, S. 578, Anm.

83 Vgl. P2, S. 1826.

84 P2, S. 657–662.

85 Zur Analogie vgl. die wichtigen Stellen 1951 über Breton P2, S. 506 und über Plotin 1936, S. 1276.

86 P2, S. 679, vgl. C2, S. 146 (aus einer Rede Forsters 1949).

87 P2, S. 676, 1072. Bei Nietzsche: Kröner, Bd. 83, S. 439.

88 Gegen H.-E. Bahr, *Poiesis* – Theologische Untersuchung der Kunst, Stuttgart 1961, S. 221–230, der Camus' »künstlerisches Ethos« gegen Nietzsches »Ästhetizismus« ausspielt. Die »Höhe unserer Zusammenbrüche«, »la hauteur de nos désastres«, P2, S. 1164, ist im Kontext kulturell-kollektiv, nicht individuell zu verstehen, wie bei Bahr.

89 Das Aktiv-Männliche der »création« ist zu betonen gegen P. Nguyen van Huys tiefsinnige *Métaphysique du bonheur chez Albert Camus*, Neuchâtel 1961: dadurch fällt sie aus den matriarchalischen Werten und Archetypen heraus, deren starke Anwesenheit N. nachweist. Camus sucht nicht nur »union«, sondern im Werk objektivierte, dinghafte »unité«.

90 P2, S. 669–671; Sartre Sit. II, S. 19–24 (geschr. 1945).

91 Anspielung auf A. Koestlers Essay (London 1946) P2, S. 691 u. ö.

92 Siehe B. von Wiese, *Friedrich Schiller*, Stuttgart 1959, S. 446–506.

93 P1, S. 1706. Weitere Schiller-Erwähnungen: P2, S. 1202 f., 1485; C2, S. 15. – Zum ganzen folgenden vgl. den Hinweis Stuby, op. cit., S. 100.

94 Siehe Interview Fig. litt. 21. 12. 1957; Camus' Verhälnis zu den französischen Kriegsdienstverweigerern siehe Rauhut, op. cit., Anm. 52.
95 P2, S. 1111–1116 (1948) und 1123–1130 (1952).
96 P2, S. 1126, 1091 f., 1153–1155.
97 C2, S. 201 u. ö. Fig. litt. 21. 12. 1957. Rauhut op. cit.; P2, S. 861–866.
98 P2, S. 458–464.
99 C2, S. 55 (1942/43), vgl. damit P2, S. 190.
100 P2, S. 734, 743, 1702–1705 u. ö. – Eine direkte Anspielung auf Camus' neues Paradox scheint schon Sartre, Sit. II, S. 207, zu enthalten.
101 C2, S. 219. Zum Problem im ganzen: S. 175, 184 f., 195, 200, 252, 254, 262, 265, 274, 280, 291, 299, 305, 310, 312, 316, 331, 337.
102 P2, S. 158–163, 458–464, 1927.
103 Nicolas, op. cit. Camus' teilweise zustimmende Antwort 1955, anläßlich der ersten Fassung von Nicolas' These, P2, S. 1614 f.
104 P2, S. 547. Hegel über die Schwierigkeit des nachreligiösen modernen Künstlers, Stoffe als ungespielt, notwendig anzusehen: *Ästhetik.* Frankfurt 1965, Bd. 1, S. 279, 281.
105 Zu Camus' Lungentuberkulose siehe P1, S. XXXII f.
106 ›Le Figaro‹ 5. 1. 1960.
107 Siehe den Chamfort-Text 1944, P2, S. 1099–1109.
108 P2, S. 164 f.
109 C2, S. 155. Ein bloßer Nachklang später P2, S. 690.
110 P2, S. 677.
111 P2, S. 666 f.
112 C2, S. 144 f., Vgl. 130, 175.
113 P2, S. 1394–1397 und ›Alger républicain‹ 4. 7. 1939 (Bernanos); wichtig auch zum Problem 3. 1. 1939 (R. de Jouvenel), 9. 4. 1939 (J. Amado) 5. 3. 1939 (A. Guibert).
114 ›Alg. rép.‹ 23. 10. 1938 (nicht in P2): »Die Unruhe, die Gide mit seinen Zeitgenossen angesichts der dringenden Lösung sozialer Probleme teilt, zählt wenig angesichts einer Berufung, die außer ihm keiner erfüllt hat: die eines großen Künstlers unserer Zeit, im schönsten Sinne des Wortes. – Ich würde noch mehr sagen: es ist eine optische Täuschung, wenn man soviel Aufhebens macht um Gide, den Parteigänger (partisan). Denn auf der sozialen Ebene hat seine Meinung *nicht mehr* Bedeutung als die jedes anderen gebildeten, hochherzigen und maßvoll idealistischen Franzosen ...«
115 P2, S. 1399 f.
116 P2, S. 1397–1399.
117 P2, S. 1483.
118 *Situations* IV, S. 113 f.
119 P2, S. 1487.
120 Sit. II, S. 112. Zu Freiheit und »Praxis« siehe u. S. 176–178.
121 Vgl. Sartre, *L'Être et le Néant,* 1943, S. 517–561.
122 *Situations* IV, S. 127 (Nachruf 1960).
123 P2, S. 1091 und 1652 f.
124 In dieser Funktion besonders virtuos gebraucht vom Helden des *Falls.*
125 P2, S. 1141–1143, anläßlich Martin du Gards.
126 P2, S. 13 (geschr. 1954) und 1826 f.
127 P2, S. 1131–1133, zu Melville P1, S. 1899–1903.

128 P2, S. 1091.
129 P2, S. 1031, 470 Anm., P1, S. 1878–1883.
130 Bes. P1, S. 1877, anläßlich seiner Theaterbearbeitung der *Dämonen.*
131 P2, S. 1927 (Interview 20. 12. 1959).
132 Was weiterer Erörterung bedürfte. Bei Clamences Gefühlen für Höhlen und Bergesgipfel ist die Parodie auf den »Terrassenstandpunkt« der *Pest* (P1, S. 1471) und zugleich auf dessen Kritiker – F. Jeanson u. a. – evident; anderswo legt sich Ähnliches, von Camus' späten G. G. Jung-Lektüren aus, sehr nahe.
133 Gegenüberstellung Antigone–Odysseus, von Martin du Gard ausgehend P2, S. 1151; weitere Odysseus-Stellen: P2, S. 204, 842, 856; P1, S. 1901; C2, S. 22 und vor allem der Schluß des *Homme révolté,* P2, S. 708: »wir wählen Ithaka . . .«; dazu die Variante S. 1661 mit Hinweis auf Odysseus bei Dante, Gegenüberstellung mit Faust.

V. Korrigiertes Engagement und Zeit der Zeugen

1 Sartre, Interview mit J. Piatier in ›Le Monde‹ 18. 4. 1964. Zur neu entzündeten Diskussion siehe Kohut, op. cit., S. 202–206.
2 Vgl. hierzu die ausführliche Analyse bei Kohut, S. 42–49. – Das folgende Sartre-Referat hebt hervor, was ›Engagement‹ von den beiden anderen Momenten trennt und was mit Aragon, Malraux, Camus verbindet, d. h. es ist bewußt einseitig und läßt vor allem die von Sartre an Baudelaire und Genet gezeigten Aspekte subjektiver Engagiertheit ganz weg.
3 Sit. II, S. 58–114.
4 Sit. II, S. 202–316. Das ›Wovon schreiben‹ ist Teil dieser übergreifenden Situation: S. 197.
5 Sit. II, S. 116–197.
6 Sit. II, S. 143–154.
7 Sit. II, S. 154–188.
8 Noch darüber, daß der Andere als »Bewahrender« in Ursprung und Wahrheit des Kunstwerks mit hineingehört, besteht Einigkeit zwischen Sartre und Heidegger, auch darüber, daß die wahre Dichtung in dürftiger Zeit die Wozu-Frage stellen muß. Sie schlägt zum Gegensatz um, wo die inhaltliche Bestimmung der Dürftigkeit – die bei Heidegger nichts mit sozialem Konflikt zu tun hat – und des »geschichtlichen Volkes« beginnt, das zum Kunstwerk gehört. Siehe Heidegger, *Holzwege,* Frankfurt 1950, »Der Ursprung des Kunstwerks« (1935/36), S. 7–68 und »Wozu Dichter?« (1946), S. 248–295.
9 Sit. II, S. 276 f., 290.
10 In Frage zu stellen von Malraux' anderer Kindheits- und Jugendentwicklung aus, im gleichen Milieu zur gleichen Zeit: Religiosität und nationaler Revanchegeist finden andere Wege als bei Sartre, der sich durch sie determiniert glaubt. Die Fortsetzung der *Wörter* bleibt abzuwarten.
11 P2, S. 462 f.; 465–467.
12 »Aspects d'André Gide« in ›L'Action‹, avril–mai 1922, S. 17–22.
13 *Romans,* S. 705, Cme No. 37, 1936, S. 1–9; AM, S. 13.
14 NRF No. 267, déc. 1935, S. 935–937.
15 *Romans,* S. 226.

16 Sit. II, S. 152.
17 Sit. II, S. 294–298.
18 Folgerichtig hält sich Sartre 1960 in seinem Nachruf an die moralische »opiniâtreté« Camus': *Situations* IV, S. 126–129.
19 LF No. 803, 1959, und 812, 1960. – Zum geschichtlichen Géricault siehe Jab, S. 94–102.
20 P2, S. 399–406.
21 Sit. II, S. 330.
22 Sit. II, 72 f., 171.
23 Sit. II, S. 214–266.
24 Sit. II, S. 171, 218 f., 256 f.
25 Siehe o. S. 198, Anm. 33 und Kohut, S. 41 f.
26 Sit. II, S. 214–235.
27 Sit. II, S. 236 f.
28 Sit. II, S. 243 f.
29 Sit. II, S. 326.
30 Sit. II, S. 245–256.
31 Sit. II, S. 294.
32 *Romans,* S. 698–707, 760–766 u. ö. – In der Entwicklung Scalis liegt am Ende noch mehr »Epochensinn« der *Hoffnung* als in der – häufiger beachteten – Manuels zum einsamen militärischen Führer.
33 *Les Communistes* t. 4, S. 60–65, 106–110, 119.
34 Obwohl der erste Satz des Essays, Sit. II, S. 57, die traditionelle Anordnung nähergelegt hätte . . .
35 Rühle, S. 531.
36 Ebendort.
37 *Romans,* S. 763.
38 P2, S. 1091.
39 Dies vor allem im Dialog mit Kohlhase, op. cit., der u. E. aus dem von ihm so treffend gewählten Epigraph von den »passions collectives« (S. 5) nicht alle notwendigen Konsequenzen zieht. Camus' Differenz zum »clerc« Julien Bendas (den er kennt: P2, S. 1995) ließe sich gerade an diesen »passions« – daß er ihnen Form gibt, anstatt sie zu fliehen – im Detail ausführen.
40 Was der bewußt irrealen Frage dennoch ihren hermeneutisch-methodischen Wert nicht nimmt, vgl. auch o. S. 127 f. Ebenso interessant wäre z. B. zu wissen, wie ein französischer Brecht nach 1945 seine Chance genutzt und welche Gestalt sein Werk angenommen hätte, wären ihm zur Durchsicht seiner früheren Stücke soviel Jahre geblieben wie etwa Aragon. – Ein viel näheres Analogon zur französischen Entwicklung wäre in der italienischen Literatur zu verfolgen: bei Silone, Moravia, Pavese, Vittorini und neuerdings Pasolini kommt jeweils die neutrale Zeugenhaltung erst nach dem direkten politischen Engagement.
41 P2, S. 1132 f.
42 Sit. II, S. 316.
43 Sit. II, S. 261–266.
44 Sit. II, S. 262, 264 f.
45 P2, S. 1094.
46 In Grenzfällen spricht auch Sartre positiv von »témoigner«: Sit. II, S. 153, 266, 307.

47 *L'Être* . . ., S. 507. »Être et Faire« ist ein Teil der *Hoffnung* überschrieben: *Romans,* S. 654–716.
48 Freilich nur eine Andeutung. Der Text über Matvéev, NRF Nr. 249, 1934, S. 1014–1016, bestimmt das »Faire« inhaltlich; der über Ehrenburg, NRF No. 266, 1935, S. 770–772, zeigt, wie »possession« weiter für die Literatur konstitutiv bleibt.
49 Mehrfach wiederholt Malraux 1935–37 seine von Sartre ganz verschiedene Theorie der Romanlektüre, daß sie den Leser das sonst erlittene Schicksal besitzen läßt und ihn in eine andere »Dimension« einführt; vgl. ›LU‹, 21. 6. 1935, Cme No. 37, 1936, S. 1–9, ›Verve‹ Nr. 1, 1937, S. 41–48. – Auch Sartre ist dieser Aspekt nicht fremd; wie sehr seine Askese dialektisch und nicht angeboren ist, dokumentiert vor allem der o. S. 196, Anm. 37 erwähnte Text über die Epoche als besitzbares Absolutum, welcher die Geschlossenheit des Essays von 1947 gestört hätte.
50 Siehe die Anspielung auf »conquête«, Sit. II, S. 89.
51 Siehe »Orphée noir« in *Situations,* III, 1949, S. 229–286 (Vorwort zu einer Anthologie afrikanischer Lyrik, 1948, hrsg. von L. Sédar-Senghor).
52 Vgl. o. S. 195, Anm. 25; deutsch (ohne Vorwort) Köln/Berlin 1961.
53 Sperber, S. 1028.
54 Sperber, S. 294.
55 Sperber, S. 1018–1036.
56 Vgl. etwa R.-M. Albérès, *Histoire du Roman moderne,* 1962, S. 151–153, 245–264, 345.
57 »Roman, signification et chronologie«, am 25. 6. 1963 in Tübingen gehaltener Vortrag.
58 Antwort auf die Umfrage: »En 1960, selon vous, à quoi servez-vous?« in ›La Nouvelle Critique‹ No. 22, 1960, S. 12 f.
59 *Le Voyeur* (Roman), 1955.
60 Etwa Goldmann, *Pour une Sociologie du Roman,* 1964, S. 449–467.
61 ›La Nouvelle Critique‹ No. 22, S. 86 f.
62 E. Auerbach, *Mimesis* – Dargestellte Wirklichkeit in der abendländischen Literatur, Bern 1946, 1959², S. 488–514.
63 Camus, P2, S. 1080; P1, S. 1699.
64 LF No. 922 und 956, 1962, und 1016, 1964.
65 P2, S. 1090.
66 Sit. II, S. 197.
67 – um so versuchsweise die Literaturwissenschaft und Publikationspraxis in der DDR durch ein Klassikerzitat zu erhellen: K. Marx, *Frühschriften,* S. 224. »Wenn alle inneren Bedingungen erfüllt sind, wird der deutsche Auferstehungstag verkündet werden durch das Schmettern des gallischen Hahns.« Voraus gehen die Sätze über die Emanzipation des Menschen vom Mittelalter; ihr Kopf ist die Philosophie, ihr Herz das Proletariat. – H. Mayer, »Die Literatur der DDR und ihre Widersprüche« in *Zur deutschen Literatur der Zeit,* 1967, S. 374–394, gibt dem selben Text die andere kritische Richtung, um angesichts der konkreten geschichtlichen Position des Proletariats, welche die DDR darstellt, die behauptete Realisierung von Philosophie und Aufklärung marxistisch in Frage zu stellen.
68 Bernanos, *Les Enfants humiliés,* Journal 1938–1940 (1949) S. 191, 207.

Chronologische Übersicht

ARAGON geb. 1897	MALRAUX geb. 1901	CAMUS geb. 1913	GESCHICHTE * Frankreich	allgemein	Literaturgeschichte
1917/18 Aragon an der Front im Elsaß als Hilfsarzt				1917 Russische Oktober-Revolution	1917 Barbusse: Das Feuer
				1918 Nov. Waffenstillstand	Valéry: Die junge Parze
			1919 Abspaltung der KPF von den Sozialisten	1919/20 Versailler Verträge	
1920 Feu de Joie (P)					1920 Kafka: Das Schloß (geschrieben)
1921 *Anicet ou le Panorama*					
	1922 Lunes en Papier			1922 Beginn der faschistischen Herrschaft in Italien	1922 Joyce: Ulysses
	1923–25 Erster Indochina-Aufenthalt				Martin du Gard: Anfang der Thibault
					Tod Prousts
1924 Le Libertinage					1924 Breton: Manifest des Surrealismus
			1925 Rif-Krieg in Marokko	1925 Locarno-Verträge	1925 Gide: Die Falschmünzer
					Scholochow: Der stille Don

Kursiv = Hauptwerke, D = Drama,
E = Essay, P = Poesie (Lyrik)

* Die Auswahl beschränkt sich auf Werke und Ereignisse, die auf Aragon, Malraux und Camus Auswirkungen hatten.

ARAGON	MALRAUX	CAMUS	GESCHICHTE Frankreich	allgemein	Literaturgeschichte
1926 *Le Paysan de Paris* (EP)	1926 Die Versuchung des Westens (E)			1926 Tod Lenins. Beginn der Herrschaft Stalins	1926 T. E. Lawrence: Die sieben Säulen der Weisheit
	1926/27 Teilnahme an der chinesischen Revolution			1927 Bruch Tschiang Kai Scheks mit den Kommunisten	1927 Benda: La Trahison des Clercs 1927/28 Proust: Die wiedergefundene Zeit (posthum)
1928 Traité du Style (E)	1928 *Die Eroberer*				1928 Gorki: Klim Samgin
				1929/30 Weltwirtschaftskrise	1929 Claudel: Der seidene Schuh Brecht: Hl. Johanna der Schlachthöfe
	1930 *Der Königsweg*				1930 Faulkner: Die Freistatt Selbstmord Majakowskis
1931 Endgültiger KP-Eintritt					1931 Saint Exupéry: Nachtflug Musil: Der Mann ohne Eigenschaften (1. Teil)

					1932 Céline: Reise an Ende der Nacht
1933/34 Umfrage ›Für wen schreiben Sie?‹	1933 *Conditio humana*			1933 Hitler deutscher Reichskanzler	
1934 *Die Glocken von Basel*	1934 Teilnahme am Moskauer Schriftsteller-kongreß	1934 KP-Eintritt	1934 6. Februar: Rechtsdemonstrationen in Paris. Sturz Daladiers		1934 1. sowjet. Schriftsteller-kongreß in Moskau
	1935 *Die Zeit der Verachtung*	1935 (Ur-Caligula); Théâtre du Travail		1935 Italienischer Äthiopienfeldzug	1935 Giraudoux: Der trojanische Krieg findet nicht statt
1936 *Die Viertel der Reichen*	1936/37 Chef der republikanischen Luftwaffe im Spanienkrieg	1936 Diplomarbeit über Plotin und Augustin	1936 Mai bis April 1938: Volksfront-regierung	1936–39 Spanienkrieg 1936–38 Moskauer Schauprozesse	1936 Gide: Zurück aus der Sowjetunion Bernanos: Tagebuch eines Landpfarrers
1937–39 geschrieben: *Die Reisenden der Oberklasse*	1937 *Die Hoffnung*	1937 *Licht und Schatten* (E) KP-Austritt 1938/39 Journalist des Alger républicain	1937 Weltausstellung in Paris		
				1938 Münchener Abkommen	1938 Sartre: Der Ekel Bernanos: Die großen Friedhöfe unter dem Mond
	1939 Bruch mit dem Kommu-nismus	1939 *Hochzeit des Lichts* (E)		1939 Deutsch-sowjetischer Nichtangriffspakt 1939–45 Zweiter Weltkrieg	

ARAGON	MALRAUX	CAMUS	GESCHICHTE Frankreich	allgemein	Literaturgeschichte
	1940 Deutsche Kriegs-gefangenschaft und Flucht in die Schweiz	1940 Camus verläßt Algerien	1940 April: Prozeß gegen KPF-Abgeordnete Juni: deutscher Einmarsch in Paris Vichy-Regierung		1940 Hemingway: Wem die Stunde schlägt
1941 Le Crêve-Coeur (P)					
1942 *Les Yeux d'Elsa* (P)	1942/43 *Die Nußbäume der Altenburg*	1942 *Der Fremde*	1942 Beginn der Résistance	1942 Deutsche Niederlage in Stalingrad; alliierte Landung in Nordafrika	1942 Anouilh: Antigone
		1943 *Der Mythos von Sisyphus* (E)			1943 Sartre: Das Sein und das Nichts
1944 *Aurélien*	1944 zweite deutsche Gefangenschaft; Brigadenführer im Elsaß	1944 Das Miß-verständnis (D)	1944 Juli: alliierte Landung in der Normandie 4. August: Befreiung von Paris		
	1945/46 Minister im 1. Kabinett de Gaulle	1945/46 Direktor der Tageszeitung Combat	1945 Vierte Republik – 1. Regierung de Gaulle (1945/46)	1945 Yalta-Abkommen: Teilung Deutschlands Mai: deutsche Kapitulation	

1946/47 Chroniques du Bel Canto (E)	1947–49 Die Psychologie der Kunst (3 Bände) (E)	1947 *Die Pest*	1946 Beginn des Indochina-Kriegs		1946 Gide: Theseus 1947/48 Sartre: Was ist Literatur?
		1948 Belagerungszustand		1948 Kommunistische Machtergreifung in der Tschechoslowakei	
1949–51 *Die Kommunisten* (6 Bände)	1949 Saturne (E)	1949 *Die Gerechten* (D)		1949 Gründung der BRD Gründung der DDR Volksrepublik China Gründung der NATO 1950 Korea-Krieg	
1952 Bücher über Hugo und Courbet 1953 Direktor der Lettres Françaises	1951 *Die Stimmen der Stille* (E)	1951 *Der Mensch in der Revolte* (E) 1952 Bruch mit Sartre			1951 Tod Gides 1952 Beckett: Warten auf Godot
			1953 Ende des Indochina-Kriegs (Dien Bien Phu)	1953 Tod Stalins. Aufstände in Mitteldeutschland und Polen USA: Hinrichtung J. u. E. Rosenberg	

ARAGON	MALRAUX	CAMUS	GESCHICHTE Frankreich	allgemein	Literaturgeschichte
1954 *Les Yeux et la Mémoire* (P) La Lumière de Stendhal (E)		1954 Literarische Essays (L'Été) Gescheiterter Vermittlungsversuch in Algerien	1954: Nov.: Beginn des Algerien-Kriegs		1954 2. sowjet. Schriftstellerkongreß (»Tauwetter«-Beginn)
1955 Littératures soviétiques (E)					1955 Robbe-Grillet: Der Augenzeuge
1956 Le Roman inachevé (P)		1956 *Der Fall*	1956 Okt.: Anglo-französische Suez-Intervention	1956 XX. Parteitag der KPdSU (Chruschtschow) Revolution in Ungarn – sowjetische Intervention	1956 Tod Brechts Selbstmord Fadejews
	1957 *La Métamorphose des Dieux*, t. 1 (E)	1957 Das Exil und das Reich Nobelpreis-Reden			1957 Butor: Die Modifikation Simon: Die Straße in Flandern
1958 *Die Karwoche*					
1959 J'abats mon Jeu (E)	seit 1959 Kultminister im 2. Kabinett de Gaulle		1959 2. Regierung de Gaulle – Fünfte Republik		
1960 Les Poètes (P)		4. 1. 1960: Tod bei einem Verkehrsunfall			1960 Manifest der 121 gegen den Algerienkrieg

		1961 Ende des Algerien-Kriegs (Évian)	1961 Bau der Berliner Mauer	1961 Tod Hemingways
1962 Histoire parallèle, t. 2–3: URSS			1962/63 Beginn des amerikanischen Vietnamkriegs	1962 Tod Faulkners
1963 *Le Fou d'Elsa* (P)				1963 Sartre: Die Wörter 1964 Sartre lehnt Nobelpreis ab
			1964 Sturz Chruschtschows	
1965 *La Mise à Mort*	1965 China-Reise (Gespräch mit Mao Tse Tung)		1965/66 Indonesien: Sturz Sukarnos; Kommunisten-verfolgung	**1966** Foucault: Les Mots et les Choses
1967 *Blanche ou l'Oubli* Zweitfassung der Kommunisten	1967 *Anti-Memoiren*, Bd. 1		1967 Militärregime in Griechenland	
		1968 Mai: Generalstreik	1968 August: Einmarsch Warschauer-Pakt-Truppen in die CSSR	
	1969 Juni: Kabinett Pompidou – Rückzug Malraux' aus der Kultur-politik	1969 Mai: Rücktritt de Gaulles nach Referendum		

Register

Aus der Reihe »Sprache und Literatur«

Leo Pollmann

Sartre und Camus

Literatur der Existenz
224 Seiten. Band 40. Kart
DM 16.80

Leo Pollmann

**Der neue Roman in Frank
und Lateinamerika**

288 Seiten. Band 49. Kart
DM 16.80

Leo Pollmann

**Das Epos in den romanisc
Literaturen**

Verlust und Wandlungen
187 Seiten. Band 34. Karto
DM 12.80

Werner Vordtriede

**Novalis und die französisch
Symbolisten**

Zur Entstehungsgeschichte
dichterischen Symbols
196 Seiten. Band 8. Karto
DM 9.80

Josef Theisen

**Geschichte der französische
Literatur**

2., durchgesehene Auflage.
415 Seiten. Mit Zeittafel, Bibliographie und Namensverzeichnis.
Band 11. Kartoniert DM 15.80

Arnold Heidsieck

Das Groteske und das Absurde im modernen Drama

144 Seiten. Band 53. Kartoniert
DM 12.80

R. Hinton Thomas/W. van der Will

Der deutsche Roman und die Wohlstandsgesellschaft

Gaiser, Koeppen, Böll, Grass, Walser, Johnson
Aus dem Englischen von Hansheinz Werner. 208 Seiten. Band 52.
Kartoniert DM 16.80

Verlag W. Kohlhammer - Stuttgart